Suhrkamp BasisBibli

Diese Ausgabe der »Suhrkamp BasisBibliothek – Arbeitstexte für Schule und Studium« bietet nicht nur Peter Weiss' dokumentarisches Theaterstück *Die Ermittlung*, sondern auch einen Kommentar, der alle für das Verständnis erforderlichen Informationen enthält: eine Zeittafel zu Leben und Werk, Selbstaussagen des Autors, die Textgeschichte, die Rezeptions- und Deutungsgeschichte, Literaturhinweise sowie ausführliche Wort- und Sacherläuterungen. Die Schreibweise des Kommentars entspricht den neuen Rechtschreibregeln.

Zu ausgesuchten Texten der Suhrkamp BasisBibliothek erscheinen im Cornelsen Verlag Hörbücher und CD-ROMs. Weitere Informationen erhalten Sie unter www.cornelsen.de.

Marita Meyer, Dr. Phil., geboren 1962, Lektorin für deutsche Gegenwartsliteratur am Germanistischen Institut der Universität Szczecin (Stettin); zahlreiche Publikationen zu Peter Weiss.

# Peter Weiss
# Die Ermittlung

*Oratorium in 11 Gesängen*

Mit einem Kommentar
von Marita Meyer

Suhrkamp

Der vorliegende Text folgt der Ausgabe:
Peter Weiss, *Werke in sechs Bänden*. Herausgegeben vom
Suhrkamp Verlag in Zusammenarbeit mit Gunilla
Palmstierna-Weiss. Fünfter Band. *Dramen 2: Die Ermittlung.
Lusitanischer Popanz. Viet Nam Diskurs*. Frankfurt/M.:
Suhrkamp Verlag 1991, S. 7–199.

Originalausgabe
Suhrkamp BasisBibliothek 65
Erste Auflage 2005

Satz: pagina GmbH, Tübingen
Druck: Ebner & Spiegel, Ulm
Umschlagfoto: Arno Fischer
Umschlaggestaltung: Regina Göllner und Hermann Michels
Printed in Germany

ISBN 3-518-18865-8

2 3 4 5 6 – 10 09 08

# Inhalt

# Die Ermittlung

*⌐Oratorium⌐ in ⌐11 Gesängen⌐*

## Personen

RICHTER

VERTRETER DER ANKLAGE
*stellt Staatsanwalt und Nebenkläger dar*

VERTRETER DER VERTEIDIGUNG

⌜ANGEKLAGTE 1–18⌝
*stellen authentische Personen dar*

ZEUGEN 1–9
*stellen abwechselnd die verschiedensten
anonymen Zeugen dar*

# Anmerkung

Bei der Aufführung dieses Dramas soll nicht der Versuch
unternommen werden, den Gerichtshof, vor dem die Verhandlungen über das Lager geführt wurden, zu rekon-
struieren. Eine solche Rekonstruktion erscheint dem
Schreiber des Dramas ebenso unmöglich, wie es die Darstellung des Lagers auf der Bühne wäre.
Hunderte von Zeugen traten vor dem Gericht auf. Die Gegenüberstellung von Zeugen und Angeklagten, sowie die
Reden und Gegenreden, waren von emotionalen Kräften
überladen.
Von all dem kann auf der Bühne nur ein Konzentrat der
Aussage übrig bleiben.
Dieses Konzentrat soll nichts anderes enthalten als Fakten,
wie sie bei der Gerichtsverhandlung zur Sprache kamen.
Die persönlichen Erlebnisse und Konfrontationen müssen
einer Anonymität weichen. Indem die Zeugen im Drama
ihre Namen verlieren, werden sie zu bloßen Sprachrohren.
Die 9 Zeugen referieren nur, was hunderte ausdrückten.
Die Verschiedenheiten in den Erfahrungen können höch-
stens angedeutet werden in einer Veränderung der Stimme
und Haltung.
Zeuge 1 und 2 sind Zeugen, die auf seiten der Lagerverwaltung standen.
Zeuge 4 und 5 sind weibliche, die übrigen männliche Zeugen aus den Reihen der überlebenden Häftlinge.
Die 18 Angeklagten dagegen stellen jeder eine bestimmte
Figur dar. Sie tragen Namen, die aus dem wirklichen Pro-
zeß übernommen sind. Daß sie ihre eigenen Namen haben
ist bedeutungsvoll, da sie ja auch während der Zeit, die zur
Verhandlung steht, ihre Namen trugen, während die Häftlinge ihre Namen verloren hatten.
Doch sollen im Drama die Träger dieser Namen nicht noch

einmal angeklagt werden. Sie leihen dem Schreiber des Dramas nur ihre Namen, die hier als Symbole stehen für ein System, das viele andere schuldig werden ließ, die vor diesem Gericht nie erschienen.

Bei Bühnenaufführungen kann eine Pause nach dem 6. Gesang eingelegt werden. <sup>5</sup>

# 1 Gesang von der Rampe

## I

RICHTER  Herr Zeuge
  Sie waren Vorstand des Bahnhofs
5 in dem die Transporte einliefen
  Wie weit war der Bahnhof vom Lager entfernt
ZEUGE 1  2 Kilometer vom alten Kasernenlager
  und etwa 5 Kilometer vom Hauptlager
RICHTER  Hatten Sie in den Lagern zu tun
10 ZEUGE 1  Nein
  Ich hatte nur dafür zu sorgen
  daß die Betriebsstrecken in Ordnung waren
  und daß die Züge fahrplanmäßig
  ein- und ausliefen
15 RICHTER  In welchem Zustand waren die Strecken
ZEUGE 1  Es war eine ausgesprochen gut
  ausgestattete Rollbahn
RICHTER  Wurden die Fahrplananordnungen
  von Ihnen ausgearbeitet
20 ZEUGE 1  Nein
  Ich hatte nur fahrplantechnische Maßnahmen
  im Zusammenhang mit dem Pendelverkehr
  zwischen Bahnhof und Lager durchzuführen
RICHTER  Dem Gericht liegen Fahrplananordnungen vor
25 die von Ihnen unterzeichnet sind
ZEUGE 1  Ich habe das vielleicht einmal
  vertretungsweise unterschreiben müssen
RICHTER  War Ihnen der Zweck der Transporte bekannt
ZEUGE 1  Ich war nicht in die Materie eingeweiht
30 RICHTER  Sie wußten
  daß die Züge mit Menschen beladen waren

ZEUGE 1  Wir erfuhren nur
daß es sich um ⌐Umsiedlertransporte⌐ handelte
die unter dem Schutz des Reichs standen
RICHTER  Über die vom Lager regelmäßig
zurückkehrenden Leerzüge                                    5
haben Sie sich keine Gedanken gemacht
ZEUGE 1  Die beförderten Menschen
waren dort angesiedelt worden
ANKLÄGER  Herr Zeuge
Sie haben heute eine leitende Stellung                     10
in der Direktion der Bundesbahn
Demnach ist anzunehmen
daß Sie vertraut sind mit Fragen
der Austattung und Belastung von Zügen
Wie waren die bei Ihnen ankommenden Züge                   15
ausgestattet und belastet
ZEUGE 1  Es handelte sich um Güterzüge
Laut Frachtbrief wurden per Waggon
etwa 60 Personen befördert
ANKLÄGER  Waren es Güterwagen                               20
oder Viehwagen
ZEUGE 1  Es waren auch Wagen
wie sie zum Viehtransport benutzt wurden
ANKLÄGER  Gab es in den Waggons

Waschräume,  sanitäre Einrichtungen*                        25
Toiletten    ZEUGE 1  Das ist mir nicht bekannt
ANKLÄGER  Wie oft kamen diese Züge an
ZEUGE 1  Das kann ich nicht sagen
ANKLÄGER  Kamen sie häufig an
ZEUGE 1  Ja sicher                                          30

häufig ange-  Es war ein stark frequentierter* Zielbahnhof
fahrener      ANKLÄGER  Ist Ihnen nicht aufgefallen
daß die Transporte
aus fast allen Ländern Europas kamen
ZEUGE 1  Wir hatten soviel zu tun                           35

daß wir uns um solche Dinge
nicht kümmern konnten
ANKLÄGER  Fragten Sie sich nicht
was mit den umgesiedelten Menschen
5   geschehen sollte
ZEUGE 1  Sie sollten zum Arbeitseinsatz
geschickt werden
ANKLÄGER  Es waren aber doch nicht nur Arbeitsfähige
sondern ganze Familien
10   mit alten Leuten und Kindern
ZEUGE 1  Ich hatte keine Zeit
mir den Inhalt der Züge anzusehn
ANKLÄGER  Wo wohnten Sie
ZEUGE 1  In der ⌈Ortschaft⌉
15  ANKLÄGER  Wer wohnte sonst dort
ZEUGE 1  Die Ortschaft war von der einheimischen
Bevölkerung geräumt worden
Es wohnten dort Beamte des Lagers
und Personal der umliegenden Industrien
20  ANKLÄGER  Was waren das für Industrien
ZEUGE 1  Es waren Niederlassungen
der ⌈IG Farben⌉
der Krupp- und Siemenswerke
ANKLÄGER  Sahen Sie Häftlinge
25   die dort zu arbeiten hatten
ZEUGE 1  Ich sah sie beim An- und Abmarschieren
ANKLÄGER  Wie war der Zustand der Gruppen
ZEUGE 1  Sie gingen im Gleichschritt und sangen
ANKLÄGER  Erfuhren Sie nichts
30   über die Verhältnisse im Lager
ZEUGE 1  Es wurde ja soviel dummes Zeug geredet
man wußte doch nie woran man war
ANKLÄGER  Hörten Sie nichts
über die Vernichtung von Menschen
35  ZEUGE 1  Wie sollte man sowas schon glauben

RICHTER  Herr Zeuge
Sie waren für die Güterabfertigung
verantwortlich
ZEUGE 2  Ich hatte nichts anderes zu tun
als die Züge dem Rangierpersonal zu übergeben          5
RICHTER  Was waren die Aufgaben des Rangierpersonals
ZEUGE 2  Sie spannten eine Rangierlok vor
und beförderten den Zug ins Lager
RICHTER  Wieviele Menschen befanden sich
Ihrer Schätzung nach                                   10
in einem Waggon
ZEUGE 2  Darüber kann ich keine Auskunft geben
Es war uns streng verboten
die Züge zu kontrollieren
RICHTER  Wer hinderte Sie daran                         15
ZEUGE 2  Die Bewachungsmannschaften
RICHTER  Gab es Frachtbriefe für alle Transporte
ZEUGE 2  In den meisten Fällen waren keine
Begleitbriefe dabei
Da stand nur die Zahl mit Kreide                        20
auf dem Waggon
RICHTER  Was standen da für Zahlen
ZEUGE 2  60 Stück oder 80 Stück
je nachdem
RICHTER  Wann kamen die Züge an                          25
ZEUGE 2  Meistens nachts
ANKLÄGER  Welchen Eindruck erhielten Sie
von diesen Frachten
ZEUGE 2  Ich verstehe die Frage nicht
ANKLÄGER  Herr Zeuge                                     30
Sie sind Oberinspektor der Bundesbahn
und kennen sich in Reiseverhältnissen aus
Wurden Sie durch Einblicke in Waggonluken
oder durch Geräusche aus den Waggons
auf die Zustände aufmerksam                             35

ZEUGE 2  Ich sah einmal eine Frau
die ein kleines Kind an die Luftklappe hielt
und fortgesetzt nach Wasser schrie
Ich holte einen Krug Wasser
5    und wollte ihn ihr reichen
Als ich den Krug hochhob kam einer der Wachleute
und sagte
wenn ich nicht sofort weggehe
würde ich erschossen
10 RICHTER  Herr Zeuge
Wieviele Züge kamen Ihrer Berechnung nach
auf dem Bahnhof an
ZEUGE 2  Im Durchschnitt ein Zug pro Tag
Bei Hochdruck verkehrten auch 2 bis 3 Züge
15 RICHTER  Wie groß waren die Züge
ZEUGE 2  Sie hatten bis zu 60 Waggons
RICHTER  Herr Zeuge
waren Sie im Lager
ZEUGE 2  Ich fuhr einmal auf der Rangierlok mit
20    weil es etwas wegen der Frachtbriefe
zu besprechen gab
Gleich hinter dem Einfahrtstor stieg ich ab
und ging in das Lagerbüro
Da kam ich beinah nicht mehr raus
25    weil ich keinen Ausweis hatte
RICHTER  Was sahen Sie vom Lager
ZEUGE 2  Nichts
Ich war froh daß ich wieder wegkam
RICHTER  Sahen Sie die Schornsteine am Ende der Rampe
30    und den Rauch und den Feuerschein
ZEUGE 2  Ja
ich sah Rauch
RICHTER  Was dachten Sie sich dabei
ZEUGE 2  Ich dachte mir
35    das sind die Bäckereien

Ich hatte gehört
da würde Tag und Nacht Brot gebacken
Es war ja ein großes Lager


## II


ZEUGE 3  Wir fuhren 5 Tage lang
Am zweiten Tag
Proviant  war unsere Wegzehrung* verbraucht
Wir waren 89 ⌈Menschen⌉ im Waggon
Dazu unsere Koffer und Bündel
Unsere Notdurft verrichteten wir
in das Stroh
Wir hatten viele Kranke
und 8 Tote
Auf den Bahnhöfen konnten wir
durch die Luftlöcher sehn
wie die Bewachungsmannschaften
von weiblichem Personal
Essen und Kaffee erhielten
Unsere Kinder hatten zu jammern aufgehört
als wir in der letzten Nacht vom Bahndamm
auf ein Nebengleis abbogen
Wir fuhren durch eine flache Gegend
die von Scheinwerfern beleuchtet wurde
Dann näherten wir uns einem langgestreckten
scheunenähnlichen Gebäude
Da war ein Turm
und darunter ein gewölbtes Tor
Ehe wir durch das Tor einfuhren
pfiff die Lokomotive
Der Zug hielt

Die Waggontüren wurden aufgerissen
Häftlinge in gestreiften Anzügen erschienen
und schrien zu uns herein
Los raus schnell schnell
5    Es waren anderthalb Meter herab zum Boden
Da lag Schotter
Die Alten und Kranken fielen
in die scharfen Steine
Die Toten und das Gepäck wurden herausgeworfen
10   Dann hieß es
Alles liegen lassen
Frauen und Kinder rüber
Männer auf die andere Seite
Ich verlor meine Familie aus den Augen
15   Überall schrien die Menschen
nach ihren Angehörigen
Mit Stöcken wurde auf sie eingeschlagen
Hunde bellten
Von den Wachtürmen waren Scheinwerfer
20   und Maschinengewehre
auf uns gerichtet
Am Ende der Rampe war der Himmel
rot gefärbt
Die Luft war voll von Rauch
25   Der Rauch roch süßlich und versengt
Dies war der Rauch
der fortan blieb
ZEUGIN 4  Ich hörte meinen Mann noch
nach mir rufen
30   Wir wurden aufgestellt
und durften den Platz nicht mehr wechseln
Wir waren eine Gruppe
von 100 Frauen und Kindern
Wir standen zu fünft in einer Reihe
35   Dann mußten wir an ein paar Offizieren

vorbeigehn
Einer von ihnen hielt die Hand in Brusthöhe
und winkte mit dem Finger
nach links und nach rechts
Die Kinder und die alten Frauen                                5
kamen nach links
ich kam nach rechts
Die linke Gruppe mußte über die Schienen
zu einem Weg gehen
Einen Augenblick lang sah ich meine Mutter                    10
bei den Kindern
da war ich beruhigt und dachte
wir werden uns schon wiederfinden
Eine Frau neben mir sagte
Die kommen in ein Schonungslager                              15
Sie zeigte auf die Lastwagen
die auf dem Weg standen
und auf ein Auto vom Roten Kreuz
Wir sahen
wie sie auf die Wagen geladen wurden                          20
und wir waren froh daß sie fahren durften
Wir andern mußten zu Fuß weiter
auf den aufgeweichten Wegen
ZEUGIN 5  Ich hielt das Kind meiner Schwägerin an der
                                                     Hand      25
Sie selbst trug ihr kleinstes Kind auf dem Arm
Da kam einer von den Häftlingen auf mich zu
und fragte ob das Kind mir gehöre
Als ich es verneinte sagte er
ich solle es der Mutter geben                                  30
Ich tat es und dachte
die Mutter hat vielleicht Vorteile
Sie gingen alle nach links
ich ging nach rechts
Der Offizier der uns einteilte                                35

war sehr freundlich
Ich fragte ihn
wohin denn die andern gingen
und er antwortete
5 Die gehen jetzt nur baden
in einer Stunde werdet ihr euch wiedersehn
RICHTER Frau Zeugin
wissen Sie wer dieser Offizier war
ZEUGIN 5 Ich erfuhr später
10 daß er Dr. Capesius hieß
RICHTER Frau Zeugin
können Sie uns den Angeklagten
Dr. Capesius zeigen
ZEUGIN 5 Wenn ich mir die Gesichter ansehe
15 fällt es mir schwer zu sagen
ob ich sie wiedererkenne
Doch dieser Herr da
kommt mir bekannt vor
RICHTER Wie heißt er
20 ZEUGIN 5 Dr. Capesius
ANGEKLAGTER 3 Die Zeugin muß mich
mit einem anderen verwechseln
Ich habe nie auf der Rampe
ausgesondert*
25 ZEUGE 6 Ich kannte Dr. Capesius
von meinem Heimatort her
Ich war dort Arzt
und er hatte mich vor dem Krieg mehrmals
als Vertreter des Bayer-Konzerns besucht
30 Ich begrüßte ihn und fragte
was mit uns geschehen sollte
Er sagte
Hier wird alles gut werden
Ich sagte ihm
35 daß meine Frau nicht gesund sei

*Verharmlosend-verschleiernd für: so genannte Arbeitsunfähige für den Tod ausgewählt

Dann soll sie hier stehn
sagte er
Hier bekommt sie Pflege
Er zeigte auf die Gruppe
von alten Leuten und Kranken                    5
Ich sagte zu meiner Frau
Du mußt dorthin gehn und dich hinstellen
Sie ging zusammen mit ihrer Nichte
und ein paar anderen Verwandten
zur Gruppe der Kranken                         10
Sie fuhren alle auf Lastwagen ab
RICHTER  Besteht für Sie kein Zweifel
daß dies Dr. Capesius war
ZEUGE 6  Nein
Ich habe ja mit ihm gesprochen               15
Es war damals eine große Freude für mich
ihn wiederzusehn
RICHTER  Angeklagter Capesius
Kennen Sie diesen Zeugen
ANGEKLAGTER 3  Nein                            20
RICHTER  Waren Sie bei ankommenden Transporten
auf der Rampe
ANGEKLAGTER 3  Ich war nur dort
um Medikamente aus dem Gepäck der Häftlinge
entgegenzunehmen                              25
Diese hatte ich in der Apotheke zu verwahren
RICHTER  Herr Zeuge
Wen von den Angeklagten
sahen Sie noch auf der Rampe
ZEUGE 6  Diesen Angeklagten                    30
Ich kann auch seinen Namen nennen
Er heißt Hofmann
RICHTER  Angeklagter Hofmann
Was hatten Sie auf der Rampe zu tun
ANGEKLAGTER 8  Ich hatte für Ruhe und Ordnung zu   35
                                sorgen

RICHTER Wie ging das vor sich
ANGEKLAGTER 8 Die Leute wurden aufgestellt
    Dann bestimmten die Ärzte
    wer arbeitsfähig war
5   und wer zur Arbeit nicht infrage kam
    Mal waren mehr
    mal weniger Arbeitsfähige
    rauszuholen
    Der Prozentsatz war bestimmt
10  Er richtete sich nach dem Bedarf
    an Arbeitskräften
RICHTER Was geschah mit denen
    die nicht zur Arbeit gebraucht wurden
ANGEKLAGTER 8 Die kamen ins Gas
15 RICHTER Wie groß war der Prozentsatz
    der Arbeitsfähigen
ANGEKLAGTER 8 Im Durchschnitt
    ein Drittel des Transportes
    Bei Überbelegung des Lagers
20  hatten die Transporte
    geschlossen abzugehn*
RICHTER Haben Sie selbst
    Aussonderungen vorgenommen
ANGEKLAGTER 8 Ich kann dazu nur sagen
25  daß ich manchmal Nichtarbeitsfähige
    zu den Arbeitsfähigen rübergeschoben habe
    wenn die darum gebeten und gebettelt haben
RICHTER Durften Sie das
ANGEKLAGTER 8 Nein
30  das war verboten
    aber man hat eben beide Augen zugedrückt
RICHTER Wurde für den Rampendienst
    Sonderverpflegung ausgegeben
ANGEKLAGTER 8 Ja
35  da gab es Brot

*Verharm-
losend-ver-
schleiernd für:
zu sterben

eine Portion Wurst
und einen Fünftel Liter Alkohol

RICHTER Hatten Sie bei der Ausübung Ihrer Arbeit
Gewalt anzuwenden

ANGEKLAGTER 8 Da war immer ein großes Durcheinander 5
und da hat es natürlich mal
eine Zurechtweisung
oder eine Ohrfeige gegeben
Ich habe nur meinen Dienst gemacht
Wo ich hingestellt werde 10
mache ich eben meinen Dienst

RICHTER Wie kamen Sie zu diesem Dienst

ANGEKLAGTER 8 Durch Zufall
Das war so
Mein Bruder hatte noch eine Uniform übrig 15
die konnte ich übernehmen
Da hatte ich keine Unkosten
Es war geschäftshalber
Mein Vater hatte eine Gaststätte
da verkehrten viele Parteigenossen 20
Als ich abkommandiert wurde
hatte ich keine Ahnung
wohin ich kam
Bei meiner Ankunft fragte ich
Bin ich denn hier richtig 25
Da hat man gesagt
Hier bist du immer richtig

ANKLÄGER Angeklagter Hofmann
wußten Sie
was mit den ausgesonderten Menschen 30
geschehen sollte

ANGEKLAGTER 8 Herr Staatsanwalt
Ich persönlich hatte gar nichts
gegen diese Leute
Die gab es ja auch bei uns zuhause 35

Ehe sie abgeholt wurden
habe ich immer zu meiner Familie gesagt
Kauft nur weiter bei dem Krämer*
das sind ja auch Menschen

Kleinhändler,
Lebensmittel-
händler

5 ANKLÄGER Hatten Sie diese Einstellung noch
als Sie Dienst auf der Rampe taten
ANGEKLAGTER 8 Also
von kleinen Übeln abgesehen
wie sie solch ein Leben von vielen
10 auf engem Raum
nun einmal mit sich bringt
und abgesehen von den Vergasungen
die natürlich furchtbar waren
hatte durchaus jeder die Chance
15 zu überleben
Ich persönlich
habe mich immer anständig benommen
Was sollte ich denn machen
Befehle mußten ausgeführt werden
20 Und dafür habe ich jetzt
dieses Verfahren auf dem Hals
Herr Staatsanwalt
ich habe ruhig gelebt
wie alle andern auch
25 und da holt man mich plötzlich raus
und schreit nach Hofmann
Das ist der Hofmann
sagt man
Ich weiß überhaupt nicht
30 was man von mir will
ZEUGE 7 Als wir aufgestellt waren
kam einer der Wachleute und fragte
Hat jemand irgendwelche Beschwerden
Da traten einige vor
35 die glaubten

sie würden leichtere Arbeit finden
und sie kamen zu denen
die nach links gehen mußten
Als er sie abführte
kam es zu einer Unruhe                                    5
und er schoß in die Menschen hinein
Dabei wurden 5 oder 6 getötet
RICHTER  Herr Zeuge
befindet sich der von dem Sie sprechen
in diesem Raum                                          10
ZEUGE 7  Herr Vorsitzender
es ist lange her
daß ich ihnen gegenüber stand
und es fällt mir schwer
ihnen in die Gesichter zu sehn                          15
Dieser hier hat Ähnlichkeit mit ihm
er könnte es sein
Er heißt Bischof
RICHTER  Sind Sie sicher
oder zweifeln Sie                                       20
ZEUGE 7  Herr Vorsitzender
ich war diese Nacht schlaflos
VERTEIDIGER  Wir stellen die Glaubwürdigkeit des Zeugen
infrage
Es ist anzunehmen                                       25
daß er das Gesicht unseres Mandanten
nach einem der öffentlich verbreiteten Bilder
wiedererkennt
Die Übermüdung des Zeugen
kann keine Grundlage bilden                             30
für beweiskräftige Aussagen
RICHTER  Angeklagter Bischof
Wollen Sie zu der Beschuldigung
Stellung nehmen
ANGEKLAGTER 15  Das ist mir ein Rätsel                  35

was der Herr Zeuge da sagt
Ich verstehe auch nicht
warum der Zeuge sagt
5 oder 6
5 Hätte er 5 gesagt
oder hätte er 6 gesagt
dann wäre es verständlich
RICHTER Hatten Sie Dienst auf der Rampe
ANGEKLAGTER 15 Ich hatte nur die Schübe zu ordnen
10 Geschossen habe ich nie
Herr Präsident
Es ist mein Bestreben
hier reinen Tisch zu machen
Das nagt schon seit Jahren an mir
15 Herzkrank bin ich davon geworden
Da sollen mir mit solchen Schweinereien
die letzten Tage meines Lebens
versaut werden
ANKLÄGER Was meint der Angeklagte
20 mit Schweinereien
RICHTER Der Angeklagte ist erregt
Er meint sicher nicht
das von der Staatsanwaltschaft
eingeleitete Strafverfahren
25 *Die Angeklagten lachen*
ZEUGE 8 Ich gehörte als Häftling
dem Aufräumungskommando an
Wir hatten das Gepäck der Angekommenen
wegzuschaffen
30 Der Angeklagte Baretzki
hat auf der Rampe
an Aussonderungen teilgenommen
und die Transporte
zu den Krematorien begleitet
35 RICHTER Herr Zeuge
Erkennen Sie den Angeklagten wieder

SS-Angehöriger, der einen oder mehrere Häftlingsblocks beaufsichtigte

Hier: so genannte Arbeitsunfähige für den Tod auswählte

ZEUGE 8  Dies ist Blockführer* Baretzki

ANGEKLAGTER 13  Ich gehörte nur
zu den Wachmannschaften
Daß ein Mannschaftsdienstgrad selektierte*
das gab es gar nicht                                                    5
Ein Blockführer konnte doch keine
arbeitsunfähigen Leute rausstellen
Das konnte nur ein Arzt

RICHTER  War Ihnen der Zweck der Aussonderungen
bekannt                                                                10

ANGEKLAGTER 13  Wir erfuhren das
Ich war empört darüber
Ich habe das meiner Mutter einmal
auf einem Urlaub berichtet
Die wollte das nicht glauben                                           15
Das ist nicht möglich
sagte sie
Menschen brennen doch nicht
weil Fleisch nicht brennen kann

ZEUGE 8  Ich sah                                                       20
wie Baretzki mit seinem Stock
auf die Leute zeigte
Es konnte ihm nie schnell genug gehn
Immer trieb er zur Eile
Einmal kam ein Zug mit 3000 Menschen an                                25
Die meisten waren Kranke
Baretzki schrie uns zu
Ihr habt 15 Minuten Zeit
sie aus den Waggons zu holen
Beim Abladen wurde ein Kind geboren                                    30
Ich wickelte es in Kleidungsstücke
und legte es neben die Mutter
Baretzki kam mit dem Stock auf mich zu
und schlug mich und die Frau
Was tust du mit dem Dreck da                                           35

26

rief er
und gab dem Kind einen Fußtritt
so daß es 10 Meter fortflog
Dann befahl er mir
5 Bring die Scheiße hierher
Da war das Kind tot
RICHTER Herr Zeuge
Können Sie das beschwören
ZEUGE 8 Das kann ich beschwören
10 Baretzki hatte auch einen Spezialschlag
Er war bekannt dafür
RICHTER Was war das für ein Spezialschlag
ZEUGE 8 Er wurde mit der flachen Hand ausgeführt
So
15 Gegen die Aorta*                           Hauptschlag-
Dieser Schlag                               ader
führte in den meisten Fällen
zum Tod
ANGEKLAGTER 13 Der Zeuge sagte doch eben
20 ich hätte einen Stock gehabt
Wenn ich einen Stock hatte
dann brauchte ich doch nicht
mit der Hand zu schlagen
Und wenn ich mit der Hand schlug
25 brauchte ich doch keinen Stock
Herr Vorsitzender
das ist Verleumdung
Ich hatte überhaupt keinen Spezialschlag
*Die Angeklagten lachen*

# III

RICHTER Herr Zeuge
wen haben Sie noch auf der Rampe gesehn
ZEUGE 8 Alle Ärzte waren auf der Rampe
Die Aussonderungen 5
gehörten zu ihrer Arbeit
Dr. Frank war da
Dr. Schatz und Dr. Lucas
VERTEIDIGER Herr Zeuge
Wo befanden Sie sich 10
während der Aussonderungen
ZEUGE 8 An verschiedenen Stellen der Rampe
beim Aufsammeln des Gepäcks
VERTEIDIGER Können Sie uns das Aussehen
der Rampe beschreiben 15
ZEUGE 8 Die Rampe lag hinter der Toreinfahrt
Rechts von der Rampe befand sich
das Männerlager
links das Frauenlager
Am Ende der Rampe lagen rechts und links 20
die neuen Krematorien
mit den Ziffern II und III
Die Züge wurden von der Weiche aus
zumeist auf das rechte Gleis gerollt
VERTEIDIGER Wie lang war die Rampe 25
ZEUGE 8 Etwa 800 Meter lang
VERTEIDIGER Wie lang waren die Züge
ZEUGE 8 Sie nahmen oft 2 Drittel
der Länge ein
VERTEIDIGER Wo wurden die Aussonderungen 30
vorgenommen
ZEUGE 8 In der Mitte der Rampe
VERTEIDIGER Wo standen die Menschen aufgestellt

ZEUGE 8  Sowohl auf dem oberen Abschnitt
als auch auf dem unteren
VERTEIDIGER  Wie breit war die Rampe
ZEUGE 8  Etwa 10 Meter breit
5 VERTEIDIGER  Dort standen die Menschen
in 2 Gruppen nebeneinander
Jede Gruppe in Reihen zu fünft
Wir bezweifeln daß es möglich war
sich bei diesem Gedränge
10 mit Packarbeiten in der Nähe
der selektierenden Offiziere
aufzuhalten
RICHTER  Angeklagter Dr. Frank
haben Sie an den Aussonderungen teilgenommen
15 ANGEKLAGTER 4  Ich war lediglich als Ersatzmann
zum Rampendienst eingeteilt worden
Meine Aufgabe war
eintreffenden Zahnärzten
ihre Ausrüstung
20 für die Häftlingszahnstation abzunehmen
Die Zahnärzte und Zahntechniker hatte ich sodann
zu registrieren und einzukleiden
Wenn es vorkam daß einer antrat
der nur so gesagt hatte
25 er sei Dentist*                                    Zahnarzt ohne
dann ließ ich ihn nicht zurückschicken        staatlichen
Wir brauchten ja auch Leute                    Abschluss
zum Putzen
RICHTER  Haben Sie sich nie darum bemüht
30 vom Rampendienst entbunden zu werden
ANGEKLAGTER 4  Ich war deshalb beim Standortarzt
                                    ⌐Dr. Wirth⌐
vorstellig
Ich bekam nur zur Antwort
35 Der Dienst im Lager ist Frontdienst

Jede Weigerung
wird als ⌈Fahnenflucht⌉ bestraft
RICHTER  Haben Sie Transporte
zu den Gaskammern begleitet
ANGEKLAGTER 4  Nein                                              5
Die Begleitfunktionen
wurden von Wachmannschaften übernommen
Ich selbst habe alles getan
um den Häftlingen Hilfeleistungen
zukommen zu lassen                                              10
In meiner Station
machte ich ihnen den Aufenthalt
so angenehm wie möglich
Sie hatten maßgeschneiderte Anzüge
und brauchten sich das Haar                                     15
nicht scheren zu lassen
RICHTER  Angeklagter Dr. Schatz
haben Sie an den Aussonderungen teilgenommen
ANGEKLAGTER 5  ⌈Ich hatte nie etwas damit zu tun
Wenn ich zur Entgegennahme von Medikamenten              20
oder ärztlichen Instrumenten
auf die Rampe befohlen wurde
versuchte ich nach Möglichkeit
mich zu drücken
Ich war überhaupt nur unter Zwang                              25
ins Lager gekommen
Ich wurde von einer Heereszahnstation
abkommandiert
Ich möchte darauf hinweisen
daß ich ein ausgesprochen freundschaftliches             30
Verhältnis mit den Häftlingen
unterhielt
RICHTER  Angeklagter Dr. Lucas
Was hatten Sie auf der Rampe zu tun
ANGEKLAGTER 6  Ich war dort nicht im geringsten aktiv    35

Ich habe immer wieder gesagt
Ich bin Arzt um Menschenleben zu erhalten
nicht um Menschen zu vernichten
Auch mein katholischer Glaube ließe nichts anderes zu
5 Als man mich zwingen wollte sagte ich
daß ich das körperlich nicht könne
Ich täuschte Krankheiten vor und versuchte
so schnell wie möglich
zur Truppenunterkunft zurückzukommen
10 Ich wandte mich an meinen alten Vorgesetzten
der antwortete mir
ich hätte alles zu tun
um nicht unangenehm aufzufallen
Auf einem Urlaub sprach ich sowohl
15 mit einem befreundeten Erzbischof als auch
mit einem hohen Juristen
Beide sagten mir
unmoralische Befehle dürften nicht befolgt werden
jedoch ginge dies nicht so weit
20 daß man dabei sein eigenes Leben
gefährden müsse
wir stünden im Krieg
und da käme eben manches vor
ANKLÄGER Herr Dr. Lucas
25 was für Krankheiten simulierten Sie* denn          täuschten
wenn Sie zur Aussonderung befohlen wurden          Sie vor
ANGEKLAGTER 6 Ich täuschte Gallenkolik vor
oder eine Magengeschichte
ANKLÄGER Hat man sich nicht gewundert
30 daß Sie Ihre Kolik*                                Krampfartige
immer erst auf der Rampe bekamen                    Leibschmerzen
ANGEKLAGTER 6 Da gab es nie Schwierigkeiten
Mein passiver Widerstand
war die einzige Möglichkeit
35 mit den Dingen so wenig wie möglich

zu tun zu haben
Ich sehe auch heute noch nicht
wie ich es damals
hätte anders machen sollen

ANKLÄGER Und wenn Sie mit den Dingen zu tun hatten
was machten Sie da

ANGEKLAGTER 6 Nur in drei bis vier Fällen
halfen mir meine Weigerungen nichts
Ich erhielt den Befehl
auf die Rampe zu gehn
unter der Drohung
auf der Stelle abgeführt zu werden
wenn ich dem Befehl nicht nachkäme
Was das bedeutete
war unmißverständlich⌐

ANKLÄGER Und da nahmen Sie an den Aussonderungen
teil

ANGEKLAGTER 6 Ich hatte nur
arbeitsfähige Menschen auszusuchen
und ich habe so ausgesucht
daß auch viele Nichtarbeitsfähige
mit ins Lager kamen

ANKLÄGER Und die übrigen

ANGEKLAGTER 6 Die wurden von anderen
beiseite geführt

VERTEIDIGER Keinesfalls
kann es als strafbare Handlung
bezeichnet werden
wenn diensthabende Ärzte
Häftlinge für das Lager auswählten
da sie dadurch nur die Zahl der Opfer
um die Anzahl der als arbeitsfähig Befundenen
verringerten

ANKLÄGER Was geschah mit dem Gepäck der
Eingetroffenen

nachdem die Aussonderungen
vorgenommen worden waren
ZEUGE 8 Es wurde zum ⌐Effektenlager⌐ gebracht
und dort sortiert und aufgestapelt
5 ANKLÄGER Wie groß war das Effektenlager
ZEUGE 8 Es bestand aus 35 Baracken
ANKLÄGER Können Sie Angaben machen
in Bezug auf die Werte und Mengen
des erfaßten Gutes
10 ZEUGE 8 Indem man den Häftlingen
vor der Deportierung geraten hatte
soviel wie möglich an Wertgegenständen
Wäsche Kleidern Geld und Werkzeugen mitzunehmen
unter dem Vorwand daß dort
15 wo sie angesiedelt werden sollten
nichts zu bekommen sei
nahmen alle ihren letzten Besitz mit
Vieles wurde schon auf der Rampe
bei den Vorsortierungen herausgenommen
20 Die aussondernden Ärzte
nahmen nicht nur Gebrauchsgegenstände an sich
sondern auch Schmuckstücke und Valuten*                    Zahlungsmittel
die sie kofferweise für sich zurückstellten
Dann nahmen sich die Wachmannschaften
25 und die Mitglieder des Zugpersonals
das ihre
Auch für uns fiel immer etwas ab
mit dem wir später Tauschgeschäfte
betreiben konnten
30 In der Effektenkammer ergaben sich
bei der Zusammenrechnung
Milliardenwerte
ANKLÄGER Herr Zeuge
Können Sie uns Angaben machen
35 über die genauen Werte
des von den Häftlingen übernommenen Gutes

ZEUGE 8 ⌜Nach einem Abschlußbericht
über die Zeit vom 1. April 1942
bis zum 15. Dezember 1943
beliefen sich die erfaßten Geldmittel
Devisen* Edelmetalle und Juwelen
auf 132 Millionen Mark
wozu noch 1900 Waggons voller Spinnstoffe kamen
im Wert von 46 Millionen
Da stand noch ein Jahr
der größten Transporte bevor
ANKLÄGER  Wer übernahm diese Werte
ZEUGE 8  Die Güter wurden weitergeleitet
an die Reichsbank
beziehungsweise an das Reichswirtschaftsministerium
Der Schmuck wurde eingeschmolzen
Uhren zum Beispiel
kamen an die Truppen⌝
RICHTER  Kam es auf der Rampe nie
zu Widersetzlichkeiten
Die Ankommenden waren den Bewachern zahlenmäßig
um das Vielfache überlegen
Sie wurden von ihren Familienmitgliedern getrennt
Der Besitz wurde ihnen genommen
Wehrten sie sich nicht
ZEUGE 9  Sie wehrten sich nie
RICHTER  Warum wehrten sie sich nicht
ZEUGE 9  Die Ankommenden waren erschöpft
und ausgehungert
Sie hofften nur
daß sie endlich zur Ruhe kämen
RICHTER  Ahnten sie nicht
was ihnen bevorstand
ZEUGE 9  Wie sollten sie es sich vorstellen
daß sie praktisch nicht mehr existierten
Ein jeder glaubte noch daran
daß er überleben konnte

Geld in
ausländischer
Währung

5

10

15

20

25

30

35

34                                                        1. Gesang · III. Teil

## 2 Gesang vom Lager

I

ZEUGIN 4  Als wir über die Gleise gegangen waren
und vor dem Lagereingang warteten
5   hörte ich
wie ein Häftling zu einer Frau sagte
Der Rotekreuzwagen fährt nur das Gas
zu den Krematorien
Dort werden eure Angehörigen getötet
10  Die Frau begann zu schreien
Ein Offizier der die Worte gehört hatte
wandte sich an sie
Er sagte
Aber gnädige Frau
15  wie können Sie einem Häftling glauben
Das sind doch alles Verbrecher
und Geisteskranke
Sehen Sie doch die abstehenden Ohren
die kahlgeschorenen Köpfe
20  Wie können Sie auf solche Leute hören
RICHTER  Frau Zeugin
Erinnern Sie sich
wer der Offizier war
ZEUGIN 4  Ich sah ihn später wieder
25  Ich arbeitete als Schreiberin unter ihm
in der ⌈Politischen Abteilung⌉
Sein Name ist Broad
RICHTER  Können Sie uns
den Angeklagten Broad zeigen
30  ZEUGIN 4  Dies ist Herr Broad
*Der Angeklagte 16 nickt der Zeugin freundlich zu*

A 16: Broad

RICHTER  Was geschah mit dem Häftling
ZEUGIN 4  Ich hörte
    daß er für Verbreitung von Greuelnachrichten
    zu 150 Stockschlägen verurteilt wurde
    Er starb daran                                                    5
RICHTER  Angeklagter Broad
    haben Sie etwas dazu zu sagen
ANGEKLAGTER 16  Der Fall ist mir nicht erinnerlich
    So viele Schläge wurden bei uns
    nie verabfolgt                                                   10
ZEUGE 3  Obgleich unser Gepäck zurückgeblieben war
    und wir getrennt worden waren
    von unsern Familienmitgliedern
    gingen wir noch ohne Mißtrauen
    durch das Tor zwischen den Stacheldrähten                        15
    wir glaubten
    daß unsere Frauen und Kinder
    jetzt drüben zu essen bekämen
    und daß wir sie bald wiedersehen dürften
    Dann aber sahen wir Hunderte                                     20
    von zerlumpten Gestalten
    viele bis aufs Skelett abgemagert
    Da verging uns die Zuversicht
ZEUGE 6  Einer kam auf uns zu
    der rief                                                         25
    Häftlinge
    Seht den Rauch da hinter den Baracken
    Der Rauch
    das sind eure Frauen und Kinder
    Auch für euch                                                    30
    die ihr ins Lager eingetreten seid
    wird es nur einen Ausgang geben
    Durch die Roste der Kamine
ZEUGE 3  Wir wurden in eine Waschbaracke getrieben
    Wachleute und Häftlinge kamen                                    35

mit Stößen von Papieren
Wir mußten uns ausziehn
und alles was wir noch besaßen
wurde uns abgenommen
5   Uhren Ringe Ausweise und Fotos
wurden auf dem Personalbogen registriert
Anschließend wurde uns die Nummer
in den linken Unterarm tätowiert
RICHTER  Wie wurde die Tätowierung ausgeführt
10  ZEUGE 3  Mit Nadelstempeln wurden uns die Ziffern
in die Haut gestochen
Dann wurde Tusche hineingerieben
Die Haare wurden uns abgeschoren
wir kamen unter kalte Duschen
15  Zum Schluß wurden wir eingekleidet
RICHTER  Woraus bestand die Kleidung
ZEUGE 3  Aus einer löchrigen Unterhose
einem Unterhemd
einer zerrissenen Jacke
20  einer geflickten Hose
einer Mütze
und einem Paar Holzschuhe
Dann begaben wir uns im Laufschritt
zu unserm Block
25  RICHTER  Wie sah der Block aus
ZEUGE 3  Eine Holzbaracke ohne Fenster
Vorn und hinten eine Tür
Oberlichtklappen unter dem schrägen Dach
Rechts und links dreistöckige Pritschen
30  Die untere Schlafstätte zu ebener Erde
Die Pritschen von gemauerten
Zwischenwänden getragen
Länge der Baracke etwa 40 Meter
RICHTER  Wieviele Häftlinge
35  waren dort untergebracht

ZEUGE 3  Der Belegraum war für 500 Menschen berechnet
  Wir waren dort 1000 Mann
RICHTER  Wieviele solcher Baracken gab es
ZEUGE 3  Über 200
RICHTER  Wie breit waren die Pritschen                            5
ZEUGE 3  Etwa 1.80 Meter breit
  Auf jeder Pritsche lagen 6 Mann
  Sie mußten abwechselnd auf der rechten
  und auf der linken Seite liegen
RICHTER  Gab es Stroh oder Decken                                10
ZEUGE 3  Manche Pritschen hatten Stroh
  Das Stroh war verfault
  Von den oberen Pritschen rieselte das Stroh
  auf die unteren Pritschen herab
  Für jede Pritsche gab es eine Decke                            15
  Daran zog abwechselnd der eine der außen lag
  und dann der andere
  In der Mitte lagen die Stärksten
RICHTER  Waren die Baracken geheizt
ZEUGE 3  Es gab 2 eiserne Öfen                                    20
  von den Öfen aus liefen Rohre
  zum Schornstein in der Mitte
  Die Rohre waren ummauert
  Diese Ummauerungen dienten als Tische
  Die Öfen waren nur selten geheizt                              25
RICHTER  Wie waren die sanitären Einrichtungen
ZEUGE 3  In der Waschbaracke befanden sich Holztröge
  mit einem durchlöcherten Eisenrohr darüber
  Aus dem Rohr tröpfelte das Wasser
  In der Latrine* standen lange Betonbecken                      30
  darauf lagen Bretter mit runden Öffnungen
  200 Personen konnten auf einmal Platz nehmen
  Das Latrinenkommando paßte auf
  daß niemand zu lange saß
  Die Leute des Kommandos schlugen                               35

(lat.)
Senkgrube,
Abort

mit Stöcken zwischen die Häftlinge
um sie wegzujagen
Bei manchen ging es aber nicht so schnell
und vor Anstrengung trat ihnen der Mastdarm
ein Stück hervor
Wenn sie vertrieben worden waren
stellten sie sich wieder bei den Wartenden an
Papier gab es nicht
Manche rissen sich Fetzen ihrer Kleidung ab
um sich zu reinigen
oder stahlen einander nachts
Stücke aus der Montur
um Vorrat zu haben
Man mußte seine Notdurft morgens erledigen
Tagsüber gab es keine Möglichkeit dazu
Wer doch dabei ertappt wurde
erhielt Kerkerstrafe
Die Abwässer aus der Waschbaracke
liefen in die Latrine
um den Kot wegzuschwemmen
Es gab immer wieder Stauungen
weil der Wasserdruck nicht ausreichte
Dann kamen die Scheißkommandos
um das Zeug abzusaugen
Der Gestank der Latrinen
vermischte sich mit dem Geruch
des Rauchs
ZEUGIN 4  Die Näpfe die wir erhalten hatten
dienten einem dreifachen Zweck
Zum Waschen
Zum Suppefassen
und zum Verrichten der nächtlichen Notdurft
Im Frauenlager war die einzige Wasserquelle
unmittelbar neben der Latrine
An dem dünnen Strahl

der in die Bottiche mit den Exkrementen*

*(lat.) Ausscheidungen, Kot, Harn*

weiterlief
standen die Frauen und tranken
und versuchten
sich etwas Wasser in ihren Napf abzuschöpfen
Diejenigen die aufgaben
sich zu waschen
gaben sich selbst auf

ZEUGIN 5  Schon beim Herausspringen aus dem Waggon
in das Gewühl der Rampe
wußte ich
daß es hier darum ging
seinen eigenen Vorteil zu wahren
sich nach oben zu fügen
und einen günstigen Eindruck zu wecken
und sich fernzuhalten von allem
was einen nach unten ziehen konnte
Als wir im Aufnahmeraum
auf die Tische gelegt wurden
und man uns After und Geschlechtsteile
nach versteckten Wertgegenständen untersuchte
vergingen die letzten Reste
unseres gewohnten Lebens
Familie Heim Beruf und Besitz
das waren Begriffe
die mit dem Einstechen der Nummer
ausgelöscht wurden
Und schon begannen wir
nach neuen Begriffen zu leben
und uns einzufügen in diese Welt
die für diejenigen
die darin existieren wollten
zur normalen Welt wurde
Das oberste Gesetz war
gesund zu bleiben

und körperliche Kraft zu zeigen
Ich hielt mich dicht neben denen
die zu schwach waren
ihre Ration zu essen
um mir diese bei der ersten Gelegenheit
anzueignen
Ich lag auf der Lauer
wenn eine die einen besseren Schlafplatz besaß
dem Tod nah war
Unser Aufstieg in der neuen Gesellschaft
begann in der Baracke
die jetzt unser Heim war
Vom Schlafloch auf dem kalten Lehmboden
kämpften wir uns empor
zu den warmen Plätzen der oberen Pritschen
Wenn zwei aus der selben Schüssel essen mußten
starrten sie einander auf die Kehle
um darüber zu wachen
daß die andere nicht einen Löffel mehr schluckte
Unsere Ambitionen*
waren auf ein einziges Ziel gerichtet
irgend etwas zu gewinnen
⌐Es war das Normale
daß uns alles gestohlen worden war
Es war das Normale
daß wir wieder stahlen
Der Schmutz die Wunden und die Seuchen ringsum
waren das Normale
Es war normal
daß zu allen Seiten gestorben wurde
und normal war
das unmittelbare Bevorstehn des eigenen Todes
Normal war
das Absterben unserer Empfindungen
und die Gleichgültigkeit

(lat.)
Anstrengungen

beim Anblick der Leichen
Es war normal
daß sich zwischen uns solche fanden
die denen die über uns standen
beim Prügeln halfen⌐ 5
Wer zur Dienerin der Blockältesten wurde
gehörte nicht mehr zu den Niedrigsten
und noch höher gelangte die
die es vermochte
sich bei den Blockführerinnen einzuschmeicheln 10
⌐Überleben konnte nur der Listige
der sich jeden Tag
mit nie erlahmender Aufmerksamkeit
seinen Fußbreit Boden eroberte
Die Unfähigen 15
die Trägen im Geiste
die Milden
die Verstörten und Unpraktischen
die Trauernden und die
die sich selbst bedauerten 20
wurden zertreten⌐
ZEUGE 6  Am ersten Morgen standen wir beim Appell
Es regnete
Wir standen stundenlang
und sahen 25
wie hinter den Stacheldrähten
auf der andern Seite der Rampe
Frauen auf die Lastwagen geprügelt wurden
Sie waren nackt und schrien
zu uns Männern hinüber 30
Sie erwarteten Hilfe von uns
doch wir standen nur da und zitterten
und konnten ihnen nicht helfen
ZEUGIN 4  Ich kam in eine Baracke
die war voll von Leichen 35

Da sah ich
daß sich etwas rührte zwischen den Toten
Es war ein junges Mädchen
Ich habe es herausgezogen auf die Lagerstraße
5  und gefragt
Wer bist du
Wie lange bist du hier
Ich weiß es nicht
sagte sie
10  Warum liegst du hier zwischen den Toten
fragte ich
Da sagte sie
Bei den Lebenden kann ich nicht mehr sein
Am Abend war sie tot
15  ZEUGIN 5  Wir mußten Gräben ausheben
Viele Frauen brachen
unter den Schaufeln mit Lehm zusammen
Wir standen bis zur Hüfte im Wasser
Die Bewacher sahen uns zu
20  Es waren ganz junge Leute
Eine Frau wandte sich an den Kommandoführer
Herr Hauptmann
rief sie
ich kann doch nicht so arbeiten
25  ich bin schwanger
Da lachten die Leute
und einer drückte sie mit der Schaufel
so lange unter das Wasser
bis sie ertrunken war
30  ZEUGE 7  Ich hörte
wie ein Wachposten sich über den Draht
mit einem neunjährigen Jungen unterhielt
Du weißt ja schon ziemlich viel für dein Alter
sagte der Mann
35  Der Junge erwiderte

Ich weiß daß ich viel weiß
und ich weiß auch
daß ich nichts mehr dazulernen werde
Er wurde zusammen mit einer Gruppe
von etwa 90 Kindern                                    5
auf die Lastwagen verladen
Als die Kinder sich sträubten
rief er
Steigt nur rauf aufs Auto
schreit doch nicht so                                  10
ihr habt doch gesehn
wie unsre Eltern und Großeltern
abgefahren sind
Steigt nur rauf
dann werdet ihr sie wiedersehn                         15
Und als sie fuhren
hörte ich
wie er dem Wachmann noch zurief
Es wird euch nichts geschenkt werden


II                                                     20


ZEUGE 8  Morgens erhielt jeder
    einen halben Liter Brühe
    die Brühe enthielt ein Kaffee-Ersatzmittel
    Dazu gab es 5 Gramm Zucker
    Manche hatten vom Abend vorher                     25
    noch ein Stück trockenes Brot
    Mittags wurde Suppe ausgegeben
    Die Suppe war aus Abfällen von Kartoffeln
    Rüben und Kohl gekocht
    mit einem minimalen Zusatz von                     30

Fleisch oder Fett
und mit einem mehligen Nahrungsstoff
der gab der Suppe den Geschmack
der Lagersuppe
5   Zusätzlich gab es Papierschnitzel
und Lumpen in der Suppe
Bei der Ausgabe stritten die Häftlinge
sich nicht darum
wer zuerst seinen Schlag abholen durfte
10  sondern wer zum Schluß an die Reihe kam
Das erste Drittel der Suppe
bestand aus Wasser
Erst unten trieb etwas Nährendes herum
Abends nach dem Appell
15  erhielt jeder sein Stück Brot
von 300 bis 350 Gramm
und verschiedene Zulagen
etwa 20 Gramm Wurst
30 Gramm Margarine
20  oder einen Eßlöffel Rübenmarmelade
Freitags gab es manchmal
5 bis 6 Pellkartoffeln
Oft gab es nur die Hälfte der Zulage
oder sie fiel ganz aus
25  weil das Lagerpersonal
von den Wachmannschaften an
bis hinauf zum Kommandanten
sich selbst unbehindert
Lebensmittel aus den Häftlingsmagazinen
30  holte
ANKLÄGER  Herr Zeuge
Wieviel Kalorien betrug im Durchschnitt
die tägliche Verpflegung
ZEUGE 8  Etwa 1000 bis 1300 Kalorien
35  Im Zustand der Ruhe

kommt der Organismus mit 1700 Kalorien aus
Ein Schwerarbeiter braucht etwa 4800
Da alle schwer arbeiteten
waren die letzten Reserven bald verbraucht
Je nach dem Stadium des Hungers                              5
wurden die Bewegungen langsamer
weil keine Kraft mehr da war
den eigenen Körper zu tragen
Apathie* und Schläfrigkeit

(griech.) Teil-
nahmslosigkeit

waren charakteristische Merkmale                            10
der Schwächung
Die körperliche Abzehrung
war von einer geistigen Erschöpfung begleitet
die bis zum völligen Schwund
des Interesses an den Geschehnissen führte            15
Ein solcher Häftling konnte seine Gedanken
nicht mehr konzentrieren
Sein Erinnerungsvermögen schwand so weit
daß er oft nicht mehr
seinen eigenen Namen nennen konnte               20
Im Durchschnitt vermochte ein Häftling
nicht länger als 3 bis 4 Monate zu leben
VERTEIDIGER Herr Zeuge
Wie war es möglich
daß Sie selbst überlebten                                     25
ZEUGE 8 Überleben konnte nur der
dem es während der ersten Wochen gelang
irgendeinen Innendienst zu bekommen
sei es durch eine Spezialistentätigkeit
oder durch die Ernennung                                    30
zu einer Hilfsfunktion
Für einen Funktionshäftling
der sich darauf verstand
seine Vorzugsstellung auszunutzen
war im Lager praktisch alles zu erhalten          35

VERTEIDIGER Was für eine Vorzugsstellung hatten Sie
ZEUGE 8 Ich war Häftlingsarzt
    anfangs im Quarantänelager*
    später im Krankenbau
5 RICHTER Wie waren dort die Verhältnisse
ZEUGE 8 Im Quarantänelager gab es Ratten
    Die nagten nicht nur die Leichen an
    sondern auch die Schwerkranken
    Oft waren die Füße von denen
0   die in Agonie* lagen
    morgens angebissen
    Die Tiere holten sich nachts Brot
    aus den Taschen der Häftlinge
    Oft beschimpfte man sich gegenseitig
5   Du hast mir mein Brot gestohlen
    Aber es waren die Ratten
    Milliarden von Flöhen
    peinigten das Lager
    Wer Stiefel hatte gab sie ab
0   weil ihm das Ungeziefer
    den kostbaren Besitz verleidete
    Wer nur Strümpfe und Lumpen anhatte
    konnte sich wenigstens kratzen
    Im Häftlingskrankenbau war es besser
5   Da gab es Binden aus Kreppapier
    etwas Zellstoff
    Ein Faß mit Ichthyolsalbe*
    und ein Faß mit Kreide
    Alle Wunden wurden mit der Salbe bestrichen
0   und auf Bartflechte* kam Kreide
    damit man sie nicht mehr sah
    Wir hatten auch ein paar Aspirintabletten
    die wurden an Zwirnsfäden aufgehängt
    Kranke mit Fieber unter 38 Grad
5   durften einmal lecken

*(franz.)*
Quarantäne:
Isolierung von
Menschen mit
ansteckenden
Krankheiten

*(griech.)*
Todeskampf

Wundsalbe

Teilweise
ansteckende
Hautkrankheit,
häufig mit
knotenartigen
Entzündungen

Kranke mit Fieber über 38 Grad
zweimal

RICHTER  Was waren die häufigsten Krankheiten

ZEUGE 8  Außer allgemeiner Schwäche
und Körperschäden durch Mißhandlung
hatten wir ⌈Fleckfieber⌉ und Paratyphus*
Bauchtyphus Rotlauf* und Tuberkulose
sowie die eigentliche Lagerkrankheit
einen therapieresistenten Durchfall
Die Furunkulose* blühte im Lager
Oft schlugen die Wachleute
die Geschwüre mit Stöcken auf
bis sich das Fleisch von den Knochen schälte
Ich habe im Lager Krankheiten gesehn
von denen ich nie geglaubt hätte
daß ich sie mal zu Gesicht bekommen würde
Krankheiten
von denen man nur in Lehrbüchern liest
Da war Noma
eine Krankheit die nur
bei völlig entkräfteten Menschen auftritt
und die Löcher in die Wangen frißt
durch die die Zähne zu sehen sind
Oder Phemphicus
eine überaus seltene Krankheit
in deren Verlauf sich die Haut
in Blasen ablöst
und die nach wenigen Tagen
mit dem Tod endet

ZEUGE 9  Nach dem Abendappell
holte unser Blockältester*
sich einige zum Sportmachen heraus
Wir mußten hüpfen wie Frösche
Schneller hüpfen schneller hüpfen
rief er

Eine dem
Typhus
verwandte
Infektion

Auf Menschen
übertragbare
Tierseuche

Krankheit, bei
der mehrere
Geschwüre
neben- oder
nacheinander
auftreten

Häftling, der
von der SS
eingesetzt
wurde

10

15

20

25

30

35

und wenn einer nicht mitkam
schlug er ihn mit einem Schemel zusammen
RICHTER  Wie hieß dieser Blockälteste
ZEUGE 9  Er hieß ⌜Bednarek⌝
5 und ich kann auf ihn zeigen
ANGEKLAGTER 18  Daß beim Sportmachen Leute
                          geschlagen wurden
ist mir nicht bekannt
RICHTER  Wie ging denn das Sportmachen vor sich
10 ANGEKLAGTER 18  Häftlinge die auffielen
mußten leichte Leibesübungen machen
Mal linksum
mal rechtsum
Das war alles
15 ZEUGE 9  Im Winter ließ Bednarek
Häftlinge eine halbe Stunde lang
unter der kalten Dusche stehn
bis sie unterkühlt waren und erstarrten
Dann wurden sie auf den Hof geworfen
20 wo sie verstarben
ANGEKLAGTER 18  Diese Beschuldigungen sind frei
                          erfunden
So etwas konnte ich ja gar nicht tun
Ich war doch selbst Funktionshäftling
25 und hatte über mir den Kapo\*
den Arbeitsdienstführer
und den Lagerältesten
Ich selbst
das kann ich heute mit Stolz sagen
30 habe Mithäftlinge in meiner Stube
schlafen lassen
und bei uns im Block gabs abends
immer viel Spaß
ZEUGE 9  Wenn Bednarek
35 einen Häftling erschlagen hatte

(vom ital. capo
= Haupt) Häft-
ling, der ein
Arbeitskom-
mando beauf-
sichtigte

ging er in seine Stube
und betete

ANGEKLAGTER 18  Da muß ich sagen
Gottgläubig das bin ich
aber zu beten habe ich nicht gewagt                5
Dafür gab es zu viel Spitzel
Und erschlagen habe ich nie jemanden
Es hat höchstens mal eine gesetzt
wenn ich bei Streitigkeiten
zu schlichten hatte                                10

ZEUGE 3  Vor allem einer war im Lager
der war immer vornean
wo geschlagen und getötet wurde
Der hieß Kaduk
Kaduk war ein Begriff                              15

RICHTER  Herr Zeuge
können Sie uns den Angeklagten Kaduk
zeigen

ZEUGE 3  Dies ist Herr Kaduk
*Der Angeklagte 7 grinst den Zeugen an*            20
Kaduk wurde von den Häftlingen
Professor genannt
oder
Der heilige Dr. Kaduk
weil er selbständig Aussonderungen vornahm         25
Mit dem Griff seines Stocks
fischte er sich die Opfer
am Hals oder am Bein heraus

ANGEKLAGTER 7  Herr Direktor
Diese Behauptung ist unwahr                        30

ZEUGE 3  Ich war dabei
als Kaduk Hunderte von Häftlingen
aus der Krankenstation holen ließ
Sie mußten sich in der Wäscherei ausziehn
und in einer Reihe                                 35

an Kaduk vorbeilaufen
Er hielt den Spazierstock in der Höhe
von etwa einem Meter vor sie hin
Sie mußten darüber springen
5　Wer den Stock berührte
kam ins Gas
Wem der Sprung über den Stock gelang
wurde geschlagen bis er zusammenbrach
Jetzt spring noch einmal
10　rief Kaduk
und zum zweiten Mal
gelang es nicht mehr
ANGEKLAGTER 7　Ich habe keine Häftlinge ausgesondert
Ich habe nichts entschieden
15　Da war ich gar nicht zuständig
RICHTER　Wozu waren Sie denn zuständig
ANGEKLAGTER 7　Ich hatte nur zur Bewachung
bei Aussonderungen zugegen zu sein
Da habe ich aufgepaßt wie ein Luchs
20　daß von den Ausgesonderten
niemand mehr herüberwechselte
zur arbeitsfähigen Gruppe
RICHTER　Hatten Sie auch Dienst auf der Rampe
ANGEKLAGTER 7　Ja
25　Da hatte ich den Gruppenverkehr
zu regeln
RICHTER　Wie machten Sie das
ANGEKLAGTER 7　Alles raustreten
Gepäck auf die Rampe
30　Antreten zu fünft
Vorwärts marsch
ZEUGE 3　Kaduk schoß wahllos
in die Leute hinein
ANGEKLAGTER 7　Wahllos zu schießen
35　wäre mir nicht eingefallen

Hätte ich schießen wollen
dann hätte ich auch den getroffen
den ich aufs Korn nahm
Scharf war ich
das kann ich schon sagen 5
Aber ich habe nur getan
was ich tun mußte

RICHTER  Und was mußten Sie tun

ANGEKLAGTER 7  Zusehn daß der Betrieb klappte
Kinder wurden grundsätzlich 10

gleich überstellt*
auch Mütter die sich von den Kindern
nicht trennen wollten
Alles ging reibungslos
Die Transporte kamen an 15
wie warme Brötchen
da brauchte gar keine Gewalt angewendet zu werden
Die nahmen alles gelassen hin
Die wehrten sich nicht
weil sie einsahen 20
daß jeder Widerstand
sinnlos gewesen wäre

ZEUGE 6  Einmal schlug Kaduk in unserm
                  Arbeitskommando
einen Häftling zusammen 25
Dann legte er ihm seinen Stock über den Hals
stellte sich auf beide Enden
und wippte hin und her
bis der Mann erdrosselt war

ANGEKLAGTER 7  Lüge Lüge 30

RICHTER  Hinsetzen Kaduk
Schrein Sie den Zeugen nicht an

ANGEKLAGTER 7  Herr Direktor
das ist einfach nicht wahr
was hier gesagt wird 35

Mir geht es nur um die Wahrheit
Auf diese Weise ist bei uns
nie ein Häftling getötet worden
Wir hatten Befehl
5    mit den Arbeitskräften
schonend umzugehn
Aber manchmal fiel einer schon um
wenn ich bloß die Hand hob
Das hat er nur vorgetäuscht
10   *Die Angeklagten lachen*
Herr Direktor
An Schlagen hatten wir gar kein Interesse
Von morgens 5.30 an waren wir auf den Beinen
und abends hatten wir noch Rampendienst zu machen
15   Das genügte uns
Herr Direktor
ich will nichts anderes als in Frieden leben
Das habe ich doch gezeigt in den vergangenen Jahren
Ich war Krankenpfleger
20   und ich war beliebt bei meinen Patienten
Die können es bezeugen
Papa Kaduk nannten sie mich
Sagt das nicht alles
Soll ich jetzt dafür büßen
25   was ich damals tun mußte
Alle andern haben es ja auch getan
Warum nimmt man gerade mich fest


## III


ZEUGIN 4  Je besser es einem gelang
30   seine Untergebenen herabzudrücken

desto sicherer war seine Position
Ich sah wie sich das Gesicht
der Blockältesten veränderte
wenn sie mit einer Vorgesetzten sprach
da war sie munter und liebenswürdig
und dahinter spürte man ihre Furcht
Manchmal wurde sie von der Aufseherin
wie die beste Freundin behandelt
und genoß viele Freiheiten
Aber hatte die Aufseherin nur einmal
schlecht geschlafen
dann konnte die Bevorzugte
von einem Augenblick zum andern
gestürzt werden
und sie hatte schon alles durchgemacht
ihre Angehörigen hatte man vor ihren Augen
                         niedergeknallt
sie hatte zusehn müssen
wie man ihre Kinder ermordete
sie war abgestumpft wie wir andern auch
sie wußte
war sie einmal untergetaucht
half ihr keiner
und eine andere an ihrer Stelle
schlug weiter
So schlug sie uns
weil sie oben bleiben wollte
um jeden Preis
ZEUGIN 5  Die Frage
was recht und was unrecht
bestand nicht mehr
Für uns galt nur das
was uns im Augenblick nützlich sein konnte
Nur unsere Herren konnten es sich leisten
Launen zu haben

und sogar Rührung zu zeigen
oder Mitleid
und Pläne zu schmieden für die Zukunft
Der Lagerarzt ⌈Dr. Rohde⌉
ließ mich in seiner Abteilung arbeiten
Er erfuhr
daß wir in der gleichen Stadt studiert hatten
und fragte mich
ob wir einander nicht begegnet wären
im Ritter
wo er manches Glas Wein getrunken hatte
und ich dachte
schön wenn du willst
so bestätige ich es dir
und so erinnerte ich ihn an seine Jugend
und er sagte
Nach dem Krieg werden wir dort wieder
beisammensitzen
⌈Dr. Mengele⌉ sandte einer Schwangeren Blumen
und die Frau des Kommandanten
schickte mit einem Gruß
eine selbstgestrickte Säuglingsjacke
in die Kinderbaracke
wo es einem andern eingefallen war
Zwerge auf die Wände malen zu lassen
und eine Sandkiste aufzustellen
Die Wege zu den Krematorien
wurden zwischen den Schüben geharkt
Da standen beschnittene Büsche
und im Gras über den unterirdischen Kammern
waren Blumenbeete angelegt
Mengele kam in seiner feschen Art
die Daumen im Bauchriemen steckend
freundlich nickte er den Kindern zu
die ihn Onkel nannten

ehe sie in seinem Laboratorium
zerschnitten wurden
⌜Doch da gab es auch einen
der hieß ⌜Flacke⌝
In dessen Abteilung starb keiner an Hunger                    5
und dort gingen die Häftlinge
in sauberen Kleidern
Herr Sanitätsdienstgrad
sagte ich zu ihm
für wen tun Sie das was Sie hier tun                         10
einmal werden doch alle verschwinden müssen
denn es darf nicht einen einzigen Zeugen geben
Da sagte er
Genügend werden unter uns sein
die das zu verhindern wissen                                 15
ANKLÄGER  Sie wollen damit sagen
Frau Zeugin
daß es an jedem einzelnen der Bewacher lag
sich gegen die Verhältnisse zu wehren
und sie zu verändern                                         20
ZEUGIN 5  Eben das wollte ich sagen⌝
ZEUGE I  Normal reagieren
konnte man nur in den ersten Stunden
Wenn man erst einmal eine zeitlang dort war
war es nicht mehr möglich                                    25
Geriet man in das Reglement* hinein
war man gefangen
und mußte mitmachen
ANKLÄGER  Herr Zeuge
Sie waren als Arzt                                           30
zur Seuchenbekämpfung angefordert worden
ZEUGE I  Zwischen dem Lagerpersonal und deren
                                        Familien
waren Fälle von Fleckfieber
und Typhus aufgetreten                                       35

(franz.) Dienst-
vorschriften

Ich hatte mich auf Anweisung
des Hygiene-Instituts* ←
ins Lager zu begeben
ANKLÄGER Es handelte sich also nicht
5 um Behandlung von Häftlingen
ZEUGE 1 Nein
ANKLÄGER Gewannen Sie einen Einblick
in die Zustände des Lagers
ZEUGE 1 Gleich nach meiner Ankunft
10 sagte der Chef des Laboratoriums zu mir
Das ist alles neu für dich und halb so schlimm
Wir haben nichts mit der Liquidierung*
von Menschen zu tun
und es geht uns auch nichts an
15 Wenn du nach 14 Tagen
nicht mehr hierbleiben willst
kannst du wieder gehn
Mit dem Vorsatz
das Lager nach 2 Wochen zu verlassen
20 trat ich meine Arbeit an
Nach einigen Tagen schon befahl mir
der Standortarzt Dr. Wirth
an Aussonderungen auf der Rampe teilzunehmen
Als ich erklärte
25 daß ich da nicht mitmachen werde
sagte er
Sie haben dort nicht viel zu tun
Doch ich weigerte mich
ANKLÄGER Was geschah auf Ihre Weigerung hin
30 ZEUGE 1 Es geschah nichts
Ich hatte bei den Selektionen
nicht mitzuwirken
ANKLÄGER Verließen Sie nach der Probezeit das Lager
ZEUGE 1 Ich entschloß mich dann doch
35 zu bleiben

Institut inner-
halb des Block
10, wo v. a.
bakteriologi-
sche Experi-
mente vorge-
nommen
wurden

Tötung,
Hinrichtung

um etwas gegen die Krankheiten zu tun
Ich sah daß es möglich war
wenigstens hier und da etwas zu verhindern

einer Gefahr
aussetzte
ohne daß man sich selbst exponierte*
Auf Grund meiner Arbeit gelang es                              5
die Epidemiegefahr zu beheben
ANKLÄGER  Zwischen dem Lagerpersonal
Nicht zwischen den Häftlingen
ZEUGE 1  Ja
Das war meine Aufgabe                                          10
RICHTER  Herr Zeuge
Sie waren damals verantwortlich
für die äußere und innere Postenkette
sowie für die Wachmannschaften
der Arbeitskommandos                                          15
Was hatten Sie dabei zu tun
ZEUGE 2  Meine Aufgabe war
die Soldaten zu beobachten
ob sie auch treu und richtig wachten
RICHTER  Was für Grundsätze galten                            20
bei dieser Bewachung
ZEUGE 2  Bei einem Fluchtversuch hatte der Soldat
den Flüchtling erst dreimal anzurufen
und dann den Warnschuß abzugeben
Hielt der Flüchtling dann immer noch nicht                    25
hatte er ihn fluchtunfähig zu schießen
RICHTER  Wurden dabei Häftlinge erschossen
ZEUGE 2  Bei mir nicht
RICHTER  Sind Häftlinge in den
elektrisch geladenen Stacheldraht gelaufen                    30
ZEUGE 2  Bei mir nicht
RICHTER  Ist es denn sonst vorgekommen
ZEUGE 2  Ich habe mal davon gehört
RICHTER  Befolgten die Wachmannschaften
Anweisungen
die Instruktionen*                                            35

ZEUGE 2  Soweit ich im Bilde bin
        ja
        Darauf mein Ehrenwort
RICHTER  Wissen Sie etwas vom Mützenschießen
5 ZEUGE 2  Von was
RICHTER  Vom Mützenschießen
ZEUGE 2  Ich habe davon gehört
RICHTER  Was haben Sie gehört
ZEUGE 2  Die haben erzählt
10       daß die Mützen werfen
         und dann haben sie geschossen
RICHTER  Wer hat die Mützen geworfen
         Wessen Mützen
         Und wer hat geschossen
15 ZEUGE 2  Das weiß ich nicht
RICHTER  Was hat man Ihnen denn erzählt
ZEUGE 2  Ja
         da wurde einem Häftling befohlen
         sich die Mütze vom Kopf zu reißen
20       und sie wegzuwerfen
         und dann hieß es
         Los
         lauf und hol dir die Mütze
         Und wenn er lief
25       wurde er abgeknallt
RICHTER  Und wenn er nicht lief
ZEUGE 2  Dann wurde er auch erschossen
         denn das war Befehlsverweigerung
ANKLÄGER  Herr Zeuge
30       gab es Sonderrationen oder Sonderurlaub
         als Prämien für
         auf der Flucht erschossene Häftlinge
ZEUGE 2  Ein solcher Fall ist mir nicht bekannt
         Das glaube ich auch nicht
35       Es würde dem Ansehen eines Soldaten widersprechen
         wenn eine solche Handlung belohnt würde

ANKLÄGER  Das Gericht ist im Besitz von Dokumenten
nach denen in verschiedenen Fällen
Wachsoldaten für auf der Flucht
erschossene Häftlinge
belobigt wurden                                                    5
Auch wurden laufend Listen
mit auf der Flucht erschossenen Häftlingen
ausgestellt
ZEUGE 2  Das ist mir neu
ANKLÄGER  Herr Zeuge                                              10
soweit wir unterrichtet sind
üben Sie heute den Beruf
eines Versicherungsdirektors aus
VERTEIDIGER  Wir protestieren
gegen diese unsachgemäßen Einlassungen          15
der Staatsanwaltschaft
ANKLÄGER  Herr Zeuge
Wir nehmen an
daß Ihnen die Bedeutung einer persönlichen
Unterschrift bekannt ist                                         20
ZEUGE 2  Jawohl
ANKLÄGER  Einige dieser Listen
sind von Ihnen unterzeichnet
ZEUGE 2  Es ist möglich
daß ich das einmal                                               25
routinemäßig tun mußte
Ich kann mich daran
nicht mehr erinnern

# 3 Gesang von der Schaukel

## I

RICHTER  Frau Zeugin
    Sie waren als Häftling
5    in der Politischen Abteilung
    Was hatten Sie dort zu tun
ZEUGIN 5  Zuerst war ich Stenotypistin[*]
    in der Schreibstube
    dann wurde ich auf Grund meiner Sprachkenntnisse
10    Dolmetscherin

Angestellte für Kurzschrift u. Maschinenschreiben

RICHTER  Von wem wurden Sie dazu angefordert
ZEUGIN 5  Von Herrn Boger
RICHTER  Frau Zeugin
    erkennen Sie den Angeklagten Boger wieder
15  ZEUGIN 5  Dies ist Herr Boger
    *Der Angeklagte 2 begrüßt die Zeugin freundlich*
VERTEIDIGER  Frau Zeugin
    wo befand sich die Politische Abteilung
ZEUGIN 5  Das war eine Holzbaracke
20    gleich hinter dem Eingang
VERTEIDIGER  Hinter welchem Eingang
ZEUGIN 5  Gleich links hinter dem Eingang
    zum alten Kasernenlager
VERTEIDIGER  Wie weit lag das alte Lager
25    von den Außenlagern entfernt
ZEUGIN 5  Etwa 3 Kilometer
VERTEIDIGER  Wo waren Sie untergebracht
ZEUGIN 5  Im Frauenlager
VERTEIDIGER  Können Sie uns den Weg
30    zu Ihrem Arbeitsplatz beschreiben
ZEUGIN 5  Wir mußten jeden Morgen

aus dem Lager heraus
und an den Feldern entlangmarschieren
Der Weg führte über den Bahndamm
Da rangierten die Güterzüge
Wir mußten oft an der Schranke warten
Hinter dem Bahndamm waren wieder Felder
und ein paar verlassene Höfe
Dann kamen wir durch ein Gittertor
Da standen Bäume
und da war das alte Krematorium
Daneben lag die Politische Abteilung

VERTEIDIGER  Lag die Politische Abteilung
im eigentlichen Lagergebiet

ZEUGIN 5  Sie lag außerhalb des Straflagers
Erst kamen die Verwaltungsgebäude
Dann kamen die doppelten Stacheldrähte
und die Wachtürme
Dahinter lagen die Blocks der Häftlinge

VERTEIDIGER  Wie sah die Baracke der Politischen
Abteilung aus

ZEUGIN 5  Sie war einstöckig
und grün gestrichen

VERTEIDIGER  Wie sah das Schreibzimmer aus

ZEUGIN 5  Da standen Blumentöpfe auf den
Fensterbrettern
und da waren Gardinen
An den Wänden waren Bilder und Sprüche

VERTEIDIGER  Was für Bilder und Sprüche

ZEUGIN 5  Ich erinnere mich nicht mehr

VERTEIDIGER  Wer sorgte für die Ordnung in der
Schreibstube

ZEUGIN 5  Das war Herr Broad
Wir Schreiberinnen mußten immer
tipp topp aussehn
Wir durften unser Haar wachsen lassen

wir trugen Kopftücher
und hatten richtige Kleider und Schuhe
Morgens spuckten wir auf die Schuhe
und polierten sie mit den Händen
VERTEIDIGER Wie war Herr Boger zu Ihnen
ZEUGIN 5 Mich hat Herr Boger immer menschlich
                              behandelt
Er gab mir auch oft sein Kochgeschirr
mit dem Rest seines Essens
Einmal rettete er mir das Leben
als ich zur Strafkompanie versetzt werden sollte
Ein Kapo\* hatte mich wegen nachlässigen          Vgl. 49,25.
Staubwischens angezeigt
Herr Boger machte die Anzeige rückgängig
RICHTER Frau Zeugin
wieviel Schreiberinnen waren in der Abteilung
ZEUGIN 5 Wir waren 16 Mädchen
RICHTER Was hatten Sie zu tun
ZEUGIN 5 Wir hatten die Totenlisten zu führen
Das wurde Absetzen genannt
Wir mußten die Personalien
den Todestag und die Todesursache eintragen
Die Eintragungen mußten mit absoluter
Genauigkeit vorgenommen werden
Wenn etwas vertippt war
dann wurde Herr Broad furchtbar wütend
RICHTER Wie waren die Karteien angeordnet
ZEUGIN 5 Da standen 2 Tische
Auf dem einen Tisch waren die Kästen
mit den Nummern der Lebenden
Auf dem andern die Kästen
mit den Nummern der Toten
Dort konnten wir sehen
wieviele von einem Transport noch lebten
Von 100 lebten nach einer Woche
noch ein paar Dutzend

RICHTER  Wurden hier alle Todesfälle
die innerhalb der Lager eintraten
verzeichnet
ZEUGIN 5  Nur Häftlinge
die eine Nummer erhalten hatten
wurden in den Büchern geführt
Diejenigen die direkt von der Rampe
ins Gas geschickt wurden
kamen in keinen Listen vor
RICHTER  Was für Todesursachen hatten Sie zu verzeichnen  10
ZEUGIN 5  Die meisten Todesursachen die wir aufschrieben
waren fiktiv
Zum Beispiel durften wir nicht schreiben
Auf der Flucht erschossen
sondern Herzschlag  15
Und statt Unterernährung schrieben wir
Dysenterie*
Darmkrankheit
Wir mußten dafür sorgen
daß nicht 2 Häftlinge zur selben Minute starben
und daß die Todesursachen ihrem Alter entsprachen  20
Demnach durfte ein Zwanzigjähriger nicht
an Herzmuskelschwäche sterben
In der ersten Zeit wurden noch Briefe
an die Angehörigen geschrieben
ANKLÄGER  Frau Zeugin  25
erinnern Sie sich an den Wortlaut der Briefe
ZEUGIN 5  Trotz aller medikamentöser Pflege
ist es leider nicht gelungen
das Leben des Inhaftierten zu retten
Wir sprechen Ihnen zu diesem großen Verlust  30
unser aufrichtigstes Beileid aus
Auf Wunsch kann Ihnen die Urne
gegen Nachnahme von 15 Mark
zugestellt werden
ANKLÄGER  Befand sich in dieser Urne  35
die Asche des Verstorbenen

ZEUGIN 5  In einer solchen Urne war Asche
          von vielen Toten
          Durch das Fenster konnten wir
          die Leichenhaufen vor dem alten Krematorium sehen
          Sie wurden aus Lastwagen gekippt
ANKLÄGER  Können Sie uns Zahlen nennen
          im Zusammenhang mit den von Ihnen
          verzeichneten Todesfällen
ZEUGIN 5  Wir arbeiteten 12 bis 15 Stunden am Tag
          über den amtlichen Sterbebüchern
          Es fielen bis zu 300 Tote pro Tag an
ANKLÄGER  Waren dabei Todesfälle
          die durch unmittelbares Einwirken
          der Politischen Abteilung entstanden
ZEUGIN 5  Täglich starben Häftlinge dort
          durch Mißhandlung und Erschießung
VERTEIDIGER  Frau Zeugin
          wo wurden die Häftlinge erschossen
ZEUGIN 5  Im Block Elf des Lagers
VERTEIDIGER  Durften Sie das Lager betreten
ZEUGIN 5  Nein
          aber wir erfuhren alles
          Jede Mitteilung darüber
          lief bei uns ein
          Boger sagte zu uns
          Was Sie hier sehen und hören
          das haben Sie nicht gesehn und gehört
RICHTER  Wie spielten sich die Verhöre
         in der Politischen Abteilung ab
ZEUGIN 5  Boger begann die Vernehmungen
          stets sehr ruhig
          Er trat nah an den Häftling heran
          und stellte die Fragen
          die ich zu übersetzen hatte
          Wenn der Häftling nicht antwortete

schüttelte Boger ein Schlüsselbund
vor seinem Gesicht
Wenn der Häftling dann immer noch schwieg
schlug er ihm die Schlüssel ins Gesicht
Zum Schluß ging er noch dichter
an ihn heran und sagte
Ich habe eine Maschine
die wird dich zum Sprechen bringen

RICHTER  Was war das für eine Maschine

ZEUGIN 5  Boger nannte sie die Sprechmaschine

RICHTER  Wo stand die Maschine

ZEUGIN 5  Im Nebenzimmer

RICHTER  Haben Sie die Maschine gesehen

ZEUGIN 5  Ja

RICHTER  Wie sah die Maschine aus

ZEUGIN 5  Es waren Stangen

VERTEIDIGER  Frau Zeugin
täuscht Sie nicht Ihr Gedächtnis

ZEUGIN 5  Es war ein Gestell
Daran wurden sie gehängt
Wir hörten die Schläge und das Schreien
Nach einer Stunde
oder auch nach mehreren Stunden
wurden sie herausgetragen
Sie waren nicht mehr zu erkennen

RICHTER  Lebten sie noch

ZEUGIN 5  Wer danach nicht tot war
konnte die nächsten Stunden kaum überleben
Einmal sah Boger daß ich weinte
Er sagte
Hier müssen Sie Ihre persönlichen Gefühle
ausschließen

RICHTER  Aus welchen Gründen wurden die Häftlinge
dieser Bestrafung ausgesetzt

ZEUGIN 5  Manchmal wenn einer ein Stück Brot gestohlen
hatte

oder wenn er dem Befehl zur schnelleren Arbeit
nicht gleich nachgekommen war
Oft genügte es auch wenn ein Spitzel
den Betreffenden denunziert hatte
5   Es gab einen Spitzelbriefkasten
da konnten einfach Zettel eingeworfen werden
ANGEKLAGTER 2   Wegen derartigen Lappalien
wurde ich nie tätig
Wir hatten in der Politischen Abteilung
10  ausschließlich mit Widerstandshandlungen zu tun
RICHTER   Frau Zeugin
wie oft haben Sie gesehn
daß Häftlinge nach dem Herunternehmen
von der Maschine starben
15  ZEUGIN 5   Mindestens 20 mal
RICHTER   In mindestens 20 Fällen können Sie dafür bürgen
daß in Ihrer Gegenwart
der Tod eingetreten ist
ZEUGIN 5   Ja
20  RICHTER   Frau Zeugin
haben Sie den Strafvollzug gesehen
ZEUGIN 5   Ja
Einmal sah ich dort einen Mann hängen
mit dem Kopf nach unten
25  Ein anderes Mal wurde eine Frau
an die Stange gebunden
Da zwang uns Boger   .
hereinzusehen
ANGEKLAGTER 2   Es entspricht der Wahrheit
30  daß die Zeugin bei uns Dolmetscherin war
Jedoch ist sie nie bei verschärften Vernehmungen
zugegen gewesen
Bei solchen Gelegenheiten
waren überhaupt nie Damen dabei
35  ZEUGIN 5   Damen

ANGEKLAGTER 2  Das kann ich heute wohl sagen
*Die Angeklagten lachen*
RICHTER  Frau Zeugin
haben Sie einen der hier anwesenden Angeklagten
beim Austeilen von Schlägen gesehen
ZEUGIN 5  Ich sah Boger in Hemdsärmeln
mit dem Schlaginstrument in der Hand
und ich sah ihn oft blutig herauskommen
Einmal hörte ich wie Broad zu Lachmann\*
einem Mitglied der Politischen Abteilung sagte
Weißt du Gerhard
es hat gespritzt wie aus einem Biest
Dann gab er mir seinen Rock
daß ich ihn reinigte
Die Herren waren selbst
immer auf Sauberkeit bedacht
Broad bewunderte sich gern im Spiegel
besonders als er zum Sturmmann\* avanciert\* war
und ich ihm den ⌐Gefreitenwinkel⌐
angenäht hatte
Bogers Stiefel habe ich einmal putzen müssen
RICHTER  Was war da
ZEUGIN 5  Da war draußen ein Lastwagen vorgefahren
mit einer Fracht von Kindern
Ich sah es durch das Fenster der Schreibstube
Ein kleiner Junge sprang herunter
er hielt einen Apfel in der Hand
Da kam Boger aus der Tür
Das Kind stand da mit dem Apfel
Boger ist zu dem Kind gegangen
und hat es bei den Füßen gepackt
und mit dem Kopf an die Baracke geschmettert
Dann hat er den Apfel aufgehoben
und mich geholt und gesagt
Wischen Sie das da ab an der Wand

Gerhard
Lachmann
(1920–?)

Niederer Rang
der SS

(franz.) beför-
dert worden

10

15

20

25

30

35

3. Gesang

Und als ich später bei einem Verhör dabei war
sah ich
wie er den Apfel aß
VERTEIDIGER Frau Zeugin
In den Voruntersuchungen ist von diesem Fall
nie die Rede gewesen
ZEUGIN 5 Ich konnte nicht darüber sprechen
VERTEIDIGER Warum nicht
ZEUGIN 5 Es hat persönliche Gründe
VERTEIDIGER Können Sie uns die Gründe nennen
ZEUGIN 5 Ich habe seitdem nie mehr
ein eigenes Kind haben wollen
VERTEIDIGER Warum können Sie jetzt
von dem Fall sprechen
ZEUGIN 5 Jetzt
wo ich ihn wieder sehe
muß ich es sagen
RICHTER Angeklagter Boger
was haben Sie auf diese Beschuldigung
zu erwidern
ANGEKLAGTER 2 Das ist eine Erfindung
mit der die Zeugin schlecht
das Vertrauen lohnt
das ich ihr damals habe zukommen lassen


II


ZEUGE 7 Ich wurde zusammen mit einigen andern
                                    Häftlingen
in den Vernehmungsraum
der Politischen Abteilung gebracht
RICHTER Können Sie diesen Raum beschreiben

ZEUGE 7  Auf dem Fußboden lagen kostbare Teppiche
die einem französischen Transport
entnommen worden waren
Bogers Schreibtisch
stand schräg gegenüber der Tür
Er saß auf dem Schreibtisch als ich eintrat
Die Dolmetscherin saß hinter dem Schreibtisch
RICHTER  Wer war sonst noch im Zimmer
ZEUGE 7  Der Chef der Politischen Abteilung
⌐Grabner⌐                                          1
und die Angeklagten ⌐Dylewski⌐ und Broad
RICHTER  Was wurde Ihnen gesagt
ZEUGE 7  Boger sagte
Wir sind die Politische Abteilung
wir fragen nicht wir hören nur zu               1
Was du zu sagen hast mußt du selbst wissen
RICHTER  Aus welchem Grund waren Sie eingeliefert
worden
ZEUGE 7  Das wußte ich nicht
Ich wußte nicht was ich sagen sollte            2
und bat die Herren mich zu fragen
Da wurde ich bewußtlos geschlagen
Als ich zu mir kam lag ich auf dem Korridor
Boger stand neben mir
Steh auf sagte er                               2
Aber ich konnte nicht aufstehn
Boger trat nach mir
Da richtete ich mich an der Wand auf
Ich sah daß Blut an mir herunterfloß
Der Fußboden und meine Kleider                  3
waren voll von Blut
Mein Kopf war zerschlagen
das Nasenbein gebrochen
Den ganzen Nachmittag bis spät in die Nacht
mußte ich mit dem Gesicht zur Wand stehn        3

Es standen noch einige andere hier
Wer sich umdrehte
wurde mit dem Kopf an die Wand gestoßen
Am nächsten Tag wurde ich wieder vernommen
Mit den andern Häftlingen
wurde ich in das Zimmer geführt
RICHTER Was wollte man von Ihnen erfahren
ZEUGE 7 Ich wußte die ganze Zeit nicht
um was es ging
Ich bekam ein paarmal etwas an den Kopf
ich glaube es war eine Metallspirale
dann mußte ich wieder in den Korridor raus
und mein Nebenmann wurde von Boger abgeführt
in das angrenzende Zimmer
Er hieß Walter Windmüller
RICHTER Wissen Sie was mit ihm geschah
ZEUGE 7 Ich schätze
er ist 2 bis 3 Stunden drin gewesen
Ich stand im Korridor
mit dem Gesicht zur Wand
Dann kam Windmüller raus
Er mußte sich neben mir hinstellen
Er blutete aus den Hosenbeinen
und kippte ein paarmal um
Wir haben dort gelernt
mit unbeweglichen Lippen zu sprechen
Als ich ihn nach der Vernehmung fragte
sagte er
Mir sind dort drin die Hoden zerschlagen worden
Er starb noch am selben Tag
RICHTER War Boger für den Tod
dieses Häftlings verantwortlich
ZEUGE 7 Ich bin sicher daß er mindestens
mit unmittelbarem Zutun Bogers
wenn nicht von ihm selbst
erschlagen wurde

RICHTER Angeklagter Boger
haben Sie etwas zu sagen
ANGEKLAGTER 2 Herr Vorsitzender
wenn ich es erklären darf
Dieser Vorgang hat sich nicht so abgespielt
RICHTER Wie war es denn
ANGEKLAGTER 2 Herr Vorsitzender
ich habe niemanden erschlagen
Ich hatte nur meine Vernehmungen durchzuführen
RICHTER Was waren das für Vernehmungen
ANGEKLAGTER 2 Manchmal waren es verschärfte
                              Vernehmungen
die im Rahmen der bestehenden Verordnungen
praktiziert wurden
RICHTER Wie waren diese Verordnungen begründet
ANGEKLAGTER 2 Im Interesse der Sicherheit des Lagers

NS-Jargon mußte gegen Verräter und andere Schädlinge*
strengstens vorgegangen werden
RICHTER Angeklagter Boger
war Ihnen als Kriminalkommissar nicht bekannt
daß ein Mensch
der einem solchen Verhör unterzogen wird
alles sagt was man von ihm hören will
ANGEKLAGTER 2 Da bin ich ganz anderer Auffassung
und zwar mit ausdrücklichem Bezug
auf unsere Amtsstelle
Bei der Verstocktheit der Gefangenen
half nur Gewalt zur Herbeiführung
von Geständnissen
ZEUGE 8 Als ich in den Vernehmungsraum gerufen wurde
sah ich auf Bogers Tisch
einen Teller mit Heringen stehn
Grabner fragte mich ob ich hungrig sei
Ich sagte nein
Aber Grabner sagte

72                                              3. Gesang

Ich weiß wann du zuletzt Mittag gegessen hast
Du wirst heute mein gutes Herz kennen lernen
Ich werde dir zu essen geben
Der Boger hat einen Salat für dich gemacht
Er befahl mir zu essen
Ich konnte nicht
denn meine Hände waren mit Handschellen gefesselt
Da stieß Boger mein Gesicht auf den Teller
Ich mußte die Heringe in mich hineinschlingen
Sie waren so versalzen daß ich erbrach
Ich mußte das Erbrochene und den Rest der Heringe
aufschlecken
Zum Schluß hatte ich noch was im Mund stecken
und Boger rief
Paßt auf daß er den Rest nicht
auf dem Korridor ausspuckt
Dann wurde ich in den Block Elf gebracht
und auf dem Dachboden
an den nach hinten gebundenen Händen
aufgehängt
Das hieß Pfahlhängen
Man hing so hoch
daß die Fußspitzen gerade den Boden berührten
Boger stieß mich hin und her
und trat mir in den Bauch
Vor mir stand ein Eimer mit Wasser
Boger fragte mich ob ich trinken wollte
Er lachte und drehte mich hin und her
Als ich ohnmächtig wurde
übergoß man mich mit dem Wasser
Meine Arme starben ab
Die Gelenke platzten fast
Boger stellte mir Fragen
aber meine Zunge war so angeschwollen
daß ich nicht antworten konnte

Da sagte Boger
Wir haben noch eine andere Schaukel für dich
Ich wurde
zur Politischen Abteilung zurückgebracht

VERTEIDIGER  Herr Zeuge
wurden Sie einer Behandlung auf dieser Maschine
unterzogen

ZEUGE 8  Ja

VERTEIDIGER  Es war also doch möglich
dies zu überleben                                    1

## III

ZEUGE 8  Ich erinnere mich an einen Morgen
im Frühjahr 1942
Da marschierte ein Zug Polizeihäftlinge
nach vorn zur Baracke des früheren Postkontors*    1
in dem die Politische Abteilung
eingerichtet worden war
Vorn gingen Häftlinge
und trugen zwei Holzgestelle
ähnlich den Seitenstücken einer Hürde
Ihnen folgten Posten mit Maschinenpistolen         2
sowie die Herren der Abteilung
mit Aktenmappen und getrockneten
besonders präparierten Bullenschläuchen
wie sie zur Prügelstrafe verwendet wurden          2
Diese Hürden
bildeten das Traggerüst der Schaukel

RICHTER  Wurde die Maschine damals
zum ersten Mal benutzt

ZEUGE 8  Sie bestand schon vorher                  3

Kontor:
veraltet für
Büro,
Geschäfts-
zimmer

74                                      3. Gesang

in einer einfacheren Form
Anfangs wurde nur ein Eisenrohr
über 2 Tische gelegt
und der Häftling daran festgeschnallt
5 Da das Rohr während der Schläge
hin- und herrollte
wurde das Traggestell
zur Stabilisierung angefertigt
VERTEIDIGER  Herr Zeuge
10 woher haben Sie diese Kenntnisse
ZEUGE 8  Es gab keinen Vorgang in unserm Lagerabschnitt
der uns unbekannt blieb
Im alten Lager spielte sich alles
auf engstem Raum ab
15 Das Geviert des Lagers war nicht größer
als 200 mal 300 Meter
Von jedem der 28 Blocks aus
war das gesamte Lager zu überblicken
RICHTER  Aus welchem Grund
20 wurden Sie zum Verhör geholt
ZEUGE 8  Ich war eingesetzt worden beim Bau
der Entwässerungsanlage
die sich rings um die Außenlager zog
Dabei hatte ich einem Mithäftling geholfen
25 seine Mutter zu treffen
die im Frauenlager gefangen war
Der Häftling hieß Janicki
Er wurde zuerst in den Untersuchungsraum geführt
Anschließend wurde er auf den Korridor geworfen
30 Er lebte noch
Er öffnete den Mund
und streckte die Zunge weit heraus
Er leckte den Fußboden vor Durst
Boger kam auf ihn zu und drehte ihm
35 mit dem Stiefel den Kopf auf die andere Seite

Dann sagte er zu mir
Jetzt kommst du dran
Wenn du nicht die Wahrheit sagst
geschieht dir das gleiche
Dann wurde ich auf die Schaukel gespannt
RICHTER  Herr Zeuge
Beschreiben Sie diesen Vorgang
ZEUGE 8  Der Häftling hatte sich
mit angezogenen Knien auf den Boden zu setzen
seine Hände wurden ihm vorn gefesselt                          10
und über die Knie herabgedrückt
Die Stange wurde geholt
und zwischen seine Unterarme
und Kniekehlen geschoben
Dann wurde die Stange hochgehoben                             15
und auf das Gestell gelegt
RICHTER  Wer führte die Vorbereitungen aus
ZEUGE 8  Zwei Funktionshäftlinge
RICHTER  Wer befand sich noch in dem Zimmer
ZEUGE 8  Ich sah dort Boger                                   20
Broad und Dylewski
Boger stellte Fragen
aber ich konnte nicht antworten
Ich hing mit dem Kopf nach unten
und die beiden Funktionshäftlinge                             25
schaukelten mich hin und her
VERTEIDIGER  Was für Fragen wurden gestellt
ZEUGE 8  Fragen nach weiteren Namen
RICHTER  Wurden Sie dabei geschlagen
ZEUGE 8  Boger und Dylewski schlugen mich                     30
abwechselnd mit dem Ochsenziemer
VERTEIDIGER  Waren es nicht die Funktionshäftlinge
die schlugen
ZEUGE 8  Ich sah Boger und Dylewski
mit den Schläuchen in der Hand                                35

RICHTER  Wohin schlugen sie
ZEUGE 8  Auf das Gesäß
den Rücken die Schenkel
die Hände und Füße
und den Hinterkopf
Vor allem aber waren die Geschlechtsteile
den Schlägen ausgesetzt
Sie zielten besonders darauf
Dreimal wurde ich ohnmächtig
und man übergoß mich mit Wasser
RICHTER  Angeklagter Boger
Geben Sie zu
daß Sie diesen Zeugen mißhandelt haben
ANGEKLAGTER 2  Darauf gibt es nur ein klares
und bestimmtes Nein
ZEUGE 8  Bis heute habe ich Spuren davon
ANGEKLAGTER 2  Aber nicht von mir
RICHTER  Angeklagter Boger
Haben Sie Behandlungen an dem
hier geschilderten Instrument
vollzogen
ANGEKLAGTER 2  In gewissen Fällen
hatte ich sie anzuordnen
Ausgeführt wurde die Strafe
von den Funktionshäftlingen
unter meiner Aufsicht
RICHTER  Angeklagter Boger
halten Sie die Darstellung des Zeugen
für lügenhaft
ANGEKLAGTER 2  Die Darstellung ist lückenhaft
und nicht in allen Teilen
der Wahrheit entsprechend
RICHTER  Wie war die Wahrheit
ANGEKLAGTER 2  Wenn der Häftling gestanden hatte
wurde die Bestrafung sofort eingestellt

RICHTER  Und wenn der Häftling nicht gestand

ANGEKLAGTER 2  Dann wurde geschlagen bis Blut kam
  Da war Schluß

RICHTER  War ein Arzt anwesend

ANGEKLAGTER 2  Ich habe nie einen Befehl gesehn
  der von der Hinzuziehung eines Arztes sprach
  Dies war auch unnötig
  denn im Augenblick in dem das Blut strömte
  brach ich ab
  Der Zweck der verschärften Vernehmung
  war erreicht
  wenn das Blut durch die Hosen lief

RICHTER  Sie sahen sich berechtigt
  die verschärften Vernehmungen durchzuführen

ANGEKLAGTER 2  Sie unterlagen meiner befehlsbestimmten
  Verantwortung
  Im übrigen bin ich der Meinung
  daß auch heute noch
  die Prügelstrafe angebracht wäre
  zum Beispiel im Jugendstrafrecht
  um Herr zu werden über manche Fälle
  von Verrohung

VERTEIDIGER  Herr Zeuge
  Es wurde berichtet
  daß niemand die Behandlung auf der Schaukel
  überstehen konnte
  Allem Anschein nach
  war diese Behauptung übertrieben

ZEUGE 8  Als ich von der Schaukel genommen wurde
  sagte Boger zu mir
  Jetzt haben wir dich
  zur fröhlichen Himmelfahrt vorbereitet
  Ich wurde in eine Zelle des Block Elf gebracht
  Dort erwartete ich stündlich
  meine Erschießung

Ich weiß nicht
wieviele Tage ich dort verbrachte
Mein Gesäß war vereitert
Meine Hoden waren grün und blau
und riesig angeschwollen
Die meiste Zeit lag ich bewußtlos
Dann wurde ich zusammen mit einer größeren Gruppe
hinaufgeführt in den Waschraum
Wir mußten uns ausziehn
und unsere Nummern wurden uns mit Blaustift
auf die Brust geschrieben
Ich wußte daß dies
das Todesurteil war
Als wir nackt in einer Reihe standen
kam der Rapportführer und fragte
wieviele Häftlinge er als erschossen
abbuchen sollte
Als er gegangen war wurden wir nochmals
nachgezählt
Da zeigte es sich daß einer zuviel war
Ich hatte gelernt
mich immer als Letzter anzustellen
so erhielt ich einen Tritt
und bekam meine Kleider zurück
Ich hätte zur Zelle zurückgeführt werden sollen
um dort auf die nächste Bunkerleerung zu warten
aber ein Häftlingspfleger
nahm mich zum Krankenbau mit
Es kam eben vor
daß einer überleben sollte
und zu diesen wenigen
gehörte ich

# 4 Gesang von der Möglichkeit des Überlebens

## I

ZEUGE 3 ⌐Die Atmosphäre im Lager änderte sich
von Tag zu Tag
Sie war abhängig vom Lagerführer
vom Rapportführer*
vom Blockführer und deren Launen
und sie war abhängig
von den Phasen des Krieges
Anfangs als es noch Siege gab
konnten wir derb und überheblich angerempelt
und unter Späßen gezüchtigt werden
Im Takt der Rückzüge und Niederlagen
wuchs die Effektivität der Aktionen an
Doch nichts ließ sich voraussehen
Ein Antreten konnte alles bedeuten
ein Warten auf Nichts
oder eine Schinderei⌐
Bei uns im Krankenbau konnten Häftlinge
gesund gepflegt werden und sogar
Schonkost erhalten
nur um nach ihrer Genesung
durch den Schornstein geschickt zu werden
Ein Häftlingspfleger wurde
vom Lagerarzt geprügelt
weil er in einem Krankenbericht
eine Kleinigkeit vergessen hatte
und da war der Patient schon getötet worden
⌐Ich selbst

*Rapport =
Bericht,
Meldung;
Verbindungs-
glied zwischen
Lagerführer u.
Blockführer

war nur durch Zufall
der Vergasung entgangen
weil die Öfen an diesem Abend verstopft waren
Beim Rückweg vom Krematorium erfuhr
5   der begleitende Arzt
daß ich Mediziner war
und er nahm mich in seiner Abteilung auf
RICHTER  Wie hieß der Arzt
ZEUGE 3  Er hieß Dr. Vetter
10  Er war ein Mann von vollendeten Umgangsformen
Auch Dr. Schatz und Dr. Frank
waren stets freundlich zu den Häftlingen
die sie dem Tod überantworteten
Sie töteten nicht aus Haß und nicht aus Überzeugung
15  sie töteten nur weil sie töten mußten
und dies war nicht der Rede wert
Nur wenige töteten aus Leidenschaft
Zu diesen gehörte Boger
Ich habe Häftlinge gesehn
20  als sie zu Boger gerufen wurden
und ich habe sie gesehn
als sie wiederkamen
Und als sie zur Erschießung geholt wurden
habe ich Boger mit Stolz sagen hören
25  Diese Leute sind von mir
Einmal wurde ein angeschossener Häftling
ins Krankenrevier eingeliefert
mit Bogers Befehl
Der muß gerettet werden
30  damit man ihn aufhängen kann
Der Häftling starb aber schon vorher
RICHTER  Angeklagter Boger
Ist Ihnen dieser Fall bekannt
ANGEKLAGTER 2  Auf der Flucht angeschossene Häftlinge
35  wurden grundsätzlich ins Krankenrevier gebracht

damit sie nach ihrer Wiederherstellung
vernommen werden konnten
Insoweit dürften die Angaben des Zeugen
durchaus richtig sein
Ich habe in diesem Fall die Anweisung weitergegeben   5
daß der Häftling am Leben zu erhalten sei
Ich habe gesagt
Er muß gerettet werden
damit er vernommen werden kann
RICHTER  Sollte er dann gehängt werden                 10
ANGEKLAGTER 2  Das ist möglich
Aber das lag außerhalb meiner Zuständigkeit
ZEUGE 6  Boger und Kaduk
führten eigenhändig Erhängungen aus
Einmal sollten 12 Häftlinge                            15
(lat.)     als Repressalie* für die Flucht eines Gefangenen
Vergeltung  hingerichtet werden
Boger und Kaduk
legten ihnen die Schlinge über den Kopf
VERTEIDIGER  Herr Zeuge                                20
woher wissen Sie das
ZEUGE 6  Wir standen auf dem Appellplatz
und mußten zusehn
Die Häftlinge schrien irgend etwas
Boger und Kaduk waren außer sich vor Wut              25
Sie traten sie mit ihren Stiefeln
und ohrfeigten sie
dann hängten sie sich an die Füße der Häftlinge
und zogen sie ruckweise nach unten
ANGEKLAGTER 2  Mir ist von diesem Vorfall erinnerlich  30
(lat.)     daß sich einer der Delinquenten*
Straftäter,  aus den Fesseln befreite
Verbrecher   als er weisungsgemäß
unter verschärften Sicherheitsmaßnahmen
zur Exekution geführt wurde                            35

Der Betreffende warf sich auf mich
und brach mir dabei eine Rippe
Der Mann wurde dann überwältigt
Die Fesselung wurde wieder vollzogen
5      und ich habe das Urteil verlesen
RICHTER Herr Zeuge
hörten Sie die Verlesung eines Urteils
ZEUGE 6 Es wurde kein Urteil verlesen
ANGEKLAGTER 2 Die Verlesung war wohl schwer zu
10                                              verstehen
weil die Häftlinge brüllten
ANKLÄGER Was brüllten die Häftlinge
ANGEKLAGTER 2 Sie ließen politische Agitationen
                                            verlauten
15 ANKLÄGER Welcher Art
ANGEKLAGTER 2 Sie hetzten die Häftlinge gegen uns auf
VERTEIDIGER Wie verhielten sich die zusehenden
                                            Häftlinge
ANGEKLAGTER 2 Es waren dort keine Zwischenfälle zu
20                                              beobachten
Das Urteil wurde vollstreckt
wie alle Urteile vollstreckt wurden
Ich selbst habe die Hinrichtung nicht vollzogen
Das haben Häftlingskapos getan
25 VERTEIDIGER Herr Zeuge
kann Ihnen die Verlesung des Urteils
nicht entgangen sein
ZEUGE 6 Die Hinrichtung fand unmittelbar
nach der Flucht statt
30      Die Zeit war zu kurz
als daß von einer Zentralstelle
der Fall analysiert und ein Urteil
gesprochen werden konnte
RICHTER War der ⌐Kommandant des Lagers⌐ zugegen
35      oder sein Adjutant

ZEUGE 6  Bei öffentlichen Hinrichtungen
waren immer höhere Offiziere anwesend
Sie trugen weiße Handschuhe
zu diesem Anlaß
Ob der Adjutant in diesem Fall dabei war                    5
kann ich nicht mit Bestimmtheit sagen
Jedoch ist es anzunehmen
da er für die Ausführung aller Befehle
innerhalb des Kommandanturbereichs
verantwortlich war                                          10
RICHTER  Herr Zeuge
Erkennen Sie den Adjutanten des Lagers
zwischen den Angeklagten wieder
ZEUGE 6  Dies ist Mulka
RICHTER  Angeklagter Mulka                                  15
Haben Sie dieser Erhängung
oder irgendeiner anderen Erhängung
beigewohnt
ANGEKLAGTER I  Ich habe mit keiner Tötung
gleich welcher Art                                          20
irgend etwas zu tun gehabt
RICHTER  Haben Sie von diesbezüglichen Befehlen gehört
oder dieselben weitergegeben
ANGEKLAGTER I  Ich habe wohl von solchen Befehlen
gehört                                       25
selbst aber habe ich sie nicht weitergegeben
RICHTER  Wie verhielten Sie sich gegenüber solchen
Befehlen
ANGEKLAGTER I  Ich habe mich gehütet
höherenorts Fragen vorzubringen                             30
nach der Rechtmäßigkeit
mir zu Ohren gekommener Gefangenentötung
Schließlich hatte ich die Verantwortung
für meine Familie
und für mich selber zu tragen                               35

84

ANKLÄGER  Angeklagter Mulka
   haben Sie den Galgen gesehn
ANGEKLAGTER I  Wie bitte
ANKLÄGER  Ob Sie den Galgen gesehen haben
5 ANGEKLAGTER I  Nein
   Ich habe meinen Fuß nie in das Lager gesetzt
ANKLÄGER  Sie wollen behaupten
   daß Sie als Adjutant des Kommandanten
   nie im Lager gewesen sind
10 ANGEKLAGTER I  Das ist die reine Wahrheit
   Meine Arbeit war ausschließlich
   administrativer Art
   Ich hielt mich nur in den Amtsräumen
   der Verwaltung auf
15 ANKLÄGER  Wo befanden sich diese Amtsräume
ANGEKLAGTER I  In den Kasernengebäuden
   außerhalb des Lagerbezirks
ANKLÄGER  Bestand von dort keine Einsicht
   in das Lager
20 ANGEKLAGTER I  Nicht daß ich wüßte
ANKLÄGER  Herr Zeuge
   können Sie uns die Lage der Außengebäude
   im Verhältnis zum Straflager schildern
ZEUGE 6  Von allen rückwärtigen Fenstern
25   der Verwaltungsgebäude
   war das Lager einzusehen
   Unmittelbar hinter ihnen erhoben sich
   die Betonpfeiler mit dem elektrisch geladenen
   Stacheldraht
30   10 Meter davon entfernt lag der erste Block
   Unmittelbar dahinter lagen die weiteren Blocks
   in 3 Reihen
   höchstens 10 Meter voneinander getrennt
   Die Sicht auf die Längsstraßen war unbehindert
35 ANKLÄGER  Wo befand sich der Galgen

ZEUGE 6 Auf dem Platz vor der Lagerküche
Gleich rechts
wenn man vom Eingangstor
zum Hauptweg gekommen war
ANKLÄGER Wie sah der Galgen aus                                    5
ZEUGE 6 Es waren 3 Pfähle
mit einer Eisenschiene darüber
ANKLÄGER Angeklagter Mulka
Sie wohnten in unmittelbarer Nähe des Lagers
In der Lagerordnung heißt es                                       10
daß Sie den Kommandanten über alle Vorkommnisse
zu unterrichten und alle geheimen
Verschlußsachen zu bearbeiten
sowie die Wachmannschaften weltanschaulich
zu schulen hatten                                                  15
Waren Ihnen in dieser Stellung
nicht die im Lager auszuführenden
Bestrafungen bekannt
ANGEKLAGTER 1 Ich habe nur einmal irgendein
abgezeichnetes rückläufiges Schreiben gesehen             20
zur Genehmigung der Prügelstrafe
ANKLÄGER Hatten Sie nie die Gründe
der Erhängungen und Erschießungen
zu untersuchen
ANGEKLAGTER 1 Es war nicht meine Aufgabe            25
mich darum zu kümmern
ANKLÄGER Was hatten Sie denn
als Adjutant des Lagerkommandanten
für Aufgaben
ANGEKLAGTER 1 Ich habe Preise kalkuliert            30
Arbeitskräfte eingeteilt
und Personalien bearbeitet
Außerdem hatte ich den Kommandanten
zu Empfängen zu begleiten
und die Ehrenkompanie zu führen                            35

ANKLÄGER  Wann kam das vor

ANGEKLAGTER 1  Bei festlichen Anlässen
oder bei Beerdigungen
Da wurde eine Trauerparade abgehalten

5 ANKLÄGER  Bei wessen Beerdigung

ANGEKLAGTER 1  Beim Ableben irgendeines Offiziers

ANKLÄGER  Wem wurden die Todesfälle
zwischen den Häftlingen gemeldet

ANGEKLAGTER 1  Das weiß ich nicht
10 Vielleicht der Politischen Abteilung

ANKLÄGER  Erfuhren Sie nichts davon
daß täglich 100 oder 200
Häftlinge starben

ANGEKLAGTER 1  Ich kann mich nicht erinnern
15 fortlaufende Stärkemeldungen
gesehen zu haben
Am Tag gab es so 10 bis 15 Abgänge*                    Vgl. 21,21.
aber Zahlen von der Größe
wie sie hier genannt werden
20 habe ich damals nicht gehört

ANKLÄGER  Angeklagter Mulka
wußten Sie nicht von den Massentötungen
in den Gaskammern

ANGEKLAGTER 1  Davon war mir nichts bekannt

25 ANKLÄGER  Ist Ihnen nicht der Rauch
aus den Schornsteinen der Krematorien
aufgefallen
der doch kilometerweit zu sehen war

ANGEKLAGTER 1  Es war ja ein großes Lager
30 mit einem natürlichen Abgang
Da wurden eben die Toten verbrannt

ANKLÄGER  Ist Ihnen der Zustand der Häftlinge
nicht aufgefallen

ANGEKLAGTER 1  Es war ein Straflager
35 Da waren die Leute nicht zur Erholung

ANKLÄGER Hatten Sie als Adjutant des
                    Lagerkommandanten
kein Interesse daran zu erfahren
wie die Häftlinge untergebracht waren
ANGEKLAGTER 1 Ich habe darüber keine Klagen gehört  5
ANKLÄGER Sprachen Sie mit dem Kommandanten
nie über die Vorkommnisse im Lager
ANGEKLAGTER 1 Nein
Es gab keine besonderen Vorkommnisse
ANKLÄGER Wozu diente Ihrer Ansicht nach das Lager  10
ANGEKLAGTER 1 In einem Schutzhaftlager
sollten Staatsfeinde
zu einer anderen Denkungsweise
erzogen werden
Es war nicht meine Aufgabe  15
dies in Frage zu stellen
ANKLÄGER Wußten Sie

Zynisch-ver-
schleiernd für:
Hinrichtung,
Ermordung

was die Bezeichnung Sonderbehandlung*
bedeutete
ANGEKLAGTER 1 Das war eine geheime Reichssache  20
Ich konnte davon nichts wissen
Wer darüber etwas äußerte
war mit dem Tod bedroht
ANKLÄGER Sie wußten aber doch davon
ANGEKLAGTER 1 Darauf kann ich keine Antwort geben  25
ANKLÄGER Auf welche Weise
betreuten Sie die Truppen
ANGEKLAGTER 1 Da gab es Theater und Kino
und Bunte Abende
Das war ein ⌜Herr Knittel⌝ der das machte  30

Hier: politische
Erziehungs-
arbeit der
NSDAP

Der hielt auch die Schulungsabende*
für die Offiziere
ANKLÄGER Wie konnte der das denn
ANGEKLAGTER 1 Er war ein Studienrat
und wenn ich recht unterrichtet bin  35

4. Gesang

ist er zur Zeit Studiendirektor irgendwo
und für seine Lehrtätigkeit offensichtlich
wohl geeignet
ANKLÄGER  Und weltanschaulich
unterwiesen Sie die Mannschaften
VERTEIDIGER  Wir weisen unseren Mandanten darauf hin
daß er auf die Fragen der ⌜Nebenkläger⌝
nicht zu antworten braucht
ANKLÄGER  Die Entscheidung hierüber
liegt einzig und allein
bei den Angeklagten selbst
Die Verteidigung überschreitet mit diesem Eingriff
bei weitem die einer Verteidigung
durch das Gesetz eingeräumten Befugnisse
Es ist offensichtlich
daß die Verteidigung durch diese Taktik versucht
die Aufklärung der Wahrheit zu verhindern
VERTEIDIGER  ⌜Gegen diese erstaunlichen Ausführungen
müssen wir uns ganz entschieden wenden
Es wird hier gezeigt
daß die Ankläger die Strafprozeßordnung
nicht beherrschen
und sich in der Gesetzgebung nicht auskennen
Die Ankläger sind mit einer vorgefaßten Meinung
in diesen Prozeß gegangen⌝
*Die Angeklagten lachen zustimmend*


II


ZEUGE 3  Die Machtfülle eines jeden im Lagerpersonal
war unbegrenzt
Es stand jedem frei zu töten

oder zu begnadigen

Vgl. Erl.
zu 56,4.
Den Arzt Dr. Flage*
sah ich mit Tränen in den Augen am Zaun stehn
hinter dem ein Zug Kinder
zu den Krematorien geführt wurde                              5
Er duldete es
daß ich die Krankenkarten einzelner
schon ausgesonderter Häftlinge
an mich nahm
und sie so vor dem Tod bewahren konnte                       10
Der Lagerarzt Flage zeigte mir
daß es möglich war
zwischen den Tausenden
noch ein einzelnes Leben zu sehn
er zeigte mir                                                15
daß es möglich gewesen wäre
auf die Maschinerie einzuwirken
wenn es mehr gegeben hätte
von seiner Art
VERTEIDIGER  Herr Zeuge                                      20
hatten Sie als Häftlingsarzt
Einfluß auf Leben und Tod
der bei Ihnen eingelieferten Kranken
ZEUGE 3  Ich konnte hier und da
ein Leben retten                                             25
VERTEIDIGER  Mußten Sie andererseits auch Kranke
zur Tötung aussondern
ZEUGE 3  Auf die angeforderte Schlußzahl
hatte ich keinen Einfluß
Sie wurde von der Lagerverwaltung bestimmt                   30
Jedoch hatte ich die Möglichkeit
die Listen zu bearbeiten
VERTEIDIGER  Nach welchen Grundsätzen unterschieden
                                                    Sie
wenn Sie zwischen zwei Kranken                               35
zu wählen hatten

ZEUGE 3  Wir hatten uns zu fragen
        wer der Prognose nach
        die größere Chance hatte
        die Krankheit zu überstehen
5       Und dann die viel schwierigere Frage
        Wer könnte wertvoller und nützlicher sein
        für die internen Angelegenheiten der Häftlinge
VERTEIDIGER  Gab es besonders Bevorzugte
ZEUGE 3  Natürlich hielten die politischen Aktiven
10       untereinander zusammen
        stützten und halfen einander
        soweit sie konnten
        Da ich der Widerstandsbewegung
        im Lager angehörte
15       war es selbstverständlich
        daß ich alles tat
        um vor allem die Kameraden
        am Leben zu erhalten
VERTEIDIGER  Was konnte die Widerstandsbewegung
20       im Lager leisten
ZEUGE 3  Die Hauptaufgabe des Widerstands
        bestand darin
        eine Solidarität aufrecht zu erhalten
        Sodann dokumentierten wir
25       die Ereignisse im Lager
        und vergruben unsere Beweisstücke
        in Blechbüchsen
VERTEIDIGER  Hatten Sie Kontakt mit Partisanengruppen*
        oder andere Verbindungen zur Außenwelt
30   ZEUGE 3  Die in den Industrien arbeitenden Häftlinge
        konnten hin und wieder Beziehungen
        zu Partisanengruppen aufnehmen
        und sie erhielten Meldungen über die Lage
        auf den Kriegsschauplätzen
35   VERTEIDIGER  Wurden Vorbereitungen
        zu einem bewaffneten Aufruhr getroffen

*(franz.) Zivile bewaffnete Widerstandskämpfer; vgl. Erl. zu 136,29.

ZEUGE 3  Es gelang später
Sprengstoff einzuschmuggeln
VERTEIDIGER  Wurde das Lager jemals von innen
oder von außen angegriffen
ZEUGE 3  Außer einem mißglückten Aufstand                    5
des ⌐Sonderkommandos⌐ der Krematorien
im letzten Kriegswinter
kam es zu keinen aktiven Handlungen
Auch von außen her wurden keine
solchen Versuche unternommen                                 10
VERTEIDIGER  Haben Sie durch Ihre Verbindungsleute
Hilfe angefordert
ZEUGE 3  Es wurden immer wieder Nachrichten
über die Zustände im Lager abgegeben
VERTEIDIGER  Was für Resultate erhofften Sie                 15
auf diese Nachrichten hin
ZEUGE 3  Wir hofften auf einen Angriff aus der Luft
auf die Gaskammern
oder auf eine Bombardierung der Zufahrtsstrecken
VERTEIDIGER  Herr Zeuge                                      20
Woher nahmen Sie Ihren Widerstandswillen
nachdem Sie sahen
daß Sie von jeglicher militärischer Hilfe
im Stich gelassen wurden
ZEUGE 3  In Anbetracht der Lage                             25
war es Widerstand genug
wachsam zu bleiben
und nie den Gedanken aufzugeben
daß eine Zeit kommen würde
in der wir unsere Erfahrungen                                30
aussprechen könnten
VERTEIDIGER  Herr Zeuge
Wie verhielten Sie sich dem Eid gegenüber
den Sie als Arzt geschworen hatten
ANKLÄGER  Wir protestieren gegen diese Frage                35

mit der die Verteidigung den Zeugen
mit den Angeklagten gleichzustellen versucht
Die Angeklagten töteten aus freiem Willen
Der Zeuge mußte notgedrungen
der Tötung beiwohnen

ZEUGE 3 ⌐Ich möchte folgendes antworten
Diejenigen unter den Häftlingen
die durch ihre Sonderstellung
einen Aufschub des eigenen Todes
erreicht hatten
waren den Beherrschern des Lagers
schon einen Schritt entgegen gegangen
Um sich die Möglichkeit des Überlebens
zu erhalten
waren sie gezwungen
einen Anschein von Zusammenarbeit zu wecken
Ich sah es deutlich in meinem Revier
Bald war ich den Lagerärzten nicht nur
in der Kollegialität des gemeinsamen Berufs
verbunden
sondern auch in meiner Teilnahme
an den Machenschaften des Systems
Auch wir Häftlinge
vom Prominenten
bis hinab zum Sterbenden
gehörten dem System an
Der Unterschied zwischen uns
und dem Lagerpersonal war geringer
als unsere Verschiedenheit von denen
die draußen waren⌐

VERTEIDIGER Herr Zeuge
wollen Sie damit sagen
daß es ein Verständnis gab
zwischen der Verwaltung und dem Häftling

ZEUGE 3 Wenn wir mit Menschen

die nicht im Lager gewesen sind
heute über unsere Erfahrungen sprechen
ergibt sich für diese Menschen
immer etwas Unvorstellbares
Und doch sind es die gleichen Menschen
wie sie dort Häftling und Bewacher waren
Indem wir in solch großer Anzahl
in das Lager kamen
und indem uns andere in großer Anzahl
dorthin brachten
müßte der Vorgang auch heute noch
begreifbar sein
Viele von denen die dazu bestimmt wurden
Häftlinge darzustellen
waren aufgewachsen unter den selben Begriffen
wie diejenigen
die in die Rolle der Bewacher gerieten
Sie hatten sich eingesetzt für die gleiche Nation
und für den gleichen Aufschwung und Gewinn
und wären sie nicht zum Häftling ernannt worden
hätten auch sie einen Bewacher abgeben können
Wir müssen die erhabene Haltung fallen lassen
daß uns diese Lagerwelt unverständlich ist
⌈Wir kannten alle die Gesellschaft
aus der das Regime hervorgegangen war
das solche Lager erzeugen konnte
Die Ordnung die hier galt
war uns in ihrer Anlage vertraut
deshalb konnten wir uns auch noch zurechtfinden
in ihrer letzten Konsequenz
in der der Ausbeutende in bisher unbekanntem Grad
seine Herrschaft entwickeln durfte
und der Ausgebeutete
noch sein eigenes Knochenmehl
liefern mußte⌝

VERTEIDIGER Diese Art von Theorien
in denen ein schiefes ideologisches Bild
gezeichnet wird
lehnen wir auf das bestimmteste ab
5 ZEUGE 3 ⌐Die meisten die auf der Rampe ankamen
fanden allerdings nicht mehr die Zeit
sich ihre Lage zu erklären
Verstört und stumm
gingen sie den letzten Weg
10 und ließen sich töten
weil sie nichts verstanden⌐
Wir nennen sie Helden
doch ihr Tod war sinnlos
Wir sehen sie vor uns
15 diese Millionen
im Scheinwerferlicht
unter Schimpf und Hundegekläff
und die Außenwelt fragt heute
wie es möglich war
20 daß sie sich so vernichten ließen
Wir
die noch mit diesen Bildern leben
wissen
daß Millionen wieder so warten können
25 angesichts ihrer Zerstörung
und daß diese Zerstörung an Effektivität
die alten Einrichtungen um das Vielfache
übertrifft
VERTEIDIGER Herr Zeuge
30 waren Sie schon vor Ihrer Einlieferung
in das Lager
politisch tätig gewesen
ZEUGE 3 Ja
⌐Es war unsere Stärke
35 daß wir wußten

warum wir hier waren
Das half uns
unsere Identität zu bewahren
Doch auch diese Stärke
reichte nur bei den Wenigsten 5
bis zum Tod
Auch diese konnten zerbrochen werden⌐
ZEUGE 7  Wir waren 1200 Häftlinge
die zu den Krematorien geführt wurden
Wir mußten lange warten 10
denn ein anderer Transport war vor uns
Ich hielt mich etwas abseits
Da kam ein Häftling vorbei
es war ein ganz junger Mensch
Er flüsterte mir zu 15
Geh fort von hier
Da nahm ich meine Holzschuhe und ging weg
Ich bin um eine Ecke gegangen
Da stand ein anderer
der fragte 20
Wo willst du hin
Ich sagte
Die haben mich weggeschickt
Dann komm mit sagte der
So kam ich zurück ins Lager 25
VERTEIDIGER  War das so einfach
Nur weggehen konnte man
ZEUGE 7  Ich weiß nicht wie es für andere war
Ich bin weggegangen
und kam in den Krankenbau 30
Da fragte mich der Häftlingsarzt
Willst du leben
Ich sagte Ja
Er sah mich eine Weile an
dann nahm er mich bei sich auf 35

VERTEIDIGER  Und dann haben Sie die Zeit im Lager
    überstanden
ZEUGE 7  Ich kam aus dem Lager heraus
    aber das Lager besteht weiter

## III

RICHTER  Frau Zeugin
    Sie verbrachten einige Monate
    im ⌈Frauenblock Nummer Zehn⌉
    in dem medizinische Experimente
    vorgenommen wurden
    Was können Sie uns darüber berichten
⌈ZEUGIN 4  *schweigt*⌉
RICHTER  Frau Zeugin
    es ist uns verständlich
    daß Ihnen die Aussage schwerfällt
    und daß Sie lieber schweigen möchten
    Doch bitten wir Sie
    Ihr Gedächtnis nach allem zu erforschen
    was Licht wirft auf die Vorkommnisse
    die hier zur Behandlung stehen
ZEUGIN 4  Wir waren dort etwa 600 Frauen
    ⌈Professor Clauberg⌉ leitete die Untersuchungen
    Die übrigen Ärzte des Lagers
    erstellten das Menschenmaterial\*                    NS-Jargon
RICHTER  Wie gingen die Versuche vor sich
ZEUGIN 4  *schweigt*
VERTEIDIGER  Frau Zeugin
    leiden Sie an Gedächtnisstörungen
ZEUGIN 4  ⌈Ich bin seit dem Aufenthalt im Lager
    krank

VERTEIDIGER  Wie äußert sich Ihre Krankheit

ZEUGIN 4  Schwindelanfälle und Übelkeit
Kürzlich in der Toilette mußte ich erbrechen
da roch es nach Chlor
Chlor wurde über die Leichen geschüttet
Ich kann mich nicht in verschlossenen
Räumen aufhalten

VERTEIDIGER  Keine Gedächtnisschwächen

ZEUGIN 4  Ich möchte vergessen
aber ich sehe es immer wieder vor mir
Ich möchte die Nummer an meinem Arm
entfernen lassen
Im Sommer
wenn ich ärmellose Kleider trage
starren die Leute darauf
und da ist immer der selbe Ausdruck
in ihrem Blick

VERTEIDIGER  Was für ein Ausdruck

ZEUGIN 4  Von Hohn⌐

VERTEIDIGER  Frau Zeugin
fühlen Sie sich immer noch verfolgt

ZEUGIN 4  *schweigt*

RICHTER  Frau Zeugin
an was für Versuche erinnern Sie sich

ZEUGIN 4  ⌐Da waren Mädchen
im Alter von 17 bis 18 Jahren
Sie waren zwischen den gesundesten Häftlingen
ausgesucht worden
An ihnen wurden Experimente
mit Röntgenstrahlen durchgeführt

RICHTER  Was waren das für Experimente

ZEUGIN 4  Die Mädchen wurden
vor den Röntgenapparat gestellt
Je eine Platte wurde an ihrem Bauch
und an ihrem Gesäß befestigt

Die Strahlen wurden auf den Eierstock gerichtet
der so verbrannt wurde
Dabei entstanden am Bauch und am Gesäß
schwere Brandwunden und Geschwüre

5 RICHTER  Was geschah mit den Mädchen

ZEUGIN 4  Innerhalb von 3 Monaten
wurden mehrere Operationen
an ihnen vorgenommen

RICHTER  Was waren das für Operationen

10 ZEUGIN 4  Die Eierstöcke und die Geschlechtsdrüsen
wurden ihnen entfernt

RICHTER  Starben die Patientinnen

ZEUGIN 4  Wenn sie nicht im Verlauf der Behandlung
                                            starben

15 so starben sie bald danach
Nach ein paar Wochen hatten sich die Mädchen
völlig verändert
Sie erhielten das Aussehen von Greisinnen

RICHTER  Frau Zeugin

20 War einer der hier anwesenden Angeklagten
an den Operationen beteiligt

ZEUGIN 4  Alle Ärzte begegneten einander täglich
in ihren Quartieren
Es ist anzunehmen daß sie zumindest

25 über die Vorgänge unterrichtet waren

VERTEIDIGER  Wir wenden uns mit äußerstem Nachdruck
gegen derartige Behauptungen
Die Tatsache daß sich unsere Mandanten
in der Nähe der hier erwähnten Vorkommnisse
30                                            aufhielten
braucht sie noch keineswegs
zu Mitwissern zu machen

RICHTER  Frau Zeugin
Was für Eingriffe wurden sonst noch vorgenommen

35 ZEUGIN 4  *schweigt*

VERTEIDIGER  Wir sind der Ansicht
daß die Zeugin auf Grund ihres Gesundheitszustandes
nicht in der Lage ist
dem Gericht glaubwürdige Antworten zu geben
ANKLÄGER  Frau Zeugin                                                    5
Können Sie dem Gericht andere Versuche schildern
bei denen Sie zugegen gewesen sind
ZEUGIN 4  Mit einer Spritze
auf die zur Verlängerung
eine Kanüle aufgesetzt worden war                               10
wurde eine Flüssigkeit
in die Gebärmutter gedrückt
RICHTER  Was war das für eine Flüssigkeit
ZEUGIN 4  Es war eine zementartige Masse
die einen brennenden wehenartigen Schmerz erzeugte     15
und eine Empfindung als müsse der Bauch platzen
Die Frauen konnten sich nur zusammengekrümmt
zum Röntgentisch begeben
wo eine Aufnahme gemacht wurde[1]
RICHTER  Was sollte mit der Einspritzung bezweckt werden    20
ZEUGIN 4  Der Eileiter sollte durch Verklebung
empfängnisunfähig gemacht werden
RICHTER  Wurden diese Eingriffe
am selben Patienten wiederholt
ZEUGIN 4  Nach der Einspritzung                               25
wurde eine Kontrastflüssigkeit
zur Röntgenbeobachtung eingeführt
Danach wurde die Masse oft
noch einmal eingepumpt
Im Abstand von 3 bis 4 Wochen                               30
konnte der Vorgang mehrmals wiederholt werden
Die meisten Todesfälle entstanden
durch Entzündung der Gebärmutter
oder des Bauchfells
Ich habe nie gesehen                                        35

daß die ärztlichen Instrumente
zwischen den Behandlungen
desinfiziert wurden

RICHTER  Wieviele solche Versuche
wurden Ihrer Berechnung nach ausgeführt

ZEUGIN 4  Während der 6 Monate
die ich auf Block Zehn verbrachte
wurden 400 Versuche dieser Art ausgeführt
Im Zusammenhang damit wurden auch
⌐künstliche Befruchtungen⌐ vorgenommen
Wenn sich dabei eine Schwangerschaft herausstellte
wurde ein Abort* eingeleitet                    Fehlgeburt

RICHTER  In welchem Monat der Schwangerschaft
geschah das

ZEUGIN 4  Im siebten Monat
Während der Schwangerschaft wurden noch
zahlreiche Röntgenversuche gemacht
Nach der Frühgeburt wurde das Kind
wenn es überhaupt lebendig zur Welt kam
getötet und obduziert

VERTEIDIGER  Frau Zeugin
geben Sie dem Gericht diese Angaben
aus zweiter Hand
oder aus eigenem Wissen wieder

ZEUGIN 4  Ich spreche aus persönlicher Erfahrung

VERTEIDIGER  Was bewahrte Sie vor einer Erkrankung
mit tödlichem Ausgang

ZEUGIN 4  Die Räumung des Lagers

# 5 Gesang vom Ende der ⌐Lili⌐ Tofler

I

RICHTER  Frau Zeugin
Ist Ihnen der Name Lili Tofler
bekannt
ZEUGIN 5  Ja
Lili Tofler war ein ausgesprochen
hübsches Mädchen
Sie war verhaftet worden
weil sie einem Häftling
einen Brief geschrieben hatte
Beim Versuch
dem Häftling den Brief zuzuschmuggeln
war dieser gefunden worden
Lili Tofler wurde vernommen
Sie sollte den Namen des Häftlings nennen
Boger leitete die Verhöre
Auf seinen Befehl
wurde sie in den Bunkerblock gebracht
Dort mußte sie sich viele Male
nackt zur Wand stellen
und es wurde getan als sollte sie
erschossen werden
Man gab die Kommandos zum Schein
Zum Schluß flehte sie auf den Knien
man möge sie erschießen
RICHTER  Wurde sie erschossen
ZEUGIN 5  Ja
ZEUGE 6  Ich befand mich im Bunkerarrest
als Lili Tofler zusammen mit 2 anderen Häftlingen
die an dem Briefschmuggel beteiligt waren

dort eingesperrt wurde
Während dieser Tage durfte ich einmal
durch das Entgegenkommen des Funktionshäftlings
                                    Jakob
der die Aufsicht im Bunker führte
den Waschraum benutzen
Doch auf dem Weg dorthin
drängte Jakob mich plötzlich in einen Nebenraum
Durch den Türspalt sah ich
wie Lili Tofler von Boger
in den Waschraum geführt wurde
Ich hörte zwei Schüsse
und sah nach dem Fortgang Bogers
das Mädchen tot auf dem Boden liegen
Die beiden anderen Häftlinge wurden später
von Boger im Hof liquidiert*                        ermordet
RICHTER Angeklagter Boger
Ist Ihnen dieser Fall bekannt
ANGEKLAGTER 2 Die Erschießung der Lili Tofler
stimmt mit der Wahrheit überein
Sie war als Schreiberin der Politischen Abteilung
Geheimnisträgerin
und durfte keinerlei Kontakt
mit anderen Häftlingen aufnehmen
Ich habe mit ihrer Erschießung
nichts zu tun gehabt
Ich war über ihren Tod damals ebenso erschüttert
wie der ⌐Bunkerjakob⌐
dem die Tränen über die Backen liefen
RICHTER Können Sie uns sagen
was in dem Brief stand
ANGEKLAGTER 2 Nein
RICHTER Frau Zeugin
wissen Sie was in dem Brief stand
ZEUGIN 5 ⌐Lili Tofler fragte in dem Brief

ob es ihnen möglich sein könnte
jemals weiterzuleben
nach den Dingen die sie hier gesehen hatten
und von denen sie wüßten
Ich erinnere mich auch
daß sie in ihrem Brief
zunächst den Freund fragte
ob er ihre vorige Nachricht erhalten habe
Sie schrieb auch von ermutigenden Meldungen
die sie gehört hatte

VERTEIDIGER Frau Zeugin
woher haben Sie diese Kenntnisse

ZEUGIN 5 Ich war mit Lili Tofler befreundet
Wir wohnten im gleichen Block
Sie hatte mir von diesem Brief erzählt
Später sah ich den Brief
Ich arbeitete im Standesamt des Lagers
Da lief die Todesbescheinigung Lili Toflers ein
Der Brief war beigefügt

RICHTER Kannten Sie den Häftling
an den der Brief gerichtet war

ZEUGIN 5 Ja

RICHTER Verriet Lili Tofler seinen Namen

ZEUGIN 5 Nein
Die Häftlinge mußten auf dem Appellplatz antreten
und Lili sollte ihren Freund denunzieren
Ich erinnere mich noch genau
wie sie vor ihm stand
ihm kurz in die Augen sah
und sofort weiterging
ohne ein Wort zu sagen

VERTEIDIGER Mußten Sie auch zum Appell antreten

ZEUGIN 5 Ja

VERTEIDIGER Wo war der Appellplatz

ZEUGIN 5 Es war die Straße und der freie Platz
vor den Küchengebäuden im alten Lager

VERTEIDIGER Wie sah der Platz aus

ZEUGIN 5 Rechts neben dem Galgen
stand das Wachthäuschen des Rapportführers
das war aus Holz gezimmert
und mit Steinfugen bemalt
Auf dem spitzen Dach war eine Wetterfahne
Es sah aus wie aus einem Baukasten
Die Häftlinge standen auf der Straße
und auf allen Wegen zwischen den Blocks
Lili Tofler wurde an ihnen entlang geführt
Ich las an diesem Tag auch
was auf dem Dach der Küche stand
da war mit großen Lettern geschrieben
ES GIBT EINEN WEG ZUR FREIHEIT
SEINE MEILENSTEINE HEISSEN
GEHORSAM FLEISS SAUBERKEIT
EHRLICHKEIT WAHRHAFTIGKEIT
UND LIEBE ZUM VATERLAND

RICHTER Wurde der Häftling
an den der Brief gerichtet war
nie entdeckt

ZEUGIN 5 Nein

## II

RICHTER Herr Zeuge
Sie waren damals Leiter
der landwirtschaftlichen Betriebe des Lagers
Zur Zeit ihrer Verhaftung arbeitete Lili Tofler
auf einer der Pflanzenstationen
die Ihnen unterstanden
Was hatte Lili Tofler dort zu tun

ZEUGE 1  Soweit ich mich erinnere
war sie Zeichnerin oder Schreiberin bei uns
RICHTER  War sie von der Politischen Abteilung
an Sie abgetreten worden
ZEUGE 1  Das kann ich heute nicht mehr sagen                    5
Unser Betrieb hatte mit dem Lager direkt
nichts zu tun
er fiel unter das Wirtschaftshauptamt
Durch den Anbau von ⌜Kautschukpflanzen⌝
war es ein kriegswichtiger Betrieb                             10
Im wesentlichen war mein Auftrag
ein wissenschaftlicher
RICHTER  Herr Zeuge
ist Ihnen die Verhaftung der Lili Tofler bekannt
ZEUGE 1  Ich erinnere mich                                      15
daß da irgend etwas mit einem Brief war
RICHTER  Wissen Sie
daß Lili Tofler auf Grund dieses Briefes
verhaftet wurde
ZEUGE 1  Ich glaube                                            20
der Brief wurde in einer Sendung von Karotten
gefunden
RICHTER  Was waren das für Karotten
ZEUGE 1  Sie waren für die ärztliche Abteilung
angepflanzt worden                                             25
RICHTER  Zu welchem Zweck
ZEUGE 1  Ich nehme an
als Krankenkost
Professor Clauberg hatte das angeordnet
RICHTER  Was war Ihnen über Professor Claubergs Arbeit   30
bekannt
ZEUGE 1  Dort wurden Untersuchungen im Auftrag
pharmazeutischer Industrien vorgenommen
RICHTER  Was für Untersuchungen waren das
ZEUGE 1  Das weiß ich nicht                                    35

Ich wußte vom Lager nur
daß es sich um ein großes Industriegebiet
handelte
in dessen verschiedenen Zweigen
5    Häftlinge als Arbeitskräfte
eingesetzt wurden
ANKLÄGER  Herr Zeuge
welcher dieser Industrien
unterstand Ihre Abteilung
10 ZEUGE 1  Wir gehörten zu den ⌈Buna⌉-Werken
der IG Farben
Wir arbeiteten alle auf Kriegswirtschaft
ANKLÄGER  War Ihnen bekannt
daß die Häftlinge bei der Einrichtung
15    der Industrien
als Arbeitskräfte einkalkuliert waren
ZEUGE 1  Ja natürlich
ANKLÄGER  ⌈Zahlten die Industrien Löhne
für die Häftlingsarbeiter
20 ZEUGE 1  Selbstverständlich
Nach bestimmten Tarifen
ANKLÄGER  Was waren das für Tarife
ZEUGE 1  Für einen Facharbeiter wurden 4 Mark
pro Tag gezahlt
25    für einen ungelernten Arbeiter 3 Mark
ANKLÄGER  Wie lang war der Arbeitstag
ZEUGE 1  11 Stunden
ANKLÄGER  An wen wurde der Lohn ausgezahlt
ZEUGE 1  An die Lagerverwaltung
30    Die hatte ja für die Verpflegung der Häftlinge
zu sorgen⌉
ANKLÄGER  Wie waren die Häftlinge genährt
ZEUGE 1  In meinem Betrieb waren sie gut genährt
ANKLÄGER  War Ihnen nicht bekannt
35    daß die Häftlinge bis zum äußersten
verbraucht und dann getötet wurden

ZEUGE 1  Ich habe mich immer bemüht
        mehr für die Häftlinge zu tun
        als mir zustand
        Ich litt darunter
        zu sehen                                                    5
        wie die Häftlinge die bei uns verpflichtet waren
        täglich die kilometerweiten Strecken
        von ihren Baracken zu den Arbeitslagern
        zu Fuß zurücklegen mußten
        Ich nützte die höchste Dringlichkeitsstufe aus             10
        um darauf zu pochen
        daß die in unserem Bereich
        beschäftigten Arbeitskommandos
        besser verpflegt wurden
        und festes Schuhwerk bekamen                               15
ANKLÄGER  Wieviele Häftlinge arbeiteten in Ihrem Betrieb
ZEUGE 1  500 bis 600
ANKLÄGER  Fiel Ihnen nicht
        ein starker Wechsel in den Kommandos auf
ZEUGE 1  Ich bemühte mich darum                                    20
        meine Leute zu behalten
ANKLÄGER  Kamen Krankheitsfälle vor
ZEUGE 1  Die kamen natürlich vor
        Mir waren ja auch die Epidemien bekannt
        unter denen die Häftlinge                                  25
        im Lager litten
ANKLÄGER  Fiel Ihnen nicht auf
        daß Krankgemeldete nicht zurückkamen
ZEUGE 1  Nein
        Oft kamen sie ja auch wieder                               30
        aus dem Revier zurück
ANKLÄGER  Haben Sie von Mißhandlungen gehört
ZEUGE 1  Gehört ja
ANKLÄGER  Was haben Sie gehört
ZEUGE 1  Ich habe gehört                                           35
        daß sie geschlagen wurden

ANKLÄGER  Von wem

ZEUGE 1  Ich weiß es nicht

Ich habe es ja nicht gesehn

Ich habe es nur gehört

5  ANKLÄGER  Herr Zeuge

Wußten Sie von den Vernichtungsaktionen

ZEUGE 1  Wenn man 3 Jahre dort war

sickerte natürlich das eine und das andere durch

Da wußte man schon was los war

10  Aber als ich dann später die ersten Zahlen hörte

da habe ich das überhaupt nicht begriffen

ANKLÄGER  Haben Sie selbst keine dieser Transporte

gesehen

ZEUGE 1  Höchstens ein paar mal

15  ANKLÄGER  Kennen Sie die Angeklagten in diesem Saal

ZEUGE 1  Einen Teil der Herren kenne ich

Vor allem die Führer unter ihnen

Wir trafen im Rahmen

des rein gesellschaftlichen Verkehrs

20  im Führerheim zusammen

ANKLÄGER  Herr Zeuge

Sie sind heute ⌈Ministerialrat⌉

Trafen Sie diese Herren

auch nach dem Kriege wieder

25  nachdem die meisten von ihnen

ins Zivilleben zurückgekehrt waren

ZEUGE 1  Dem einen oder dem andern

mag ich begegnet sein

ANKLÄGER  Kamen Sie bei dieser Gelegenheit

30  auf die damaligen Geschehnisse zu sprechen

ZEUGE 1  Herr Staatsanwalt

Es ging uns schließlich allen darum

den Krieg zu gewinnen

ANKLÄGER  ⌈Das Gericht hat als Zeugen einberufen

35  drei ehemalige Leiter

der mit dem Lager zusammenarbeitenden Industrien
Der eine Zeuge hat dem Gericht ein Attest eingereicht
daß er erblindet sei
und deshalb nicht kommen könne
der andere Zeuge leidet an gebrochenem Rückgrat                    5
Nur ein ehemaliger Vorsitzender des Aufsichtsrats
hat sich eingefunden
Herr Zeuge
Stehen Sie heute noch in Zusammenarbeit
mit den Industrien                                                 10
die damals Häftlinge bei sich beschäftigten
VERTEIDIGER  Wir protestieren gegen diese Frage
    die keinen andern Zweck hat
    als das Vertrauen in unsere Industrie zu untergraben
ZEUGE 2  Ich bin nicht mehr aktiv                                  15
    im Geschäftsleben tätig
ANKLÄGER  Nehmen Sie eine Ehrenrente dieser Industrien
                                            entgegen
ZEUGE 2  Ja
ANKLÄGER  Beläuft sich diese Rente auf 300 000 Mark im            20
                                            Jahr
VERTEIDIGER  Wir widersprechen dieser Frage
ANKLÄGER  Herr Zeuge
    Wenn Sie auf Ihrem Schloß leben
    und sich nicht mehr mit den Angelegenheiten                    25
    des Konzerns befassen
    der heute nur seinen Namen geändert hat
    womit beschäftigen Sie sich dann
ZEUGE 2  Ich sammle Porzellan Gemälde und Stiche
    sowie Gegenstände bäuerlichen Brauchtums                       30
VERTEIDIGER  Fragen dieser Art
    haben mit dem Eröffnungsbeschluß des Prozesses
    nicht das geringste zu tun
ANKLÄGER  Herr Zeuge
    Sie waren von der Industrieseite aus unmittelbar              35

für die Anstellung der Häftlingsarbeiter verantwortlich
Was ist Ihnen über die Vereinbarungen bekannt
zwischen der Industrie und der Lagerverwaltung
betreffend der Häftlinge
5    die nicht mehr arbeitsfähig waren
ZEUGE 2  Darüber ist mir nichts bekannt
ANKLÄGER  Dem Gericht liegen Wochenberichte vor
in denen die Rede ist von Häftlingen
die von der Industrie als zu schwach
10    für die Arbeit befunden wurden
ZEUGE 2  Davon ist mir nichts bekannt
ANKLÄGER  Ist Ihnen nicht der körperliche Zustand
der Häftlinge aufgefallen
ZEUGE 2  Ich persönlich habe mich immer
15    gegen die Anstellung dieser Arbeitskräfte gewehrt
die sich zumeist aus asozialen
oder politisch unzuverlässigen Elementen*                    NS-Jargon
zusammensetzten
ANKLÄGER  Das Gericht ist im Besitz von Schreiben
20    in denen die segensreiche Freundschaft
zwischen der Lagerverwaltung und der Industrie
erwähnt wird
Es heißt dort unter anderem
Anläßlich eines Abendessens
25    haben wir weiterhin alle Maßnahmen festgelegt
welche die Einschaltung
des wirklich hervorragenden Betriebs des Lagers
zugunsten der Buna-Werke betreffen
Was waren das für Maßnahmen
30    Herr Zeuge
ZEUGE 2  Ich hatte nur meine Pflicht zu tun
und dafür zu sorgen
daß die Forderungen der Reichsbehörden
erfüllt wurden
35  ANKLÄGER  Herr Zeuge

Lassen Sie es uns deutlich aussprechen
und damit die Aussagen bestätigen
in denen ein früherer Zeuge
auf das System der Ausbeutung hinwies
das für das Lager galt
Sie Herr Zeuge
sowie die anderen Direktoren
der großen Konzerne
erreichten durch unbegrenzten Menschenverschleiß
Jahresumsätze von mehreren Milliarden

VERTEIDIGER Wir protestieren

ANKLÄGER Lassen Sie es uns noch einmal bedenken
daß die Nachfolger dieser Konzerne heute
zu glanzvollen Abschlüssen kommen
und daß sie sich wie es heißt
in einer neuen Expansionsphase befinden

VERTEIDIGER Wir fordern das Gericht auf
diese Diffamierungen
zu Protokoll zu nehmen


III


RICHTER Herr Zeuge
Was wissen Sie über die Verhaftung
der Lili Tofler

ZEUGE 1 Was im einzelnen war
weiß ich nicht
Ich erinnere mich nur
daß sie abgeholt wurde
Ich fragte was da los sei und hörte
daß die Untersuchung weitergehe
Später habe ich gehört
daß man die Lili getötet hätte

RICHTER  Wer hat sie getötet
ZEUGE I  Ich weiß es nicht
　　　　Ich war ja nicht dabei
RICHTER  Herr Zeuge
5　　　Sie hatten damals den Rang eines Oberführers
　　　　was etwa zwischen dem Rang eines Obersten
　　　　und eines Generalmajors liegt
　　　　Hatten Sie keine Möglichkeit einzugreifen
　　　　als Ihnen eine Mitarbeiterin weggenommen wurde
10　ZEUGE I  Ich kannte den Fall nicht genügend
RICHTER  Erkundigten Sie sich nicht
　　　　nach dem Grund ihrer Verhaftung
ZEUGE I  Das lag außerhalb meiner Kompetenz
RICHTER  Das war doch ein ganz massiver Eingriff
15　　　in Ihr persönliches Arbeitsgebiet
　　　　Man nahm Ihnen da einfach jemanden
　　　　aus dem Labor weg
　　　　den Sie für Ihre kriegswichtige Produktion
　　　　brauchten
20　ZEUGE I  Lili Tofler war keine von den Spitzenkräften
RICHTER  Herr Zeuge
　　　　Ein Mann der Politischen Abteilung
　　　　stand dem Rang nach doch tief unter Ihnen
　　　　Warum duldeten Sie diesen Eingriff
25　　　in Ihren Verantwortungsbereich
ZEUGE I  Herr Vorsitzender
　　　　Es gab einen Begriff damals
　　　　der für alle galt
　　　　Dieser Begriff hieß
30　　　Sei vorsichtig mit Häftlingsbegünstigung
　　　　Bis zu einer bestimmten Grenze konnte man gehn
　　　　aber weiter nicht
RICHTER  Wir rufen als Zeugen auf
　　　　den Häftling
35　　　an den Lili Tofler

den erwähnten Brief gerichtet hatte
Herr Zeuge
wie gelang es Ihnen
zu überleben
ZEUGE 9  Ein paar Tage nach ihrer Einlieferung in den          5
                                       Bunker
wurde auch ich dorthin überführt
Ich glaubte
Lili habe mich verraten
aber ich war nur zusammen mit anderen                          10
als Geisel festgenommen worden
Ich hörte dort
daß Lili sich jeden Morgen und jeden Nachmittag
eine Stunde lang in den Waschraum stellen müsse
Boger drückte ihr während dieser Zeit                          15
eine Pistole an die Schläfe
Dies dauerte 4 Tage
Dann wurde ich zusammen mit 50 Häftlingen
zur Erschießung geholt
Die ganze Zeit glaubte ich                                     20
man wisse
daß der Brief an mich gerichtet gewesen war
Wir mußten uns ausziehen
und im Korridor aufstellen
Ich sah wie der Schreiber auf der Liste                        25
hinter meiner Nummer
ein Kreuz machte
Papiermäßig war ich bereits tot
Die Häftlinge wurden in den Hof gebracht
und erschossen                                                 30
Nur zwei wurden aus irgendeinem Grund
zurückgehalten
Einer der beiden war ich
Ich drückte mich noch im Flur herum
als plötzlich der Bunkerjakob kam                              35

und mich in den Hof zog
Ich glaubte
nun auch erschossen zu werden
Aber Jakob zeigte mir nur den Haufen
der toten Kameraden
Obenauf lagen die beiden Häftlinge
die den Brief ins Lager geschmuggelt hatten
Etwas weiter abseits lag Lili
mit zwei Herzschüssen
Ich fragte Jakob
wer sie erschossen habe
Er sagte
Boger
RICHTER Angeklagter Boger
wollen Sie noch etwas sagen
ANGEKLAGTER 2 Nein danke
RICHTER Frau Zeugin
Woher stammte diese Lili Tofler
ZEUGIN 5 Das ist mir nicht bekannt
RICHTER Wie war ihr Wesen
ZEUGIN 5 Jedesmal wenn ich Lili traf
und sie fragte
Wie geht es dir Lili
sagte sie
Mir geht es immer gut

# 6 Gesang vom Unterscharführer* Stark

Rangbezeichnung der SS

I

ZEUGE 8  Der Angeklagte Stark
war unser Vorgesetzter im Aufnahmekommando
Ich war dort als Schreiber tätig
Stark war damals 20 Jahre alt                                                5
In seinen freien Stunden
bereitete er sich zur Reifeprüfung* vor
Um seine Kenntnisse zu überprüfen
wandte er sich gern mit Fragen                                              10
an die Häftlingsabiturienten
An dem Abend
als die polnische Frau mit den beiden Kindern
eingeliefert wurde
führte er einen Diskurs* mit uns                                           15
über den ⌐Humanismus bei Goethe⌐
RICHTER  Um was für einen Fall handelte es sich
bei dieser Einlieferung
ZEUGE 8  Wir erfuhren später das folgende
Der achtjährige Junge                                                       20
den die Frau an der Hand führte
hatte einem Lagerbeamten
ein Kaninchen weggenommen
um es der zweijährigen Tochter der Frau
zum Spielen zu geben                                                        25
Deshalb sollten alle drei
erschossen werden
Stark
führte die Erschießung aus
RICHTER  Konnten Sie das sehen                                              30
ZEUGE 8  Die Erschießungen wurden damals

*Abitur* (margin, line 7)

*Hier: erörterndes Gespräch* (margin, lines 15–16)

im alten Krematorium durchgeführt
Das Krematorium lag gleich
hinter der Aufnahmebaracke
Durch das Fenster konnten wir sehen
5   wie Stark mit der Frau und den Kindern
in das Krematorium ging
Er hatte seinen Karabiner* umgehängt

(franz.) Kurzes Gewehr mit geringer Schussweite

Wir hörten eine Reihe von Schüssen
Dann kam Stark allein zurück
10  RICHTER Angeklagter Stark
Entspricht diese Schilderung dem Sachverhalt
ANGEKLAGTER 12 Das streite ich energisch ab
RICHTER Was hatten Sie für einen Rang im Lager
ANGEKLAGTER 12 Ich war Blockführer
15  RICHTER Wie kamen Sie ins Lager
ANGEKLAGTER 12 Ich wurde zusammen mit einer Gruppe
von Unterscharführern
angefordert
RICHTER Wirkten Sie sofort als Blockführer
20  ANGEKLAGTER 12 Dafür waren wir vorgesehen
und dort wurden wir eingesetzt
RICHTER Waren Sie für diese Tätigkeit
vorbereitet worden
ANGEKLAGTER 12 Wir hatten die Führerschule hinter uns
25  RICHTER Gab es da praktische Richtlinien
für die Tätigkeit im Lager
ANGEKLAGTER 12 Nur eine kurze Einweisung
RICHTER Was geschah bei Ihrer Ankunft im Lager
ANGEKLAGTER 12 Da war eine Empfangskommission
30  RICHTER Wer war dabei
ANGEKLAGTER 12 Der Kommandant und der Adjutant
der Schutzhaftlagerführer*
der Rapportführer

Schutzhaft: zeitlich unbegrenzte Inhaftierung ohne Gerichtsverfahren

RICHTER Was erhielten Sie für Aufgaben
35  ANGEKLAGTER 12 Ich wurde zuerst einem Häftlingsblock

zugeteilt
Dort waren vorwiegend junge Leute
Schüler und Studenten
RICHTER Weshalb waren die Häftlinge dort
ANGEKLAGTER 12 Ich glaube 5
wegen ihrer Kontakte zur Widerstandsbewegung
Es war ein Kollektivvorwurf
Sie waren von der Kommandantur der
Sicherheitspolizei
ins Lager verlegt worden 10
RICHTER Haben Sie Einweisungsschreiben
für diese Leute gesehn
ANGEKLAGTER 12 Nein
Ich hatte damit auch nichts zu tun
RICHTER Was hatten Sie denn zu tun 15
ANGEKLAGTER 12 Ich hatte dafür zu sorgen
daß die Leute rechtzeitig
zur Arbeit kamen
und daß die Zahlen stimmten
RICHTER Wurden Fluchtversuche unternommen 20
ANGEKLAGTER 12 Unter meiner Aufsicht nicht
RICHTER Hatten die Leute eine angemessene Verpflegung
ANGEKLAGTER 12 Jeder hatte seinen Liter Suppe
RICHTER Was geschah
wenn die Leute nicht arbeiten konnten 25
oder wollten
ANGEKLAGTER 12 Das hat es nicht gegeben
RICHTER Hatten Sie nie Anlaß einzugreifen
wenn die Häftlinge etwas Verbotenes taten
ANGEKLAGTER 12 Das kam nicht vor 30
Ich habe nie eine Meldung geschrieben
RICHTER Haben Sie niemals geschlagen
ANGEKLAGTER 12 Das hatte ich nicht nötig
RICHTER Wann kamen Sie zum Aufnahmeblock
der Politischen Abteilung 35

ANGEKLAGTER 12  Im Mai 1941

RICHTER  Was war der Grund Ihrer Versetzung

ANGEKLAGTER 12  Ich lernte Untersturmführer\* Grabner    Rangbezeich-
   den Chef der Politischen Abteilung    nung der SS

5    beim Reiten kennen
   Er fragte mich was ich von Beruf sei
   und als ich sagte ich sei Schüler
   und stände vor dem Abitur
   antwortete er

10    daß solche Leute gesucht seien
   Nach einigen Tagen stand meine Abstellung
   im Kommandanturbefehl

RICHTER  Was hatten Sie in der Aufnahmeabteilung
   zu tun

15 ANGEKLAGTER 12  Ich hatte mich zunächst
   mit der Registratur vertraut zu machen
   Einkommende Häftlinge wurden
   mit einer Nummer versehn
   Anschließend waren Personalbogen zu erstellen

20    und Karteikarten anzulegen

RICHTER  Wie kamen die Häftlinge an

ANGEKLAGTER 12  Entweder im Fußmarsch
   oder im Lastwagentransport
   oder per Zug

25    Die Züge kamen regelmäßig Dienstag
   Donnerstag und Freitag

RICHTER  Wie ging die Aufnahme vor sich

ANGEKLAGTER 12  Ich hatte mich bereitzuhalten
   wenn Transporte angekündigt waren

30    Zuerst wurden die Häftlinge
   vor dem Lagertor aufgestellt
   dann kam der Transportleiter
   und händigte auf der Aufnahme
   die Transportpapiere aus

35    Die Häftlinge traten an zum Zählen

und zur Übergabe einer Nummer
Damals wurden die Nummern
noch nicht eintätowiert
Jeder Häftling bekam seine Nummer
in dreifacher Ausfertigung auf Karton                               5
Eine Nummer blieb bei ihm

eine kam zu den Effekten*
eine zu den Wertsachen
Seine Pappnummer mußte der Häftling aufbewahren
bis er eine Stoffnummer bekam                                      10

RICHTER  Was hatten Sie dabei zu tun

ANGEKLAGTER 12  Ich hatte die Nummern auszugeben
und die Leute zur Effektenkammer zu führen
Dort wurden die Häftlinge umgezogen
gebadet und eingekleidet                                           15
und es wurden ihnen die Haare geschnitten
Dann wurden sie aufgenommen
durch die Aufnahme

RICHTER  Wie ging das vor sich

ANGEKLAGTER 12  Die Personalbogen wurden ausgefüllt            20
Die für die Aufnahme erstellten Fragebogen
gingen in die Aufnahmeräume
Dann wurde eine Zugangsliste erstellt
Daraus ging hervor
ob es sich um einen politischen Häftling                           25
einen kriminellen Häftling
oder einen rassischen Häftling handelte
Die Liste lief dann in die verschiedenen Abteilungen

RICHTER  Was für Abteilungen waren das

ANGEKLAGTER 12  An den Schutzhaftlagerführer                   30
die Kommandantur
die Politische Abteilung
die Ärzte
Sie wurden in 11- oder 12facher Ausfertigung
mit der Tagespost verteilt                                         35

RICHTER Was hatten Sie dann weiterhin
mit den Häftlingen zu tun

ANGEKLAGTER 12 Nach der Aufnahme
waren die Häftlinge für mich erledigt

5 ANKLÄGER Angeklagter Stark
waren Sie bei allen ankommenden Transporten
zugegen

ANGEKLAGTER 12 Befehlsmäßig hatte ich dort zu sein

ANKLÄGER Was war Ihre Aufgabe

10 bei der Ankunft der Transporte

ANGEKLAGTER 12 Ich war dort nur
für den Schriftverkehr verantwortlich

ANKLÄGER Was bedeutet das

ANGEKLAGTER 12 Ein Teil der Häftlinge wurde verlegt

15 Die hatte ich einzubuchen

ANKLÄGER Und die andern

ANGEKLAGTER 12 Die andern wurden überstellt

ANKLÄGER Worin bestand der Unterschied

ANGEKLAGTER 12 Die Häftlinge die verlegt wurden

20 kamen ins Lager
Die überstellten Häftlinge wurden nicht aufgenommen
und nicht erfaßt
Das ist der Unterschied zwischen Verlegung
und Überstellung

25 ANKLÄGER Was geschah mit den überstellten Häftlingen

ANGEKLAGTER 12 Sie wurden sofort zur Vernichtung
ins kleine Krematorium eingeliefert

ANKLÄGER War dies noch vor der Erbauung
der großen Krematorien

30 ANGEKLAGTER 12 Die großen Krematorien der
Außenlager

wurden erst im Sommer 1942
betriebsfähig
Bis dahin wurde das Krematorium

35 des alten Lagers benutzt

ANKLÄGER  Wie spielte sich das Überstellen
der Häftlinge ab
ANGEKLAGTER 12  Die Listen wurden verglichen
und die Namen abgehakt
Dann mußten wir mit den Leuten
die nicht zur Aufnahme bestimmt waren
im kleinen Krematorium einrücken
ANKLÄGER  Was wurde den Leuten gesagt
ANGEKLAGTER 12  Die wurden informiert
daß sie entlaust werden sollten
ANKLÄGER  Waren sie nicht unruhig
ANGEKLAGTER 12  Nein
Sie gingen ruhig hinein


II


ZEUGE 8  Wir kannten genau Starks Verhalten
wenn er von einer Tötung kam
Da mußte alles sauber und ordentlich
in der Stube sein
und mit Handtüchern hatten wir die Fliegen
zu verjagen
Wehe
wenn er jetzt eine Fliege entdeckte
dann war er außer sich vor Zorn
Noch ehe er seine Feldmütze abnahm
wusch er sich die Hände in einer Schüssel
die der Kalfaktor* schon auf den Hocker
gleich neben der Eingangstür gestellt hatte
Wenn er sich die Hände gewaschen hatte
zeigte er auf das schmutzige Wasser
und der Kalfaktor mußte laufen

(lat.)
Abwertende
Bezeichnung
für jmd., der
Hilfsdienste
verrichtet

und frisches Wasser holen
Dann gab er uns seine Jacke zum Säubern
und wusch sich nochmals Gesicht und Hände
ZEUGE 7  Mein ganzes Leben lang sehe ich Stark
immer Stark
Ich höre wie er ruft
Los rein ihr Schweinehunde
und da mußten wir hinein in die Kammer
RICHTER  In welche Kammer
ZEUGE 7  In die Leichenkammer des alten Krematoriums
Da lagen mehrere 100 Männer
Frauen und Kinder
wie Pakete
Auch Kriegsgefangene waren darunter
Los
Leichen ausziehn
rief Stark
Ich war 18 Jahre alt
und hatte noch keine Toten gesehn
Ich blieb stehen
da schlug Stark auf mich ein
RICHTER  Hatten die Toten Wunden
ZEUGE 7  Ja
RICHTER  Waren es Schußwunden
ZEUGE 7  Nein
Die Menschen waren vergast worden
Sie lagen steif übereinander
Manchmal zerrissen die Kleider
Da wurden wir wieder geschlagen
RICHTER  Mußten die Menschen sich nicht
vorher ausziehen
ZEUGE 7  Das war später
in den neuen Krematorien
da gab es Auskleideräume
RICHTER  War Stark dort auch dabei

ZEUGE 7  Immer wieder war Stark dabei
Ich höre ihn rufen
Los
Klamotten einsammeln
Einmal hatte sich ein kleiner Mann
unter einem Kleiderhaufen versteckt
Stark entdeckte ihn
Komm her rief er
und stellte ihn an die Wand
Er schoß ihm erst in das eine Bein
und dann in das andere
zum Schluß
mußte er sich auf eine Bank setzen
und Stark schoß ihn tot
Er schoß am liebsten erst in die Beine
Ich hörte wie eine Frau schrie
Herr Kommandant
ich habe doch nichts getan
Da rief er
Los an die Wand ⌐Sarah⌐
Die Frau flehte um ihr Leben
da begann er zu schießen
RICHTER  Herr Zeuge
Wann sahen Sie den Angeklagten Stark
zum ersten Mal bei diesen Tötungen
ZEUGE 7  Im Herbst 1941
RICHTER  Waren dies die ersten Tötungen
durch Gas
ZEUGE 7  Ja
RICHTER  Wie sah das alte Krematorium aus
ZEUGE 7  Es war ein Betonbau
mit einem dicken viereckigen Schornstein
Die Wände waren durch schräge Erdanschüttungen
verdeckt
Der Leichenraum war etwa 20 Meter lang

6. Gesang

und 5 Meter breit
Er war durch eine kleine Vorkammer zu erreichen
Vom Leichenraum führte eine Tür
zum ersten Verbrennungsofen
und eine weitere Tür
zur Halle mit den beiden anderen Öfen

RICHTER Angeklagter Stark
Wie groß waren die Gruppen der Menschen
die Sie zur Tötung abzuführen hatten

ANGEKLAGTER 12 Im Durchschnitt 150 bis 200 Stück

RICHTER Waren Frauen und Kinder darunter

ANGEKLAGTER 12 Ja

RICHTER Fanden Sie es richtig
daß Frauen und Kinder
zu diesen Transporten gehörten

ANGEKLAGTER 12 Ja
Damals bestand eben
die Sippenhaftung*

RICHTER Sie stellten die Schuld
dieser Frauen und Kinder
nicht in Frage

ANGEKLAGTER 12 Es war uns gesagt worden
daß sie beteiligt waren
an Brunnenvergiftungen
Brückensprengungen
und anderen Sabotagen

RICHTER Sahen Sie auch Kriegsgefangene
zwischen diesen Menschen

ANGEKLAGTER 12 Ja
Diese Gefangenen hatten laut Befehl
jeden Anspruch auf ehrenhafte Behandlung
verloren

ANKLÄGER Angeklagter Stark
Im Herbst 1941 wurden große Mengen ⌐sowjetischer
Kriegsgefangener⌐

*Haftung der
Angehörigen
eines Ange-
klagten;
in einem
Rechtsstaat
unzulässig

in das Lager eingeliefert
Unseren Protokollen nach waren Sie zuständig
für die Bearbeitung dieser Kontingente

ANGEKLAGTER 12 Ich hatte mit diesen Transporten
nur Auftragsmäßiges zu tun

ANKLÄGER Was bedeutet Auftragsmäßiges

ANGEKLAGTER 12 Ich hatte sie lediglich abzuführen
und ihre Karteikarten mit dem Vermerk
des Erschießungsbefehls
entgegenzunehmen                                                    1
Des weiteren hatte ich ihre Erkennungsmarken
abzubrechen
und die Nummern in der Kartei zu verwahren

ANKLÄGER Welcher Grund
war für die Erschießung der Kriegsgefangenen               1
angegeben worden

ANGEKLAGTER 12 Es handelte sich um die Vernichtung
einer Weltanschauung
Mit ihrer fanatischen politischen Einstellung
gefährdeten diese Gefangenen                                      2
die Sicherheit des Lagers

ANKLÄGER Wo wurden die Erschießungen ausgeführt

ANGEKLAGTER 12 Im Hof von Block Elf

ANKLÄGER Nahmen Sie an den Erschießungen teil

ANGEKLAGTER 12 In einem Falle                                  2
ja

ANKLÄGER Wie ging das vor sich

ANGEKLAGTER 12 Die Leute waren verlesen worden
und die Formalitäten waren erledigt
Sie wurden nacheinander in den Hof geführt              3
Es war schon ziemlich am Ende
Da sagte Grabner
Hier macht der Stark weiter
Vorher hatten die andern Blockführer
abwechselnd geschossen                                            3

ANKLÄGER  Wieviele haben Sie erschossen

ANGEKLAGTER 12  Das weiß ich nicht mehr

ANKLÄGER  Waren es mehr als einer

ANGEKLAGTER 12  Ja

ANKLÄGER  Mehr als 2

ANGEKLAGTER 12  4 bis 5 werden es schon gewesen sein

ANKLÄGER  Sträubten Sie sich nicht
    an der Erschießung teilzunehmen

ANGEKLAGTER 12  Es war ja Befehl
    Ich hatte hier als Soldat zu handeln

ANKLÄGER  Hatten Sie noch mit anderen Erschießungen
    zu tun

ANGEKLAGTER 12  Nein
    Ich kam dann auf Urlaub
    um mein Schulstudium zu beenden

ANKLÄGER  Wann traten Sie den Urlaub an

ANGEKLAGTER 12  Im Dezember 1941

ANKLÄGER  Wann brachten Sie Ihr Schulstudium
    zum Abschluß

ANGEKLAGTER 12  Im Frühjahr 1942
    ⌈erlegte ich die Reifeprüfung⌉

ANKLÄGER  Kehrten Sie anschließend
    ins Lager zurück

ANGEKLAGTER 12  Ja
    auf kürzere Zeit

VERTEIDIGER  Wir möchten zu bedenken geben
    daß unser Mandant
    20 Jahre alt war
    als er zur Lagerarbeit
    abkommandiert wurde
    Wie Zeugen bestätigten
    hatte er rege geistige Interessen
    wie er auch seinem ganzen Charakter nach
    für die ihm gestellten Aufgaben
    nicht paßte

Wir möchten darauf aufmerksam machen
daß unser Mandant
ein Jahr nach Abschluß der Schulstudien
einen weiteren Urlaub erhielt
um Rechtswissenschaft zu studieren
wonach er im letzten Kriegsjahr
beim Fronteinsatz verwundet wurde
Gleich nach dem Krieg
als er sich in normalisierten Verhältnissen
einleben durfte
entwickelte er sich vorbildlich
Er studierte zunächst Landwirtschaft
legte das Assessorexamen* ab
war Sachbearbeiter für Wirtschaftsberatung
und bis zu seiner Verhaftung
als Lehrer
an einer Landwirtschaftsschule tätig

ANKLÄGER Angeklagter Stark
Wirkten Sie mit bei den ersten Vergasungen
die Anfang September 1941
probeweise an sowjetischen Kriegsgefangenen
vorgenommen wurden
ANGEKLAGTER 12 Nein
ANKLÄGER Angeklagter Stark
Im Herbst und Winter 1941
begannen die Massenvernichtungen
von sowjetischen Kriegsgefangenen
Diesen Vernichtungen fielen 25 000 Menschen
zum Opfer
Sie hatten mit der Erfassung
dieser Gefangenen zu tun
Sie haben von ihrer Tötung gewußt
Sie haben die Tötung gebilligt
und die notwendige Teilarbeit geleistet
VERTEIDIGER Wir protestieren auf das Dringlichste

(lat.) Prüfung
als Anwärter
auf die höhere
Beamtenlauf-
bahn

6. Gesang

gegen diese Angriffe auf unseren Mandanten
Pauschale Beschuldigungen
sind ohne jegliche Bedeutung
Zur Behandlung stehen nur
klar bewiesene Fälle von Täterschaft
und Mittäterschaft
im Zusammenhang mit Mordvorwürfen
Jeder auch nur leiseste Zweifel
muß zugunsten des Angeklagten ausschlagen
*Die Angeklagten lachen zustimmend*

## III

RICHTER  Angeklagter Stark
Haben Sie nie bei Vergasungen mitgewirkt
ANGEKLAGTER 12  Einmal mußte ich da mittun
RICHTER  Um wieviel Menschen handelte es sich
ANGEKLAGTER 12  Es können 150 gewesen sein
Immerhin 4 Lastwagen voll
RICHTER  Was für Häftlinge waren es
ANGEKLAGTER 12  Es war ein gemischter Transport
RICHTER  Was hatten Sie zu tun
ANGEKLAGTER 12  Ich stand draußen vor der Treppe
nachdem ich die Leute
ins Krematorium geführt hatte
Die Sanitäter
die für die Vergasung zuständig waren
hatten die Türen zugeschlossen
und trafen ihre Vorbereitungen
RICHTER  Woraus bestanden die Vorbereitungen
ANGEKLAGTER 12  Sie stellten die Büchsen bereit
und setzten sich Gasmasken auf

dann gingen sie die Böschung hinauf
zum flachen Dach
Im allgemeinen waren 4 Leute erforderlich
Diesmal fehlte einer
und sie riefen
daß sie noch jemanden brauchten
Weil ich der einzige war der hier rumstand
sagte Grabner
Los
hier helfen
Ich bin aber nicht gleich gegangen
Da kam der Schutzhaftlagerführer und sagte
Etwas plötzlich
Wenn Sie nicht raufgehn
werden Sie mit rein geschickt
Da mußte ich hinauf
und beim Einfüllen helfen

RICHTER  Wo wurde das Gas eingeworfen

ANGEKLAGTER 12  Durch Luken in der Decke

RICHTER  Was haben denn die Menschen da unten gemacht
in diesem Raum

ANGEKLAGTER 12  Das weiß ich nicht

RICHTER  Haben Sie nichts gehört von dem
was sich da unten abspielte

ANGEKLAGTER 12  Die haben geschrien

RICHTER  Wie lange

ANGEKLAGTER 12  So 10 bis 15 Minuten

RICHTER  Wer hat den Raum geöffnet

ANGEKLAGTER 12  Ein Sanitäter

RICHTER  Was haben Sie da gesehn

ANGEKLAGTER 12  Ich habe nicht genau hingesehn

RICHTER  Hielten Sie das was sich Ihnen zeigte
für unrecht

ANGEKLAGTER 12  Nein durchaus nicht
Nur die Art

RICHTER  Was für eine Art
ANGEKLAGTER 12  Wenn jemand erschossen wurde
   das war etwas anderes
   Aber die Anwendung von Gas
5   das war unmännlich und feige
RICHTER  Angeklagter Stark
   Während Ihrer Studien zur Reifeprüfung
   kam Ihnen da niemals ein Zweifel
   an Ihren Handlungen
10 ANGEKLAGTER 12  Herr Vorsitzender
   ich möchte das einmal erklären
   Jedes dritte Wort in unserer Schulzeit
   handelte doch von denen
   die an allem schuld waren
15   und die ausgemerzt* werden mußten
   Es wurde uns eingehämmert
   daß dies nur zum besten
   des eigenen Volkes sei
   In den Führerschulen lernten wir vor allem
20   alles stillschweigend entgegenzunehmen
   Wenn einer noch etwas fragte
   dann wurde gesagt
   Was getan wird geschieht nach dem Gesetz
   Da hilft es nichts
25   daß heute die Gesetze anders sind
   Man sagte uns
   Ihr habt zu lernen
   ihr habt die Schulung* nötiger als Brot
   Herr Vorsitzender
30   Uns wurde das Denken abgenommen
   Das taten ja andere für uns
   *Zustimmendes Lachen der Angeklagten*

NS-Jargon für:
vernichten

Vgl. 88,31.

# 7 Gesang von der Schwarzen Wand

## I

ZEUGE 3  Die Erschießungen wurden
vor der Schwarzen Wand ausgeführt
im Hof des Block Elf
RICHTER  Wo lag Block Elf
ZEUGE 3  Am äußeren rechten Ende
des alten Lagers
RICHTER  Herr Zeuge
können Sie uns den Hof beschreiben                          1
ZEUGE 3  Der Hof lag zwischen Block Zehn und Block Elf
und nahm die volle Blockfläche
von 40 Metern ein
Vorn und hinten war der Hof
von einer Ziegelsteinmauer abgeschlossen                    1.
RICHTER  Von wo aus war der Hof zu erreichen
ZEUGE 3  Durch eine Seitentür in Block Elf
und durch ein Tor in der vorderen Mauer
RICHTER  Bestand Einsicht in den Hof
ZEUGE 3  Nur durch die vorderen Fenster                     2
im Erdgeschoß von Block Elf
Wenn das Hoftor zum Abtransport der Erschossenen
geöffnet wurde
war Lagersperre
Die übrigen Fenster von Block Elf                           2
waren bis auf einen schmalen Spalt oben
zugemauert
Die Fenster des Frauenblocks nebenan
waren mit Brettern verschalt
RICHTER  Wie hoch war die Mauer                             3
ZEUGE 3  Etwa 4 Meter hoch

RICHTER  Wo lag die Schwarze Wand

ZEUGE 3  Dem Tor gegenüber
an der rückwärtigen Mauer

RICHTER  Wie sah die Schwarze Wand aus

ZEUGE 3  Sie war aus dicken Holzbohlen errichtet
und hatte seitlich je einen
schräg vorstoßenden Kugelfang
Das Holz war mit geteertem
Sackleinen bespannt

RICHTER  Wie groß war die Schwarze Wand

ZEUGE 3  Etwa 3 Meter hoch
und 4 Meter breit

RICHTER  Von wo wurden die Verurteilten
zur Schwarzen Wand geführt

ZEUGE 3  Sie kamen aus der Seitentür des Block Elf

RICHTER  Beschreiben Sie diesen Vorgang

ZEUGE 3  Der Bunkerjakob erschien
mit jeweils zwei entkleideten Häftlingen

RICHTER  Wer war dieser Bunkerjakob

ZEUGE 3  Der Bunkerjakob war der diensthabende
Funktionshäftling in Block Elf
Es war ein großer kräftiger Mann
ein ehemaliger Boxer

RICHTER  Wie wurden die Häftlinge hinausgeführt

ZEUGE 3  Jakob befand sich zwischen ihnen
und hielt sie an den Oberarmen fest

RICHTER  Waren die Hände der Häftlinge gefesselt

ZEUGE 3  Bis zum Jahr 1942 waren sie
mit Draht auf dem Rücken zusammengebunden
Später ging man davon ab
da die Erfahrung zeigte
daß sich fast alle Häftlinge
ruhig verhielten

RICHTER  Wie weit war es von der Seitentür
bis zur Schwarzen Wand

ZEUGE 3  Zunächst die 6 Stufen von der Tür hinab
dann 20 Schritte zur Schwarzen Wand
Alles ging im Laufschritt vor sich
Wenn Jakob die Häftlinge
zur Wand gebracht hatte
lief er zurück
um die nächsten zu holen

RICHTER  Wie wurden die Erschießungen ausgeführt

ZEUGE 3  Die Häftlinge wurden
mit dem Gesicht zur Wand gestellt
1 bis 2 Meter voneinander entfernt
Dann trat der Erschießende an den ersten heran
hob den Karabiner an dessen Genick
und schoß aus einer Entfernung
von etwa 10 Zentimetern
Der Danebenstehende sah es
Sobald der erste gefallen war
kam er an die Reihe

RICHTER  Was für eine Waffe
wurde bei den Erschießungen benutzt

ZEUGE 3  Ein Kleinkalibergewehr mit Schalldämpfer

RICHTER  Wen haben Sie bei den Erschießungen
an der Schwarzen Wand gesehen

ZEUGE 3  Den Lagerkommandanten
den Adjutanten
den Chef der Politischen Abteilung Grabner
sowie seine Mitarbeiter
Unter anderen sah ich
Broad Stark Boger und Schlage
Auch Kaduk war oft dort

VERTEIDIGER  Sind Sie sicher
daß der Adjutant dort war

ZEUGE 3  Er war eine bekannte Persönlichkeit
So wie man den Kommandanten kannte
kannte man auch den Adjutanten

VERTEIDIGER  Was hatten Sie im Hof
    bei den Erschießungen zu tun
ZEUGE 3  Als Medizinstudent
    war ich dem Leichenträgerkommando
    zugeordnet worden
RICHTER  Wer von den Angeklagten
    war bei den Erschießungen tätig
ZEUGE 3  Eigenhändig erschießen sah ich
    Boger Broad Stark Schlage und Kaduk
RICHTER  Angeklagter Boger
    haben Sie an Erschießungen
    vor der Schwarzen Wand teilgenommen
ANGEKLAGTER 2  Ich habe im Lager keinen Schuß
                                        abgegeben
RICHTER  Angeklagter Broad
    haben Sie an Erschießungen
    vor der Schwarzen Wand teilgenommen
ANGEKLAGTER 16  Solche Aufgaben hatte ich nie
                                        durchzuführen
RICHTER  Angeklagter Schlage
    haben Sie als Aufseher im Block Elf
    auch an Erschießungen
    vor der Schwarzen Wand teilgenommen
ANGEKLAGTER 14  Dazu war ich nicht befugt
RICHTER  Angeklagter Kaduk
    haben Sie an Erschießungen
    vor der Schwarzen Wand teilgenommen
ANGEKLAGTER 7  In den Block Elf
    da kam ich überhaupt nie hin
    Was hier über meine Person gesagt wird
    das ist glatte Lüge
RICHTER  Herr Zeuge
    wurden vor den Erschießungen
    Todesurteile verlesen
ZEUGE 3  Bei den meisten Erschießungen nicht

Wenn ein Todesurteil vorlag
erschien ein besonderes Exekutionskommando
doch an ein solches kann ich mich nur
in wenigen Fällen erinnern
Im allgemeinen wurden die Häftlinge
einfach aus den Zellen des Block Elf
heraufgeholt

RICHTER  In welchem Zustand befanden sich die Häftlinge

ZEUGE 3  Die meisten waren körperlich schwer geschädigt
nach den Vernehmungen
und dem Aufenthalt im Bunker
Es gab solche
die auf der Bahre zur Wand getragen wurden

RICHTER  Wir rufen als Zeugen auf
den damaligen weisunggebenden Vorgesetzten
der hier befindlichen Angeklagten
Herr Zeuge
Sie waren Chef der zuständigen Zentrale
der Sicherheitspolizei
und Vorsitzender des Standgerichts
Was hatten Sie als solcher
mit den Hinrichtungen zu tun
die von der Politischen Abteilung
im Lager durchgeführt wurden

ZEUGE 1  Meine Dienststelle hatte mit den Handhabungen
der Politischen Abteilung im Lager
nicht das geringste zu tun
Mir standen ausschließlich Fälle
von ⌐Partisanen⌐ zur Verhandlung
Diese wurden ins Lager überführt
und dort in einem Sitzungsraum abgeurteilt

RICHTER  Wo befand sich dieser Sitzungsraum

ZEUGE 1  In irgendeiner Baracke

RICHTER  Lag der Sitzungsraum nicht im Block Elf

ZEUGE 1  Da bin ich überfordert

ZEUGE 6  Ich war Schreiber im Block Elf
        Bei dieser Tätigkeit erhielt ich Einblick
        in die Arbeit des Standgerichts
        Der Sitzungsraum befand sich vorne links
5       am Korridor des Block Elf
RICHTER  Wie sah dieser Raum aus
ZEUGE 6  Da waren 4 Fenster zum Hof
        und da stand ein langer Tisch
RICHTER  Herr Zeuge
10      Erinnern Sie sich an diesen Raum
ZEUGE 1  Nein
RICHTER  Sind Sie nie im inneren Gebiet
        des alten Lagers gewesen
ZEUGE 1  Da bin ich überfordert
15 RICHTER  Sind Sie nie durch das Lagertor gegangen
ZEUGE 1  Es ist möglich
        Ich erinnere mich daß da
        eine ⌈Musikkapelle⌉ spielte
RICHTER  Waren Sie nie im Hof von Block Elf
20 ZEUGE 1  Vielleicht einmal
        Da soll eine Mauer gewesen sein
        Ich habe sie aber nicht mehr in Erinnerung
RICHTER  Eine schwarzgestrichene Mauer
        muß doch auffallen
25 ZEUGE 1  Ich habe keine Erinnerung
RICHTER  Herr Zeuge
        Sie waren also der Vorsitzende
        War denn auch ein Verteidiger dabei
ZEUGE 1  Wenn einer gewünscht wurde
30 RICHTER  Wurde mal einer gewünscht
ZEUGE 1  Es kam selten vor
RICHTER  Und wenn es vorkam
ZEUGE 1  Dann wurde einer bestellt
RICHTER  Wer war der Verteidiger
35 ZEUGE 1  Ein Beamter der Dienststelle

RICHTER Fanden verschärfte Vernehmungen statt
ZEUGE 1 Dazu bestand keine Veranlassung
Ich habe jedenfalls nichts
von verschärften Vernehmungen gehört
Die Tatbestände waren so klar 5
daß es keiner verschärften Vernehmung bedurfte
RICHTER Was waren die Tatbestände
ZEUGE 1 Es waren ausschließlich staatsfeindliche
                                    Handlungen
RICHTER Gestanden die Verhafteten 10
ZEUGE 1 Da gab es nichts zu leugnen
RICHTER Wie kam es zu den Geständnissen
ZEUGE 1 Durch Vernehmungen
RICHTER Wer führte die Vernehmungen aus
ZEUGE 1 Die Politische Abteilung 15
RICHTER Hatten Sie als Richter keine Bedenken
auf welche Art die Geständnisse
herbeigeführt wurden
ZEUGE 1 Ich kann nichts dafür
wenn der eine oder andere meiner Leute 20
seine Befugnisse überschritten hat
Ich habe meinen Mitarbeitern ständig eingeschärft
daß sie bei allen Verhandlungen
korrekt aufzutreten hatten
RICHTER Wurden bei den Vernehmungen Zeugen gehört 25
ZEUGE 1 In der Regel nicht
Wir fragten ob alles stimme
und sie sagten alle Ja
RICHTER Sie hatten also nur Todesurteile auszusprechen
ZEUGE 1 Ja 30
Freisprüche gab es praktisch nicht
Verfahren wurden nur eröffnet
wenn alles klar war
RICHTER Haben Sie niemals Anzeichen
bei den Beschuldigten erkannt 35

die auf unzulässige Behandlung
hätten schließen lassen
ZEUGE 1 Nein
RICHTER Sind auch Frauen und Kinder
vor der Schwarzen Wand
erschossen worden
ZEUGE 1 Davon ist mir nichts bekannt
ZEUGE 6 Zwischen den Häftlingen
die zur Aburteilung durch das Standgericht
in den Block eingeliefert wurden
befanden sich zahlreiche Frauen und Minderjährige
Die Anklage lautete auf Schmuggel
oder Kontakt mit Partisanengruppen
Im Gegensatz zu den Lagerhäftlingen
die im Keller eingeschlossen waren
hielten sich die Polizeigefangenen
im Erdgeschoß des Block auf
Sie wurden einzeln in das Sitzungszimmer geführt
Der Richter verlas das Urteil
er nannte nur den Namen und sagte dann
Sie sind zum Tode verurteilt
Die meisten Verurteilten
verstanden die Sprache nicht
und wußten gar nicht
warum man sie verhaftet hatte
Vom Gerichtszimmer wurden sie sofort
zum Auskleiden in den Waschraum geführt
und von dort in den Hof gebracht
ANKLÄGER Herr Zeuge
Wieviel Urteile hatten Sie
als Vorsitzender des Standgerichts
zu verlesen
ZEUGE 1 Daran kann ich mich nicht erinnern
ANKLÄGER Wie oft wurden Sie
zur Urteilssprechung einberufen

ZEUGE 1  Das weiß ich nicht mehr

ANKLÄGER  Wie lange dauerte eine Sitzung
des Standgerichts

ZEUGE 1  Das kann ich nicht sagen

ANKLÄGER  Herr Zeuge
Sie sind heute Leiter
eines großen kaufmännischen Betriebes
Als solcher müssen Sie gewohnt sein
mit Ziffern und Zeitrechnungen umzugehn
Wieviele Menschen                                        1
wurden von Ihnen verurteilt

ZEUGE 1  Das weiß ich nicht

ZEUGE 6  Bei einer Sitzung des Standgerichts
wurden im Durchschnitt
100 bis 150 Todesurteile verlesen                        1
Die Sitzung dauerte $1^1/_2$ bis 2 Stunden
und fand alle 2 Wochen statt

ANKLÄGER  Herr Zeuge
wieviele Menschen wurden Ihrer Schätzung nach
insgesamt                                                2
vor der Schwarzen Wand erschossen

ZEUGE 6  Aus den Totenbüchern und unsern
                              Aufzeichnungen
geht hervor
daß zusammen mit den gewöhnlichen Bunkerleerungen    2
annähernd 20 000 Menschen
vor der Schwarzen Wand erschossen wurden


II


ZEUGE 7  Im Herbst 1943
sah ich ganz früh morgens im Hof von Block Elf         3


7. Gesang

ein kleines Mädchen
Es hatte ein rotes Kleid an
und trug einen Zopf
Es stand alleine und hielt die Hände
5    an der Seite
wie ein Soldat
Einmal bückte es sich
und wischte den Staub von den Schuhen
dann stand es wieder still
10   Da sah ich Boger in den Hof kommen
Er hielt das Gewehr
hinter seinem Rücken versteckt
Er nahm das Kind an der Hand
es ging ganz brav mit
15   und ließ sich mit dem Gesicht
gegen die Schwarze Wand stellen
Das Kind sah sich noch einmal um
Boger drehte ihm den Kopf wieder gegen die Wand
hob das Gewehr
20   und erschoß das Kind
VERTEIDIGER Wie kann der Zeuge das gesehen haben
ZEUGE 7 Ich war dabei den Waschraum zu säubern
der sich gleich neben dem Hofausgang befand
RICHTER Wie alt war das Kind
25   ZEUGE 7 6 bis 7 Jahre
Die Leichenträger sagten später
daß die Eltern des Kindes
ein paar Tage vorher
auch dort erschossen worden seien
30   ANGEKLAGTER 2 Herr Vorsitzender
Ich habe kein Kind erschossen
ich habe überhaupt niemanden erschossen
ZEUGE 3 Ich habe Boger oft vor der Schwarzen Wand
                                              gesehn
35   Ich höre noch wie er einem Häftling zuschreit

Kopf hoch
und ihm dann ins Genick schießt

RICHTER  Können Sie sich nicht getäuscht haben
und Boger mit einem andern verwechseln

ZEUGE 3  Wir alle kannten Boger
und seinen watschelnden Gang
Wir sahen ihn oft mit umgehängtem Gewehr
auf seinem Rad zum Block Elf fahren
Manchmal zog er einen Häftling
wie Hündchen an einer Schnur                                    1⁰
hinter sich her

RICHTER  Angeklagter Boger
wollen Sie Ihre Erklärung
nie im Lager geschossen zu haben
nicht noch einmal überdenken                                    1

ANGEKLAGTER 2  ⌈Ich bleibe bei meiner Aussage

Vgl. »Tausend-
jähriges
Reich«,
Bezeichnung
für die NS-
Herrschaft
heute und in tausend Jahren*
Ich hätte nicht einmal Angst davor gehabt
einen Schuß abzugeben
denn das wäre nur Erfüllung                                     2
eines dienstlichen Befehls gewesen

ZEUGE 3  Jeden Mittwoch und Freitag waren
                        Erschießungen
Ich habe gesehn wie Boger
am 14. Mai 1943                                                 2⁵
17 Häftlinge tötete
Ich merkte mir das Datum
denn mein Freund Berger war dabei
Er war vorher noch auf der Schaukel
zuschanden geschlagen worden                                    3
Berger schrie
Ihr Mörder ihr Verbrecher
da hat Boger ihn weggeschossen
Ein anderer lag vor ihm auf den Knien
dem schoß er ins Gesicht                                        3⁵

Immer wenn es hieß
Der Boger ist im Haus
dann wußten wir was bevorstand
Boger wurde bei uns
Der Schwarze Tod genannt
ANGEKLAGTER 2 Ich habe noch viele andere Spitznamen
gehabt
Wir alle haben Spitznamen gehabt
Das beweist noch nichts
RICHTER Angeklagter Boger
Es ist in diesem Prozeß wiederholt
von Zeugen ausgesagt worden
daß Sie im Lager
Menschen getötet haben
Sind Sie der Meinung
daß alle diese Aussagen erfunden sind
ANGEKLAGTER 2 Ich war des öfteren
bei Erschießungen zugegen
Es ist anzunehmen
daß die Zeugen mich mit anderen verwechseln
Der Boger wurde geschnappt
das ist ja klar
daß sich der ganze Haß
auf mich auslädt
RICHTER Haben Sie in keinem
einzigen Fall geschossen
ANGEKLAGTER 2 Ich habe
einmal
RICHTER Sie haben einmal
geschossen
ANGEKLAGTER 2 Das war ein Einzelfall
wo ich behelfsmäßig
an einer Erschießung teilnahm
RICHTER Wie ging das vor sich
ANGEKLAGTER 2 Bei einer Bunkerentleerung

befahl Grabner einmal
Es schießt weiter
der Oberscharführer* Boger
RICHTER  Wie oft schossen Sie
ANGEKLAGTER 2  Zweimal
in einem einzigen Fall⌐
Später habe ich mich geweigert
an solchen Dingen teilzunehmen
Ich habe gesagt
Entweder bin ich hier
oder ich arbeite im Erkennungsdienst
Beides zusammen
kann ich nicht verkraften
RICHTER  Was waren das für Menschen
die Sie damals zu erschießen hatten
ANGEKLAGTER 2  Sie gehörten zu einem Transport
der erkennungsdienstlich
nicht verarbeitet worden war
RICHTER  Das heißt
es wurde garnicht daran gedacht
daß diese Leute überleben könnten
ANGEKLAGTER 2  Das glaube ich auch
RICHTER  Angeklagter Boger
Warum haben Sie bisher immer gesagt
daß kein Mensch im Lager
durch Sie zu Tode gekommen sei
ANGEKLAGTER 2  Herr Präsident
Wenn eine solche Fülle auf mich zukommt
dann ist es unmöglich
sich von Anfang an festzulegen
RICHTER  Und Sie bleiben dabei
nur in zwei Fällen geschossen zu haben
und dabei
daß nie jemand nach verschärften Vernehmungen
gestorben ist

144                                      7. Gesang

ANGEKLAGTER 2 Ja
   Das ist beim heiligen Eide wahr
RICHTER Herr Zeuge
   Wann hatten Sie sich
5   als Mitglied des Leichenträger-Kommandos
   im Hof des Block Elf einzufinden
ZEUGE 3 Wir wurden etwa eine Stunde vor der Exekution
   angefordert
RICHTER Wo waren Sie stationiert
10 ZEUGE 3 Im Ambulanzblock
RICHTER Wo lag der Ambulanzblock
ZEUGE 3 Gegenüber dem Bunkerblock
   auf der vorderen rechten Seite des Lagers
RICHTER Wie wurden Sie gerufen
15 ZEUGE 3 Ein Schreiber von Block Elf kam angelaufen
   Er rief
   Leichenträger
   Eine Tragbahre
   zwei Tragbahren
20   Wenn er eine Bahre rief wußten wir
   es wird eine kleine Hinrichtung
   Wenn mehrere Bahren angefordert wurden
   gab es eine große Hinrichtung
RICHTER Wo stand der Schreiber
25 ZEUGE 3 Er blieb im Gang stehn
   und wir vom Leichenkommando liefen zu ihm
   Nachdem der Schreiber gesagt hatte
   wieviel Träger benötigt wurden
   bestimmte der Kapo
30   welche Träger gehen sollten
RICHTER Wohin mußten Sie sich dann begeben
ZEUGE 3 Nachdem die Sirene Lagersperre
   angekündigt hatte
   betraten wir durch das Tor
35   den Hof des Block Elf

Wir hatten uns gleich neben dem Tor aufzustellen
und uns mit den Bahren bereitzuhalten

RICHTER  Was waren das für Bahren

ZEUGE 3  Zelttuch mit Holzstangen
und Metallfüßen daran

RICHTER  War ein Arzt zugegen

ZEUGE 3  Nur bei großen Exekutionen
war ein Arzt dabei
Sonst waren dort nur die Herren
der Politischen Abteilung

RICHTER  Wo warteten die Häftlinge
die zur Exekution bestimmt waren

ZEUGE 3  Sie warteten im Waschraum
und im Gang davor

RICHTER  Was für Vorbereitungen wurden getroffen

ZEUGE 3  Wenn die Häftlinge aus dem Keller kamen
mußten sie ihre Kleider im Waschraum
oder im Flur ablegen
Sie bekamen ihre Nummern
Farbstift  mit einem angefeuchteten Anilinstift*
auf die Brust geschrieben
Der Häftlingsschreiber überprüfte die Nummern
und strich dann die Nummern derjenigen
die auf den Hof geführt wurden
auf der Liste ab

RICHTER  Wie lautete der Befehl
der die Verurteilten hinausrief

ZEUGE 3  Der Befehl hieß
Ab
Da lief der Bunkerjakob mit den ersten hinaus
Sobald sie an der Wand standen
wurde auch uns der Befehl zugerufen
Ab
und wir liefen mit unserer Bahre los

RICHTER  Wer gab Ihnen den Befehl

ZEUGE 3  Entweder der Arzt
oder einer der Offiziere
RICHTER  Waren die Häftlinge schon erschossen
als Sie ankamen
5 ZEUGE 3  Meistens war der erste gefallen
und der zweite fiel gleich danach
Manchmal dauerte es länger
dann stellten wir uns hinter den Männern
die exekutierten
10 auf
RICHTER  Warum dauerte es manchmal länger
ZEUGE 3  Es kam
daß es Ladehemmungen gab
da warteten wir während der Mann
15 an seinem Gewehr bastelte
RICHTER  Wie benahmen sich die Häftlinge
die getötet werden sollten
ZEUGE 3  Einige beteten
andere hörte ich nationale
20 oder religiöse Lieder singen
Nur einmal
als eine Frau zu schreien begann
wurde befohlen
Knallt erst mal die Verrückte ab
25 RICHTER  Wie schafften Sie die Gefallenen fort
ZEUGE 3  Sowie sie in den Sand gefallen waren
der vor der Wand gestreut war
packten wir sie an den Händen und Beinen
und legten den ersten rücklings auf die Bahre
30 und den anderen umgekehrt darüber
so daß er mit dem Gesicht
zwischen den Beinen des unteren lag
Dann rannten wir nach vorn zur Abflußrinne
und kippten die Toten aus
35 RICHTER  Wo befand sich diese Rinne

Begrenzungs-
steinZEUGE 3  Am Saumstein\* der linken Hofseite
RICHTER  Was geschah dann
ZEUGE 3  Während wir mit der Bahre
zur Abladestelle rannten
lief Jakob schon mit den beiden nächsten                    5
zur Wand
und die beiden andern Träger liefen
mit ihrer Bahre hinterher
Wir legten die Toten in mehreren Schichten
übereinander und zwar so                                    10
daß die Köpfe über der Rinne lagen
zum Abfluß des Bluts
RICHTER  Waren die Häftlinge die erschossen wurden
gleich tot
ZEUGE 3  Es kam vor, daß der Schuß                          15
nur ins Ohr oder ins Kinn ging
und sie lebten noch
wenn sie weggetragen wurden
Dann mußten wir die Bahre absetzen
und der Verwundete bekam noch einen                         20
Schuß in den Kopf
Der Arrestaufseher Schlage
sah sich die Abgeladenen immer
noch einmal an
und wenn einer sich noch regte                              25
ließ er ihn aus dem Haufen ziehn

Jägersprache;
Töten eines
angeschos-
senen Wildsund gab ihm den Fangschuß\*
Einmal sagte Schlage zu einem der noch lebte
Steh auf
Ich sah                                                     30
wie der Angeschossene aufstehen wollte
Da sagte Schlage
Bleib liegen
und er schoß ihm ins Herz
und in beide Schläfen                                        35

Aber der Mann lebte immer noch
Ich weiß nicht wieviele er noch bekam
zuerst einen Schuß in den Hals
da kam schwarzes Blut heraus
5   Schlage sagte
Der hat ein Leben wie eine Katze
RICHTER  Angeklagter Schlage
Was haben Sie dazu zu sagen
ANGEKLAGTER 14  Das ist mir ein Rätsel
10  Dazu kann ich überhaupt nichts sagen


III


ZEUGE 7  Schlage sah ich einmal im Waschraum
mit einer eingelieferten Familie
Der Mann mußte vor ihm in die Hocke gehn
15  und Schlage schoß ihn in den Kopf
Dann kam das Kind an die Reihe
und dann die Frau
Auf das Kind mußte er mehrmals schießen
Es schrie und war nicht sofort tot
20  VERTEIDIGER  Warum schoß er denn im Waschraum
wenn die Hinrichtungswand
sich gleich nebenan befand
ZEUGE 7  Kleinere Erschießungen
wurden der Einfachheit halber
25  oft im Waschraum durchgeführt
Dann wurde die Duschleitung angestellt
und das Blut vom Boden geschwemmt
VERTEIDIGER  Herr Zeuge
wie sah der Waschraum aus
30  ZEUGE 7  Es war ein kleiner Raum mit einem Fenster

vor dem eine Decke hing
Die untere Hälfte des Raums war geteert
die obere weiß gestrichen
An den Ecken waren dicke schwarze Rohre
Mitten durch den Raum 5
in etwa 2 Meter Höhe

durchlöcherte · lief eine perforierte* Duschleitung

RICHTER Angeklagter Schlage
bleiben Sie immer noch dabei
daß Sie keinen Menschen erschossen haben 10

ANGEKLAGTER 14 Ich bestreite auf das Bestimmteste
was mir hier vorgeworfen wird
Ich habe in keinem Falle
an Tötungen teilgenommen

ZEUGE 7 In den Waschraum wurden auch die Toten 15
gebracht
aus denen Fleisch geschnitten wurde

RICHTER Was meinen Sie damit

ZEUGE 7 Im Sommer 1944 sah ich die ersten
dieser verstümmelten Toten 20
Da wurde ein Mann abgeladen
der mir schon aufgefallen war
als er sich zur Exekution auskleidete
Es war ein Riese
Ich sah ihn dann im Waschraum liegen 25
Da waren Männer in weißen Mänteln
und mit Chirurgenbestecken
Es war ihm Fleisch aus dem Bauch
geschnitten worden
Zuerst glaubten wir 30
er habe etwas verschluckt
und sie holten es wieder heraus
aber danach geschah es öfter
daß den Leichen Fleisch entnommen wurde
Später geschah es vorwiegend 35
an stärkeren Frauen

ZEUGE 3  Einmal hatten wir 70 Frauenleichen
abzuholen
Die Brüste waren ihnen entfernt worden
und am Unterleib und an den Schenkeln
5  hatten sie tiefe Schnitte
Sanitäter verluden Gefäße mit Menschenfleisch
auf ein Motorrad mit Beiwagen
Wir hatten die Leichen auf der Fuhre
mit Brettern zu verdecken
10  ZEUGE 4  Im Versuchsblock Zehn
sah ich durch eine Ritze der Fensterverschalung
die Leichen unten im Hof
Wir hatten ein Summen gehört
Das waren die Fliegenschwärme
15  Der Boden des Hofs war voll Blut
Und dann sah ich
wie die Henker rauchend und lachend
über den Hof gingen
*zeigt auf die Angeklagten*
20  VERTEIDIGER  Diese Beleidigungen unserer Mandanten
können wir nicht durchgehen lassen
Wir wünschen
sie protokolliert zu haben
*Die Angeklagten äußern ihre Empörung*

# 8 Gesang vom Phenol*

## I

ZEUGE 8  Den Sanitätsdienstgrad Klehr
beschuldige ich der tausendfachen
eigenmächtigen Tötung
durch Phenolinjektionen ins Herz

ANGEKLAGTER 9  Das ist Verleumdung
Nur in einigen Fällen
hatte ich Abspritzungen zu überwachen
und dies auch nur
mit größtem Widerwillen

ZEUGE 8  Jeden Tag wurden auf der Krankenstation
mindestens 30 Häftlinge getötet
Manchmal waren es bis zu 200

RICHTER  Wo wurden die Injektionen gegeben

ZEUGE 8  Im Infektionsblock nebenan
das war Block Zwanzig

RICHTER  Wo lag Block Zwanzig

ZEUGE 8  Rechts in der mittleren Blockreihe
neben dem abschließenden Block Einundzwanzig
dem Häftlingskrankenbau
Als Häftlingspfleger hatte ich
die ausgesonderten Kranken
über den Hof
in den Injektionsblock zu leiten

RICHTER  War der Hof abgeschlossen

ZEUGE 8  Nur durch zwei niedrige Eisengitter

RICHTER  Auf welche Weise
wurden die Häftlinge hinübergeführt

ZEUGE 8  Soweit sie des Gehens fähig waren
gingen sie im Hemd oder halbnackt

über den Hof
Die Decke und ihre Holzsandalen
hielten sie über dem Kopf
Viele Kranke mußten gestützt oder getragen werden
5 Sie traten durch die seitliche Tür
in Block Zwanzig ein
RICHTER  In welchem Raum
wurden die Injektionen gegeben
ZEUGE 8  Im Zimmer Eins
10 Das war das Arztzimmer
Es lag am Ende des Mittelgangs
RICHTER  Wo warteten die Häftlinge
ZEUGE 8  Sie hatten sich im Korridor aufzustellen
Die Schwerkranken lagen auf dem Boden
15 Zu zweit rückten sie ins Arztzimmer vor
Der Arzt ⌈Dr. Entress⌉ übergab Klehr
ein Drittel der Patienten
Dies war Klehr nicht genug
Wenn der Arzt gegangen war
20 nahm Klehr noch nachträgliche Aussonderungen vor
RICHTER  Haben Sie das selbst gesehen
ZEUGE 8  Ja das habe ich selbst gesehen
Klehr liebte die abgerundeten Zahlen
Wenn ihm eine Schlußzahl nicht gefiel
25 suchte er sich die fehlenden Opfer
in den Krankenräumen zusammen
Er sah sich die Fieberkurven an
die auf seine Anweisung genau
geführt werden mußten
30 und nahm danach seine Auswahl vor
RICHTER  Welches waren die runden Zahlen
die Klehr liebte
ZEUGE 8  Von 23 etwa auf 30
von 36 auf 40
35 und so weiter

Er befahl den ausgesuchten Kranken
ihm zu folgen
RICHTER Wie lautete dieser Befehl
ZEUGE 8 Du kommst mit
du kommst mit                                                    5
du kommst mit
und du
ANGEKLAGTER 9 Herr Vorsitzender
Diese Behauptung ist unwahr
Zum Selektieren war ich nicht ermächtigt          10
RICHTER Was hatten Sie denn zu tun
ANGEKLAGTER 9 Ich hatte nur dafür zu sorgen
daß die richtigen Häftlinge rüberkamen
RICHTER Und was taten Sie
beim Ausgeben der Injektionen                        15
ANGEKLAGTER 9 Das möchte ich auch mal wissen
Ich stand da nur rum
Die Behandlungen wurden
von Funktionshäftlingen ausgeführt
Ich hielt mich da fern                                        20
Ich ließ mich von den verseuchten Kranken
doch nicht anhauchen
RICHTER Was hatten Sie für Aufgaben
als Sanitätsdienstgrad im Krankenblock
ANGEKLAGTER 9 Ich war verantwortlich              25
a für die Ordnung und Sauberkeit
b für die Registrierung
c für die Verpflegung der Patienten
RICHTER Wie war die Verpflegung
ANGEKLAGTER 9 In der Diätküche wurde Milchsuppe    30
für die Frischoperierten gekocht
RICHTER Wieviele Häftlinge lagen im Krankenbau
ANGEKLAGTER 9 Laufend waren dort etwa
500 bis 600 Kranke
RICHTER Wie waren die Kranken untergebracht          35

ANGEKLAGTER 9  Sie lagen auf dreistöckigen Pritschen
RICHTER  Wie wurden sie registriert
ANGEKLAGTER 9  Jede Krankmeldung wurde
    karteimäßig erfaßt
5   Ferner wurden die Aussonderungen
    zwischen den Arztvorstellern verbucht
RICHTER  Was waren Arztvorsteller
ANGEKLAGTER 9  Häftlinge
    deren Gesundheitszustand kritisch war
10  RICHTER  Wie wurden die Aussonderungen vorgenommen
ANGEKLAGTER 9  Der Lagerarzt sah sich den Häftling an
    und die Karteikarte mit der Diagnose
    Wenn er die Karte nicht mehr
    an den Häftlingsarzt zurückgab
15  sondern an den Häftlingsschreiber
    dann bedeutete dies
    daß der Häftling zur Injektion
    bestimmt worden war
RICHTER  Was geschah darauf
20  ANGEKLAGTER 9  Die Karten wurden auf einem Tisch
                                          aufgehäuft
    und verarbeitet
RICHTER  Was bedeutet verarbeitet
ANGEKLAGTER 9  Der Häftlingsschreiber hatte
25  nach den Karteikarten eine Liste anzufertigen
    Die Liste wurde den Sanitätsdienstgraden übergeben
    Nach dieser Liste hatten wir
    die Kranken abzuführen
ZEUGE 8  Weihnachten 1942
30  kam Klehr zu uns in den Krankenraum
    und sagte
    Ich bin heute der Lagerarzt
    Ich nehme heute die Arztvorsteller entgegen
    Mit der Spitze seiner Pfeife
35  deutete er auf 40 von ihnen

und bestimmte sie für die Injektion
Nach Weihnachten
wurde für den Sanitätsdienstgrad Klehr
eine Zusatzration angeordnet
Ich sah dieses Schreiben                                                     5
Da stand
Für die am 24. 12. 1942 ausgeführte

Vgl. 88,18.                    Sonderbehandlung*
werden angefordert
ein fünftel Liter Schnaps                                                    10
5 Zigaretten und 100 Gramm Wurst
ANGEKLAGTER 9  Das ist ja lächerlich
Weihnachten fuhr ich jedesmal auf Heimaturlaub
Das kann meine Frau bezeugen
RICHTER  Angeklagter Klehr                                                   15
Wollen Sie daran festhalten
daß Sie an keiner Aussonderung
und Tötung durch Phenol
teilgenommen haben
ANGEKLAGTER 9  Ich hatte nur gegebene Anordnungen                            20
zu überwachen
RICHTER  Fanden Sie diese Anordnungen
in jedem Falle richtig
ANGEKLAGTER 9  Anfangs fand ich es erstaunlich
als ich davon hörte                                                         25
daß Kranke von Funktionshäftlingen
abgespritzt wurden
Aber dann verstand ich
daß sie unheilbar waren
und das ganze Lager gefährdeten                                             30
RICHTER  Wie wurden die Injektionen gegeben
ANGEKLAGTER 9  Der Funktionshäftling Peter Werl
vom Ambulanzblock
und einer der Felix hieß
verabreichten die Injektionen                                               35

Während der ersten Zeit
wurden sie in die Armvene gegeben
Die Venen der Häftlinge waren aber
auf Grund der Auszehrung
schwer zu treffen
Deshalb wurde das Phenol später
direkt ins Herz injiziert
Die Spritze war noch nicht ganz geleert
da war der Mann schon tot

RICHTER  Haben Sie sich nie geweigert
bei diesen Behandlungen dabei zu sein

ANGEKLAGTER 9  Dann wäre ich an die Wand gestellt
                                                    worden

RICHTER  Haben Sie nie dem Arzt
Ihre Bedenken ausgedrückt

ANGEKLAGTER 9  Das habe ich mehrmals getan
Aber man sagte mir nur
daß ich meine Pflicht zu erfüllen habe

RICHTER  Konnten Sie sich nicht
zu einem andern Dienst versetzen lassen

ANGEKLAGTER 9  Herr Präsident
Wir waren doch alle in der Zwangsjacke
Wir waren doch genau solche Nummern
wie die Häftlinge
Für uns begann der Mensch erst
beim Akademiker
Wir hätten es mal wagen sollen
etwas in Frage zu stellen

RICHTER  Wurden Sie nie gezwungen
selbst eine Spritze zu geben

ANGEKLAGTER 9  Einmal als ich mich beschwerte
sagte der Arzt zu mir
In Zukunft werden Sie das selbst machen

RICHTER  Und da nahmen Sie selbst
Aussonderungen und Tötungen vor

ANGEKLAGTER 9  In einigen Fällen ja
gezwungenermaßen

RICHTER  Wie oft mußten Sie Spritzen geben

ANGEKLAGTER 9  Gewöhnlich zweimal in der Woche
und zwar an etwa 12 bis 15 Mann
Ich war aber nur 2 bis 3 Monate dabei

RICHTER  Das wären mindestens
200 Getötete

ANGEKLAGTER 9  250 bis 300 können es gewesen sein
Ich weiß nicht mehr so genau                                    10
Es war Befehl
Ich konnte nichts dagegen tun

ZEUGE 8  Der Sanitätsdienstgrad Klehr
war an der Tötung
von mindestens 16 000 Häftlingen                               1
beteiligt

ANGEKLAGTER 9  Da biegen sich ja die dicksten
Eichenbalken*
16 000 soll ich abgespritzt haben
wo doch das ganze Lager nur 16 000 Mann zählte              2
Da wäre ja nur noch der ⌐Musikzug⌐ übriggeblieben
*Die Angeklagten lachen*

Redewendung
für: Das ist
eine Lüge.

II

RICHTER  Angeklagter Klehr
Wie haben Sie die Häftlinge getötet                            2

ANGEKLAGTER 9  So wie es vorgeschrieben war
mit einer Phenolspritze in den Herzmuskel
Aber ich tat es ja nicht allein

RICHTER  Wer war noch dabei

ANGEKLAGTER 9  Daran kann ich mich nicht erinnern            3

ZEUGE 9  An den Tötungen mit Phenol
beteiligten sich die Angeklagten
Scherpe und Hantl
Sie verhielten sich jedoch anders als Klehr
Sie waren höflich zu uns
und sagten Guten Morgen
wenn sie auf den Block kamen
und wenn sie gingen sagten sie
Auf Wiedersehn
Klehr sahen wir oft wüten
Scherpe dagegen war ruhig und zuvorkommend
er hatte eine nette Art
die Menschen zu behandeln
Ich habe Scherpe nie schlagen
und um sich treten gesehn
Die zu ihm kamen hatten oft Vertrauen zu ihm
und glaubten sie würden nur
für ihre Krankheit behandelt
RICHTER  Herr Zeuge
Sie gehörten zu den Häftlingsärzten im Krankenblock
Was können Sie uns über den Beginn
der Phenolinjektionen sagen
ZEUGE 9  Es war Lagerarzt Dr. Entress
der mit den Injektionen begann
Zuerst tat er es mit Benzin
doch das stellte sich als unpraktisch heraus
da es vorkam daß der Tod
erst nach einer dreiviertel Stunde eintrat
Man suchte nach einem schnelleren Mittel
Das zweite war Wasserstoff
Dann kam Phenol
RICHTER  Wen sahen Sie bei der Ausgabe
dieser Injektionen
ZEUGE 9  Zuerst Dr. Entress selbst
dann Scherpe und Hantl

Hantl hat es selten getan
Wir hielten ihn für einen anständigen Menschen
RICHTER  Haben Sie gesehen
daß Klehr tötete
ZEUGE 9  Selbst habe ich es nicht gesehn
Die beiden Häftlinge Schwarz und Gebhard
die während der Injektionen
die Opfer festhalten mußten
erzählten mir davon
Aber wir haben uns nicht lange                                    10
darüber aufgehalten
es war solch ein alltägliches Ereignis
VERTEIDIGER  Herr Zeuge
Sie nennen andere Namen
im Zusammenhang mit diesen Funktionshäftlingen        15
Hießen die Häftlinge nicht Werl und Felix
ZEUGE 9  Es waren mehrere Funktionshäftlinge
die diesen Dienst auszuführen hatten
VERTEIDIGER  Führten diese Funktionshäftlinge
nicht auch die Tötungen aus                                       20
ZEUGE 9  Anfangs mußten sie das tun
VERTEIDIGER  Die Häftlinge wurden also
von ihren Eigenen umgebracht
ANKLÄGER  Wir protestieren
gegen diese Taktik der Verteidigung                              25
die den Häftlingen Handlungen vorwirft
die sie unter Todesdrohung auszuführen hatten
VERTEIDIGER  Dieser Bedrohung unterlagen auch
die Mannschaften des Lagers
ANKLÄGER  Es ist in keinem Fall erwiesen                        30
daß demjenigen der sich weigerte
bei Tötungen mitzuwirken
etwas geschehen wäre
VERTEIDIGER  Strafrechtlich ist ein Untergebener
nur verantwortlich                                               35

wenn ihm bekannt gewesen ist
daß der Befehl seines Vorgesetzten
eine Handlung betrifft
welche ein bürgerliches oder militärisches
Verbrechen bezweckt
Unsere Mandanten handelten im besten Glauben
und nach dem Grundsatz der unbedingten
Gehorsamspflicht
Mit ihrem ⌜Treueeid⌝ bis in den Tod
haben sie sich alle der Zielsetzung
der damaligen Staatsführung gebeugt
so wie es die Verwaltung Justiz und Wehrmacht
getan hat

ANKLÄGER Wir wiederholen daß ein jeder
der den verbrecherischen Zweck des Befehls
erkannte
die Möglichkeit hatte
sich versetzen zu lassen
Wir kennen die Gründe
weswegen sie sich nicht versetzen ließen
An der Front
wäre ihr eigenes Leben gefährdet gewesen
so blieben sie dort
wo sie nur wehrlose Gegner hatten

RICHTER Wir rufen als Zeugen auf
einen der ehemaligen
befehlsführenden Lagerärzte
Herr Zeuge
hatten Sie dienstlich mit den Angeklagten
Klehr, Scherpe und Hantl zu tun

ZEUGE 2 Ich kam mit diesen Herren
nicht in Berührung

RICHTER Waren Sie nicht ihr Vorgesetzter

ZEUGE 2 Ihr Vorgesetzter war ausschließlich
der Standortarzt
Ich hatte nur Schreibarbeiten auszuführen

RICHTER  Herr Zeuge
Was für einen ärztlichen Rang hatten Sie
bei Ihrer Einberufung ins Lager
ZEUGE 2  Ich war Universitätsprofessor
RICHTER  Und mit Ihrer hohen Fachausbildung                    5
hatten Sie nur Schreibstubendienst
zu leisten
ZEUGE 2  Zeitweise war ich auch
in der Pathologie* tätig

Leichen-
beschau

RICHTER  Hatten Sie keine Häftlinge                            10
für den Angeklagten Klehr auszusuchen
ZEUGE 2  Davor habe ich mich geweigert
RICHTER  Waren Sie nie bei Aussonderungen dabei
ZEUGE 2  Nur als Begleiter des zuständigen Arztes
ANKLÄGER  Herr Zeuge                                           15
ist Ihnen bekannt
daß denjeningen
die an den Aktionen beteiligt waren
Sonderrationen zugesprochen wurden
ZEUGE 2  Ich finde es menschlich verständlich                 20
daß den Leuten für ihre schwere Arbeit
Rationen von Schnaps
und Zigaretten erteilt wurden
Es war ja Krieg
und Schnaps und Zigaretten waren knapp              25
da waren sie hinterher
Die Bons sammelte man
und dann ging man mit der Flasche hin
ANKLÄGER  Sie auch
ZEUGE 2  Ja                                                    30
da ging jeder hin
ANKLÄGER  Wie verhielten Sie sich
angesichts der Aussonderungen
VERTEIDIGER  Wir protestieren gegen diese Frage
Der Zeuge hat seine Strafe                          35

bereits abgebüßt
und der Prozeß kann ihm ja
nicht noch einmal gemacht werden

ZEUGE 2 Ich betrachte mich heute noch
als unschuldig
Es wurden damals nur Kranke ausgesucht
die sowieso nicht mehr leben konnten

ANKLÄGER Herr Zeuge
Sahen Sie mit Ihrer ärztlichen Ausbildung
keine anderen Möglichkeiten

ZEUGE 2 Nicht beim damaligen Stand der Dinge
Tausende unserer eigenen Soldaten
verbluteten an der Front
und in den zerbombten Städten
litten die Menschen

ANKLÄGER Herr Zeuge
Hier handelte es sich um Menschen
die ohne eigenes Verschulden
gefangen gehalten
und ermordet wurden
Darüber müssen Sie sich
klargewesen sein

ZEUGE 2 Ich konnte da gar nichts tun
Schon bei meiner Ankunft
sagte der Truppenarzt zu mir
Wir befinden uns hier
am Arsch der Welt
und wir haben danach zu handeln

ANKLÄGER Herr Zeuge
Waren Sie bei Injektionen zugegen

ZEUGE 2 Ja
da mußte ich mal hingehn

ANKLÄGER Was sahen Sie da

ZEUGE 2 Klehr zog sich einen Arztmantel an
und sagte zu einem Mädchen

Du bist herzkrank
du mußt eine Spritze haben
Dann kam der Stoß
und da bin ich weggelaufen

ANKLÄGER  War Klehr allein

ZEUGE 2  Ja

ANKLÄGER  Wurde die Frau nicht festgehalten

ZEUGE 2  Nein

ANKLÄGER  Herr Zeuge
das Gericht ist im Besitz Ihres Tagebuchs          10
das Sie im Lager schrieben
Hier ist zunächst zu lesen
Heute gabs zum Mittag Hasenbraten
eine ganz dicke Keule
mit Mehlklößen und Rotkohl                          15
Dann steht da
6 Frauen von Klehr abgeimpft

ZEUGE 2  Das muß ich wohl gehört haben

ANKLÄGER  Wir lesen weiter
Bei wunderschönem Wetter eine                       20
Radtour gemacht
Dann
Bei 11 Exekutionen zugegen
3 Frauen die ums Leben flehten

Bauchspeichel-     Lebendfrisches Material von Leber   25
drüse              Milz und Pankreas* nach Pilocarpininjektionen*
Pflanzliches       entnommen
Arzneimittel,      Was bedeutet das
Gefäß erwei-
ternd, Muskel   ZEUGE 2  Ich hatte auf Befehl
entspannend,       Obduktionen vorzunehmen           30
sekretions-        Diese Arbeit stand einzig im Dienst
fördernd           an der Wissenschaft
                   Mit den Tötungen hatte ich nichts zu tun

ANKLÄGER  Hatten Sie die Menschen
denen Sie Fleisch entnahmen                         35

vor der Tötung
zur Obduktion bestimmt

VERTEIDIGER Wir protestieren
und erinnern nochmals daran
daß der Zeuge bereits
seine Strafe beglichen hat

ANKLÄGER Herr Zeuge
Warum benutzten Sie Menschenfleisch
für Ihre Untersuchungen

ZEUGE 2 Weil die Wachmannschaften
das Rind- und Pferdefleisch
das wir für bakteriologische Versuche
geliefert bekamen
aufaßen

RICHTER Wo wurde das Phenol
das zur Abimpfung benützt wurde
aufbewahrt

ZEUGE 3 Das Phenol wurde in der Apotheke aufbewahrt

RICHTER Wo befand sich die Apotheke

ZEUGE 3 In den Dienstgebäuden außerhalb des Lagers

RICHTER Wem unterstand die Apotheke

ZEUGE 3 Dem Dr. Capesius

RICHTER Wer holte das Phenol ab

ZEUGE 3 Die Anforderung
die von Klehr geschrieben war
wurde Dr. Capesius in der Apotheke
von einem Läufer der Krankenabteilung übergeben
Dieser empfing darauf das Phenol

RICHTER Angeklagter Dr. Capesius
Was können Sie dazu sagen

ANGEKLAGTER 3 Von derartigen Bestellungen
weiß ich nichts

RICHTER War Ihnen bekannt
daß Menschen im Lager
durch Phenol getötet wurden

ANGEKLAGTER 3  Davon habe ich erst jetzt erfahren

RICHTER  Verwahrten Sie Phenol in der Apotheke

ANGEKLAGTER 3  Ich habe dort keine größeren Mengen
                                                    gesehn

ZEUGE 3  Das Phenol wurde in einem gelben Schrank
in der Ecke des Ausgaberaums aufbewahrt
Später befanden sich auch größere Korbflaschen
im Keller

VERTEIDIGER  Herr Zeuge
woher wissen Sie das                                          1•

ZEUGE 3  Ich hatte Dienst in der Apotheke
Da sah ich die vorgedruckten Formulare
für die Neuanforderungen
Sie waren von Dr. Capesius ausgefüllt
und unterzeichnet                                            1⁵
Es war gereinigtes Phenol dabei
Jedoch weiß ich heute nicht mehr

(lat.) ›Für die    ob die Worte PRO INJECTIONE* dabeistanden
Einspritzung‹
RICHTER  Welche Mengen wurden angefordert

ZEUGE 3  Zuerst kleine Mengen                                2(
Später 2 bis 5 Kilogramm im Monat

RICHTER  Wozu wird Phenol im allgemeinen
als Arzneimittel verwendet

ZEUGE 3  Mit Glyzerin benutzt man es als Ohrentropfen

ANGEKLAGTER 3  Das war auch die Bestimmung des              2⁵
                                            Phenols
unter meiner Aufsicht

RICHTER  2 bis 5 Kilogramm Phenol im Monat
das Kilogramm zu 1 000 Gramm
und auf ein Gramm gehen mehrere Tropfen                      3(
Da hätte man ja eine ganze Armee
an den Ohren heilen können
*Die Angeklagten lachen*

RICHTER  Angeklagter Capesius
Wollen Sie immer noch behaupten                              3⁵

daß Sie kein Phenol für Injektionen
in der Apotheke gesehen haben
ANGEKLAGTER 3 Ich habe weder größere Mengen
Phenol gesehen
noch habe ich gewußt
daß Menschen damit getötet wurden
RICHTER Wem wurde das abgeholte Phenol übergeben
ZEUGE 3 Dem diensthabenden Arzt
der es weitergab an die Sanitäter
im Arztzimmer


## III


RICHTER Wie sah das Arztzimmer aus
ZEUGE 6 Es war ein weißgestrichener Raum
Die Fenster zur Hofseite
waren überkalkt
RICHTER Wie war die Einrichtung des Zimmers
ZEUGE 6 Da waren ein paar Spinde und Schränke
und dann war da der Vorhang
mit dem das Zimmer abgeteilt war
RICHTER Was war das für ein Vorhang
ZEUGE 6 Er war etwa 2 Meter hoch
und reichte nicht ganz bis zur Decke
Der Stoff war von graugrüner Farbe
Davor saß der Schreiber
der die hereingeführten Kranken
abzuhaken hatte
RICHTER Was war hinter dem Vorhang
ZEUGE 6 Da stand ein kleiner Tisch
und da waren ein paar Hocker
An der Wand waren Haken

daran hingen Gummischürzen
und rosa Gummihandschuhe
VERTEIDIGER  Herr Zeuge
Woher haben Sie Ihre Kenntnisse
ZEUGE 6  Ich gehörte zu den Leichenträgern
Wir befanden uns im anschließenden Waschraum
Die Tür stand offen
und wir konnten alles sehen
RICHTER  Was geschah mit den Häftlingen
die zur Phenolinjektion
bestimmt worden waren
ZEUGE 6  Sie wurden vom Korridor aus
zu zweit in das Arztzimmer geführt
Einer der beiden Funktionshäftlinge
die hinter dem Vorhang bereitstanden
holte einen der Häftlinge
zur Injektion
Der andere mußte vor dem Vorhang warten
Der zweite Funktionshäftling hatte unterdessen
die Injektionsspritze gefüllt
RICHTER  Was war das für eine Spritze
ZEUGE 6  Anfangs bei den intravenösen Injektionen
waren es Spritzen von 5 Kubikzentimetern
Später
als direkt ins Herz gestochen wurde
benötigte man nur noch Spritzen
von 2 Kubikzentimetern
Die Spritzen waren mit Nadeln versehen
wie man sie für Wirbelsäulen-Punktionen
gebraucht
Die Kanülen wurden in einem Beutel aufbewahrt
RICHTER  In was für einem Behälter
befand sich das Phenol
ZEUGE 6  Es war eine Flasche
die einer Thermosflasche ähnlich war

Das Phenol wurde in eine kleine Schüssel
geschüttet
Von dort wurde die Spritze gefüllt
Die Flüssigkeit hatte eine rötliche Färbung
5    da die Nadel nur selten gewechselt wurde
und von den Stichen blutig war

RICHTER  Wußten die Kranken
was ihnen bevorstand

ZEUGE 6  Die meisten wußten es nicht
10    ~~Es wurde ihnen gesagt~~
~~daß sie eine Schutzimpfung erhielten~~

RICHTER  Ließen die Kranken alles
mit sich geschehen

ZEUGE 6  Die meisten fügten sich
15    Viele von ihnen waren äußerst entkräftet

RICHTER  Wen sahen Sie bei der Ausgabe der Injektion

ZEUGE 6  Klehr übernahm die gefüllte Spritze
Er hatte eine Gummischürze umgebunden
trug Gummihandschuhe und hohe Gummistiefel
20    Die Ärmel seines weißen Kittels
waren aufgekrempelt

RICHTER  Was geschah nun mit dem Häftling

ZEUGE 6  Wenn er noch ein Hemd anhatte
mußte er dieses ausziehn
25    und sich mit entblößtem Oberkörper
auf den Schemel setzen
Er mußte den linken Arm seitlich anheben
und die Hand vor den Mund legen
Auf diese Weise wurde der Schrei erstickt
30    und das Herz lag frei
Die beiden Funktionshäftlinge
hielten ihn fest

RICHTER  Wie hießen die Funktionshäftlinge

ZEUGE 6  Sie hießen Schwarz und Weiß
35    Schwarz hielt den Häftling

an den Schultern
Weiß drückte ihm die Hand
auf den Mund
und Klehr stach ihm die Spitze
ins Herz⌉                                                               5

RICHTER  Trat der Tod augenblicklich ein

ZEUGE 6  Die meisten gaben noch einen schwachen Ton
von sich
als ob sie ausatmeten
Im allgemeinen waren sie dann tot                                       10
Manchmal aber röchelte einer noch
und verendete erst auf dem Boden des Waschraums
Einige gingen im Agoniezustand
mit uns mit
Die andern wurden abgeschleift                                          15
an einer Lederschlaufe
die wir ihnen ums Handgelenk legten
Es ging sehr schnell
Oft wurden 2 bis 3 Kranke
binnen einer Minute erledigt                                            20

RICHTER  Was geschah mit den Injizierten
die noch lebten

ZEUGE 6  Ich erinnere mich an einen Mann
der war groß und stark gebaut
Er richtete sich im Waschraum auf                                       25
mit der Injektion im Herzen
Ich erinnere mich deutlich wie es war
Da stand ein Kessel
und neben dem Kessel war eine Bank
Der Mann stützte sich auf den Kessel                                    30
und auf die Bank
und zog sich hoch
Da kam Klehr herein
und gab ihm die zweite Spritze
Andere waren manchmal nur bewußtlos                                     35

weil die Spritze nicht ins Herz getroffen hatte
und das Phenol in die Lunge gegangen war
Klehr kam zum Abschluß immer in den Waschraum
und sah sich die dort Aufgeschichteten an
5    Wenn einer noch lebte
gab er ihm den Genickschuß
bei anderen konnte er sagen
Der wird schon bis zum Krematorium aushauchen
RICHTER  Kam es vor daß noch Lebende
10    mit den Toten fortgeschafft wurden
ZEUGE 6  Das kam vor
RICHTER  Und sie wurden lebendig verbrannt
ZEUGE 6  Ja
Oder vor den Öfen
15    mit der Schaufel erschlagen
RICHTER  Geschah es nie
daß Häftlinge sich wehrten
ZEUGE 6  Einmal war ein Geschrei
Da sah ich folgendes Bild
20    Auf einem halbnackten
mit Blut beschmierten Mann
saßen die beiden Funktionshäftlinge
Der Kopf des Mannes war aufgeschlagen
ein Schürhaken lag auf dem Boden
25    Klehr stand daneben
die Spritze in der Hand
Klehr kniete sich auf den Mann
der immer noch gewaltsam
mit den Beinen um sich stieß
30    und stach ihm die Spritze hinein
RICHTER  Angeklagter Klehr
Was haben Sie zu diesen Beschuldigungen
zu sagen
ANGEKLAGTER 9  Von dem hier erwähnten Fall weiß ich
35                                         nichts

RICHTER  Ist Ihnen der Zeuge bekannt

ANGEKLAGTER 9  Herr Vorsitzender
Wichtig ist
daß ich diesen Zeugen gar nicht kenne
Ich kenne sonst jeden Häftling
der im Leichenkommando beschäftigt war

RICHTER  Befanden sich zwischen den Getöteten
auch Kinder

ZEUGE 7  Im Frühjahr 1943
da wurden einmal über 100 Kinder getötet          1•

RICHTER  Wer führte die Tötung aus

ZEUGE 7  Die Tötung wurde von den Sanitätsdienstgraden
Hantl und Scherpe durchgeführt

RICHTER  Herr Zeuge
Können Sie die genaue Zahl                         1•
dieser getöteten Kinder angeben

ZEUGE 7  Es waren 119 Kinder

RICHTER  Kennen Sie das genaue Datum

ZEUGE 7  Es war am 23. Februar

VERTEIDIGER  Woher wissen Sie das                  2•

ZEUGE 7  Ich war Schreiber bei dieser Aktion
und hatte die Kinder auf der Liste
abzustreichen
Es waren Jungen im Alter von 13
bis 17 Jahren                                      2•
Ihre Eltern waren vorher erschossen worden

RICHTER  Woher kamen die Kinder

Stadt im        ZEUGE 7  Sie stammten aus dem Gebiet von Zamosc*
südöstl. Polen  das geräumt wurde
um Platz zu machen für Siedler                     3•
aus dem Reich

RICHTER  Angeklagter Scherpe
Haben Sie sich an dieser Tötung
beteiligt

ANGEKLAGTER 10  Herr Direktor                      3•

172                                                8. Gesang

ich möchte ausdrücklich betonen
daß ich nie einen Menschen getötet habe

RICHTER  Angeklagter Hantl
Was haben Sie zu sagen

ANGEKLAGTER 11  Daß bei uns auch Kinder angekommen

*All:*
*Hantl.*

sind

ist mir völlig fremd
Bitte Herr Scherpe
Habe ich etwas mit Ihnen
an Kindern getrieben

RICHTER  Sie können hier keine Fragen
an Mitangeklagte stellen
Wir wollen von Ihnen wissen
ob Sie an der Tötung durch Injektionen
teilgenommen haben

ANGEKLAGTER 11  Dazu kann ich nur sagen
daß diese Beschuldigungen erlogen sind

RICHTER  Waren Sie bei Injektionen zugegen

ANGEKLAGTER 11  Ich habe mich erst geweigert
Ich habe gesagt
Ist es absolut erforderlich
daß ich mir diese Mistgeschichte
mit ansehen muß
Dann war ich auch nur ungefähr
8 bis 10 mal dabei

RICHTER  Wieviele wurden da jedesmal getötet

ANGEKLAGTER 11  Mehr als 5 bis 8 Mann waren es nicht
Dann war es schon aus

ZEUGE 7  Hantl hat dabei geholfen
die Kranken auszusuchen
und zu töten
Es wurden fast täglich Injektionen gegeben
Nur sonntags nicht

ANGEKLAGTER 11  Da muß ich ja lachen
Das ist ja ein Unsinn ohnegleichen

Ich kann mir auch gar nicht erklären
warum gerade dieser Zeuge mich anzeigt
wo ich ihm doch einmal geholfen habe
als er Sabotage betrieben hatte

RICHTER  Was war das für eine Sabotage

ANGEKLAGTER 11  Er hatte Bettwäsche gestohlen
Ich habe überhaupt alles für die Häftlinge getan
was ich konnte
Ich habe Heizgeräte für sie organisiert
und Radieschen

RICHTER  Und an den Tötungen haben Sie sich
nicht beteiligt

ANGEKLAGTER 11  Nein und wieder nein

RICHTER  Herr Zeuge
Setzen Sie Ihren Bericht
über die Kinder fort

ZEUGE 7  Die Kinder waren in den Hof
des Krankenhauses gebracht worden
Den Vormittag über spielten sie dort
Sie hatten sogar einen Ball bekommen
Die Häftlinge ringsum wußten
was mit ihnen geschehen sollte
Sie gaben ihnen vom besten was sie hatten
Die Kinder waren hungrig und geängstigt
Sie sagten daß sie geschlagen worden seien
Immer wieder fragten sie uns
Wird man uns töten
Am Nachmittag kamen Scherpe und Hantl
Während der Stunden
in denen sie die Aktion durchführten
lag Totenstille über Block Zwanzig

RICHTER  Ahnten die Kinder
was ihnen bevorstand

ZEUGE 7  Die ersten haben geschrien
Dann erzählte man ihnen

sie würden geimpft
Da gingen sie still hinein
Nur die letzten haben wieder gerufen
weil ihre Gefährten
5 nicht zurückkamen
Sie wurden zu zweit
zu mir hereingeführt
und dann kamen sie einzeln
hinter den Vorhang
0 Ich hörte nur die Schläge
wenn die Köpfe und Körper der Kinder
im Waschraum auf den Boden prallten
Plötzlich lief Scherpe heraus
Ich hörte wie er sagte
5 Ich kann schon nicht mehr
Er lief irgendwo hin
und Hantl übernahm den Rest
Im Lager wurde damals erzählt
Scherpe sei zusammengebrochen
0 RICHTER Angeklagter Scherpe
Haben Sie etwas dazu zu sagen
ANGEKLAGTER 10 Der Bericht des Zeugen
scheint mir sehr übertrieben
Ich jedenfalls
5 kann mich an diese Vorkommnisse
nicht erinnern
ANKLÄGER Herr Zeuge
<u>Wieviele Menschen</u>
fielen Ihrer Schätzung nach insgesamt
0 <u>den Phenolinjektionen zum Opfer</u>
ZEUGE 7 An Hand der Lagerbücher
und unserer persönlichen Berechnungen
müssen es etwa <u>30 000 Menschen gewesen sein</u>

# 9 Gesang vom Bunkerblock

## I

ZEUGE 8  Ich wurde verurteilt
zu 30 mal Stehzelle
Das bedeutete
tagsüber Strafarbeit
und nachts die Zelle
RICHTER  Was war der Grund der Verurteilung
ZEUGE 8  Ich hatte mich zweimal
bei der Essensausgabe angestellt
RICHTER  Wo befanden sich die Stehzellen
ZEUGE 8  Am Ende des Kellergangs im Block Elf
Es gab 4 solche Zellen
RICHTER  Wie groß war eine Zelle
ZEUGE 8  Ihr Umfang war 90 mal 90 Zentimeter
Die Höhe etwa 2 Meter
RICHTER  Gab es ein Fenster
ZEUGE 8  Nein
Es gab nur ein Luftloch oben in der Ecke
Das war 4 mal 4 Zentimeter groß
Der Luftschacht lief durch die Mauer
und war mit einem perforierten* Blechdeckel
an der Außenwand abgeschlossen
RICHTER  Und die Tür
ZEUGE 8  Man mußte durch eine etwa 50 Zentimeter
hohe Luke am Boden hineinkriechen
Die Luke war aus schwerem Holz
Dahinter war noch ein Eisengitter
das verriegelt wurde
RICHTER  Waren Sie allein in der Zelle
ZEUGE 8  Anfangs war ich allein

Vgl. 150,7.

Während der letzten Woche
standen wir dort zu viert
RICHTER Gab es Häftlinge
die Tag und Nacht
5    in der Stehzelle waren
ZEUGE 8 Das war die häufigste Art der Verurteilung
Die Systeme waren verschieden
Einige erhielten dort nur
alle 2 oder 3 Tage etwas zu essen
10   andere erhielten keine Verpflegung
Diese waren zum Hungertod verurteilt
Mein Freund Kurt Padiala
starb in der Zelle nebenan
nach 15 Tagen
15   Er aß zuletzt seine Schuhe auf
Er starb am 14. Januar 1943
Ich erinnere mich daran
denn es war mein Geburtstag
Wer zum Stehbunker ohne Verpflegung
20   verurteilt war
konnte schreien und fluchen
soviel er wollte
Die Tür wurde nie geöffnet
In den ersten 5 Nächten
25   schrie er laut
Dann hörte der Hunger auf
und der Durst nahm überhand
Er stöhnte
bat und flehte
30   Er trank seinen Urin
und leckte die Wände ab
13 Tage dauerte die Durstzeit
Dann war nichts mehr
aus seiner Zelle zu hören
35   Es dauerte über 2 Wochen

bis er tot war
Aus den Stehzellen mußten die Leichen
mit Stangen herausgekratzt werden
RICHTER  Aus welchem Grund
war dieser Mann verurteilt worden                                    5

ZEUGE 8  Er hatte einen Fluchtversuch unternommen
Ehe er in die Zelle eingeliefert wurde
mußte er während des Abendappells
an den Häftlingen vorbeimarschieren
Es war ihm eine Tafel umgebunden worden          10
mit der Aufschrift
HURRA ICH BIN WIEDER DA
Diese Worte mußte er laut rufen
und dazu mit einem Paukenschlegel
auf eine Trommel schlagen                                          15
Die längste mir bekannte Zeit
verbrachte der Häftling Bruno Graf
in der Stehzelle
Der Arrestaufseher Schlage
stand manchmal vor seiner Tür                                  20
wenn er da drinnen brüllte und ich hörte
wie er ihm zurief
Du kannst verrecken
Erst nach einem Monat starb Graf

RICHTER  Angeklagter Schlage                                      25
Haben Sie Häftlinge
in den Stehzellen verhungern lassen

ANGEKLAGTER 14  Herr Direktor
Ich bitte folgendes zu Gehör zu bringen
Ich war in Block Elf nur Schließer                             30
Ich bekam meine Befehle von meinen Vorgesetzten
und daran hatte ich mich zu halten
Für alles was im Bunker geschah
war nicht ich
sondern der Arrestverwalter verantwortlich         35

RICHTER  Wer gab den Häftlingen Verpflegung

ANGEKLAGTER 14  Das haben die Funktionshäftlinge getan

RICHTER  Wer schloß die Zellen auf

ANGEKLAGTER 14  Das waren auch die Funktionshäftlinge

5    Wir Arrestaufseher

mußten nur die äußeren Gitter aufschließen

wenn die Politische Abteilung kam

RICHTER  Sind Häftlinge

im Arrestbunker gestorben

0  ANGEKLAGTER 14  Schon möglich

aber ich kann mich nicht erinnern

RICHTER  Wer hat das Totenbuch geführt

und die Todesursachen eingetragen

ANGEKLAGTER 14  Das haben alles die Funktionshäftlinge

5    allein gemacht

RICHTER  Und Sie hatten garnichts zu tun

ANGEKLAGTER 14  Ich hatte die eigenen Leute zu bewachen

die im oberen Stockwerk im Arrest saßen

Da waren manchmal bis zu 18 Mann

0    Ich mußte aufpassen

daß sie sich nicht das Leben nahmen

oder sonstige Dummheiten machten

RICHTER  Im Bunker waren also auch

Mitglieder der Lagermannschaften

5    inhaftiert

ANGEKLAGTER 14  Natürlich

Die Gerechtigkeit erstreckte sich

auf alle

Herr Vorsitzender

0    Jede Schwäche mußte doch bekämpft werden

II

RICHTER  Wie groß waren die übrigen Zellen
des Bunkers
ZEUGE 9  Diese Zellen waren etwa
3 mal 2$^1/_2$ Meter groß
Einige von ihnen waren Dunkelzellen
die andern hatten oben eine Fensterluke
die mit einem Betonsockel ummauert war
Luft kam nur durch eine Öffnung
oben in der Wand
Diese Öffnung war nicht größer
als die Handfläche
RICHTER  Wieviele Zellen dieser Art gab es
ZEUGE 9  28 Zellen
RICHTER  Wieviele Häftlinge
konnten in einer Zelle untergebracht werden
ZEUGE 9  In solch einem Raum befanden sich manchmal
bis zu 40 Häftlingen
RICHTER  Wie lange mußten sie dort bleiben
ZEUGE 9  Oftmals einige Wochen
Der Häftling Bogdan Glinski
war sogar 17 Wochen darin
vom 13. November 1942 bis zum
9. März 1943
RICHTER  Was für Einrichtungen enthielt die Zelle
ZEUGE 9  Es befand sich dort nur ein Holzkasten
mit einem Kübel
RICHTER  Nach welchen Anordnungen
wurden die Häftlinge dort eingeschlossen
ZEUGE 9  Auch hier galt die Strafe entweder
nächtlicher Einsperrung
oder Einsperrung auf längere Zeit
Und auch hier wurde Einsperrung
mit Kostentzug praktiziert

RICHTER Herr Zeuge
Welcher Bestrafung
wurden Sie unterzogen
ZEUGE 9 Ich verbrachte dort 2 Nächte
RICHTER Wollen Sie uns den Verlauf beschreiben
ZEUGE 9 Um 9 Uhr abends hatte ich mich
im Block Elf zu melden
zusammen mit 38 anderen Häftlingen
Der Blockälteste meldete
dem diensthabenden Blockführer
den Zahlenstand
Dann führte er uns in den Keller
wo er uns in Zelle Zwanzig einschloß
Um 10 Uhr war die Luft schon stickig geworden
Wir standen eng aneinandergedrängt
Wir konnten weder sitzen noch liegen
Bald erreichte die Temperatur eine solche Höhe
daß wir anfingen
unsere Jacken und Hosen auszuziehn
Gegen Mitternacht konnte man nicht mehr stehn
Einige sackten zusammen
die andern hingen aneinander
Die meisten wurden unruhig
stießen einander und verfluchten
sich gegenseitig
Die Gerüche
die die erstickenden Menschen von sich gaben
vermischten sich mit dem Gestank
aus dem Kübel
Die Schwächeren wurden zertreten
Die Stärkeren führten einen Kampf
um einen Platz an der Tür
wo ein bißchen Luft durchkam
Wir schrien und schlugen an die Tür
wir stemmten uns dagegen

doch sie gab nicht nach
Ab und zu wurde draußen das Guckloch geöffnet
und der wachthabende Schließer
sah zu uns hinein
Um 2 Uhr nachts hatten die meisten
das Bewußtsein verloren
Am Morgen
nach der Öffnung um 5 Uhr
zog man uns heraus
und legte uns auf den Korridor
Alle waren wir nackt
Von den 39 waren noch 19 am Leben
von diesen 19 wurden 6
in den Krankenbau abtransportiert
wo weitere 4 starben
ZEUGE 3 Ich gehörte dem Leichenkommando an
das die Hungerzellen zu räumen hatte
Oft waren Tote dabei
die am Gesäß und an den Schenkeln
angebissen waren
Diejenigen
die es am längsten ausgehalten hatten
waren manchmal ohne Finger
Ich fragte den Bunkerjakob*
der überall die Aufsicht führte
Wie kannst du das ertragen
Da sagte er
⌈Gelobt sei
was hart macht
Mir geht es gut
ich esse die Rationen
von denen da drinnen
Ihr Tod rührt mich nicht
Dies alles rührt mich so wenig
wie es den Stein rührt
in der Mauer⌉

Vgl. Erl. zu
103,28.

## III

ZEUGE 6 Am 3. September 1941
    wurden im Bunkerblock
    die ersten Versuche
5    von Massentötungen
    durch das Gas Zyklon B*
    vorgenommen
    Sanitätsdienstgrade und Wachmannschaften
    führten etwa 850 sowjetische Kriegsgefangene
10    sowie 220 kranke Häftlinge
    in den Block Elf
    Nachdem man sie in die Zellen
    geschlossen hatte
    wurden die Fenster mit Erde zugeschüttet
15    Dann wurde das Gas
    durch die Lüftungslöcher eingeworfen
    Am nächsten Tag wurde festgestellt
    daß einige noch am Leben waren
    Infolgedessen schüttete man
20    eine weitere Portion Zyklon B ein
    Am 5. September wurde ich
    zusammen mit 20 Häftlingen der Strafkompanie
    sowie einer Reihe von Pflegern
    in den Block Elf befohlen
25    Es wurde uns gesagt
    daß wir zu einer besonderen Arbeit
    anzutreten hätten
    und bei Todesstrafe
    niemandem von dem was wir dort sahen
30    berichten dürften
    Es wurde uns auch eine vergrößerte Ration
    nach der Arbeit versprochen
    Wir erhielten Gasmasken

Hochgiftiges Mittel, das ursprünglich zur Schädlingsbekämpfung eingesetzt wurde

und mußten die Leichen
aus den Zellen holen
Als wir die Türen öffneten
sanken uns die prall aneinandergepackten
Menschen entgegen 5
Sie standen noch als Tote
Die Gesichter waren bläulich verfärbt
Manche hielten Büschel von Haaren
in ihren Händen
Es dauerte den ganzen Tag 10
bis wir die Leichen
voneinander gelöst
und draußen im Hof
aufgeschichtet hatten
Am Abend kam der Kommandant 15
und sein Stab
Ich hörte den Kommandanten sagen
Jetzt bin ich doch beruhigt
Jetzt haben wir das Gas
und alle diese Blutbäder 20
bleiben uns erspart
Und auch die Opfer können
bis zum letzten Moment
geschont werden

## 10 Gesang vom Zyklon B

### I

ZEUGE 3  Ich arbeitete im Sommer und Herbst 1941
in der Bekleidungskammer des Lagers
5  Dort wurde die schmutzige Wäsche
mit dem Gas Zyklon B entwest*
Unser Vorgesetzter war
der Desinfektor Breitwieser
RICHTER  Herr Zeuge
10  Ist der Genannte
in diesem Raum anwesend
ZEUGE 3  Dies ist Breitwieser
*Der Angeklagte 17 nickt dem Zeugen*
*wohlwollend zu*
15  ZEUGE 3  Am 3. September sah ich Breitwieser
in Begleitung von Stark
sowie anderen Herren der Politischen Abteilung
mit Gasmasken und Büchsen
zum Block Elf gehen
20  Danach gab es Lagersperre
Am nächsten Morgen war Breitwieser böse
weil irgend etwas nicht geklappt hatte
Es war nicht richtig abgedichtet worden
und die Vergasung mußte
25  noch einmal vorgenommen werden
Zwei Tage später
fuhren die Rollwagen voll mit Leichen
aus dem Hof
RICHTER  Um wieviel Uhr sahen Sie Breitwieser
30  am 3. September auf dem Weg
zum Block Elf

Fachsprachlich: von Ungeziefer befreit

ZEUGE 3  Gegen 9 Uhr abends

ANGEKLAGTER 17  Das ist unmöglich

Erstens war ich abends nie im Lager

und zweitens hätte man mich

um diese Jahreszeit gar nicht erkennen können          5

denn da lag immer eine Dunstschicht

über dem Gelände

vom Fluß her

RICHTER  War Ihnen bekannt

daß an diesem Abend Häftlinge                         10

im Block Elf

durch das Gas getötet werden sollten

ANGEKLAGTER 17  Ja

das hat sich herumgesprochen

RICHTER  Haben Sie nicht gesehen                      15

wie die Häftlinge

in den Block getrieben wurden

ANGEKLAGTER 17  Herr Präsident

Dienstschluß war bei uns um 18 Uhr

Ich bin nie nach 18 Uhr im Lager gewesen              20

RICHTER  Mußten Sie nie nach 18 Uhr

Kleider ausgeben

wenn neue Transporte angekommen waren

ANGEKLAGTER 17  Wenn nach 18 Uhr Häftlinge ankamen

haben Funktionshäftlinge den Schlüssel               25

zur Bekleidungskammer abgeholt

und die Kleider ausgegeben

RICHTER  Was für eine Funktion hatten Sie

als Desinfektor

ANGEKLAGTER 17  Wenn ich mal so sagen darf            30

Ich hatte die Anweisungen zu geben

RICHTER  Waren Sie für diese Tätigkeit

ausgebildet worden

ANGEKLAGTER 17  Ich wurde im Sommer 1941

zusammen mit 10 bis 15 anderen                       35

zur Ungezieferbekämpfung abkommandiert
Da waren ein paar Herren von der Firma Degesch* 

Deutsche Gesellschaft für Schädlingsbekämpfung

die das Gas lieferte
Diese unterwiesen uns
5   in der Handhabung des Gases
und der Gasmasken
die mit besonderen Aufsätzen
ausgestattet waren

RICHTER  Wie war das Gas verpackt

10  ANGEKLAGTER 17  Es war in Büchsen zu einem halben Kilo
Die sahen aus wie Kaffeebüchsen
Am Anfang waren Pappdeckel darauf
immer leicht feucht und grau
Später hatten sie Metallverschlüsse

15  RICHTER  Wie sah der Inhalt der Büchsen aus

ANGEKLAGTER 17  Es war eine körnige zerbröckelnde
Masse
Man kann es schlecht sagen
Ähnlich wie Stärke
20  Bläulich weiß

RICHTER  Wissen Sie
woraus diese Masse bestand

ANGEKLAGTER 17  Es war ein Zyanwasserstoff*
in gebundener Form

Cyan: giftige Kohlenstoff-Stickstoff-Verbindung

25  Sobald die Brocken
der Luft ausgesetzt wurden
entwich Blausäuregas

RICHTER  Wie verlief Ihre Arbeit mit dem Gas

ANGEKLAGTER 17  Häftlinge mußten die Kleidungsstücke
30  in der Kammer aufhängen
Dann habe ich zusammen mit einem anderen
Desinfektor
das Gas eingeworfen
Nach 24 Stunden haben wir die Sachen
35  wieder rausgeholt

dann kamen neue herein
und so ging das weiter
Auch Unterkünfte hatten wir zu desinfizieren
Nachdem die Fenster verklebt worden waren
wurden die Büchsen mit Schlageisen                                5
und Hammer geöffnet
sodann wurde eine Gummihaube darübergestülpt
weil sonst das Gas entwich
und wir erst mehrere Büchsen öffnen mußten
Wenn alles vorbereitet war                                        10
wurde das Gas ausgestreut

RICHTER War dem Gas ein Reizstoff beigemischt
als Warnung

ANGEKLAGTER 17 Nein
Das Zyklon B wirkte sehr schnell                                  15
Ich erinnere mich
wie der Unterscharführer Theurer
einmal in ein Haus kam
das schon entwest war
Am Abend war es gelüftet worden                                   20
unten im Erdgeschoß
und am nächsten Morgen wollte Theurer
die Fenster im ersten Stock öffnen
Er muß wohl noch Dämpfe eingeatmet haben
fiel sofort um und rollte                                         25
bewußtlos die Treppe hinunter
bis dahin
wo er frische Luft bekam
Wäre er anders gefallen
dann wäre er nicht mehr herausgekommen                            30

ANKLÄGER Wurden Sie mit Ihren Fachkenntnissen
nicht hinzugezogen
als man damit begann
Menschen mit Zyklon B zu töten

ANGEKLAGTER 17 Ich sage grundsätzlich nur                         35

was wahr ist
Ich vertrug das Gas nicht
Ich bekam Magenbeschwerden und bat darum
versetzt zu werden
5  ANKLÄGER  Wurden Sie versetzt
ANGEKLAGTER 17  Noch nicht gleich
ANKLÄGER  Wann wurden Sie versetzt
ANGEKLAGTER 17  Daran kann ich mich nicht mehr
                             erinnern
10  ANKLÄGER  Sie wurden im April 1944 versetzt
Bis dahin stiegen Sie noch in den Graden
Zunächst wurden Sie zum Rottenführer
und dann zum Unterscharführer befördert
VERTEIDIGER  Wir protestieren
15  gegen diese Unterschiebung
Daß Mitglieder des Lagerpersonals
im Range stiegen
ist einzig und allein dienstlich zu bewerten
und beweist keineswegs ihre Mitschuld
20  *Zustimmung von seiten der Angeklagten*


II


RICHTER  Wo wurde das Gas aufbewahrt
ZEUGE 6  Es stand im Keller der Apotheke
in Kisten verpackt
25  RICHTER  Angeklagter Capesius
War Ihnen als Vorstand der Apotheke bekannt
daß dort Zyklon B gelagert wurde
ANGEKLAGTER 3  Da muß der Herr Zeuge
einer Verwechslung zum Opfer gefallen sein
30  Was diese Kisten im Keller betrifft

Markenname
für Instant-
pulver aus
Kakao und
Malz

so enthielten sie
Ovomaltin*
Es war eine Sendung vom Schweizer
Roten Kreuz

ZEUGE 6 Ich habe den Karton mit Ovomaltin gesehn
und ich habe die Kisten mit dem Zyklon gesehn
und auch die Koffer habe ich gesehn
in denen der Angeklagte Capesius
Schmuckstücke und Zahngold verwahrte

ANGEKLAGTER 3 Das sind Erfindungen

ZEUGE 6 Woher stammt das Geld
mit dem sich der Angeklagte Capesius
sofort nach dem Krieg
eine eigene Apotheke
und einen Schönheitssalon einrichtete
Sei schön durch eine Behandlung bei Capesius
so hieß es in der Firmareklame

ANGEKLAGTER 3 Das Geld dafür erhielt ich durch eine
Anleihe

ZEUGE 6 Und woher stammen die 50 000 Mark
die mir und einigen andern Zeugen geboten wurden
wenn wir hier beschwören würden
Capesius habe im Lager nur die Apotheke verwaltet
und nicht die Aufsicht gehabt
über das Zyklon B und das Phenol

ANGEKLAGTER 3 Darüber ist mir nichts bekannt

ANKLÄGER Von wem wurde dieser Bestechungsversuch
vorgenommen

ZEUGE 6 Er kam von anonymer Seite

ANKLÄGER Wissen Sie
ob eine der legalen ⌈Hilfsorganisationen
ehemaliger Wachmannschaften⌉
dahinter stand

ZEUGE 6 Das weiß ich nicht
Ich möchte dem Gericht jedoch folgenden Brief

den ich erhalten habe
zur Kenntnis geben
Der Brief ist mit den Worten überschrieben
Arbeitsgemeinschaft für Recht und Freiheit
5   Sein Inhalt lautet
Sie werden bald von der Bildfläche verschwinden
Sie werden einen qualvollen Tod sterben
Unsere Mitarbeiter beobachten Sie ständig
Sie können jetzt wählen
10   Tod oder Leben
RICHTER  Das Gericht wird die Herkunft dieses Briefes
untersuchen
VERTEIDIGER  Herr Zeuge
können Sie angeben
15   was auf den Kisten stand
ZEUGE 6  Da stand
Vorsicht Giftgas
Und dann war das Warnungsschild
mit dem Totenkopf darauf
20   VERTEIDIGER  Haben Sie den Inhalt der Kiste gesehen
ZEUGE 6  Ich sah geöffnete Kisten
mit den Büchsen darin
VERTEIDIGER  Was stand auf den Etiketten
ZEUGE 6  Giftgas Zyklon
25   VERTEIDIGER  Stand noch mehr darauf
ZEUGE 6  Da stand noch
Vorsicht Ohne Warnstoff
Nur durch geübtes Personal zu öffnen
RICHTER  Herr Zeuge
30   haben Sie gesehen
daß diese Büchsen zu den Gaskammern
transportiert wurden
ZEUGE 6  Wir hatten solche Kisten
in den Sanitätswagen zu verladen
35   der zum Abholen kam

RICHTER  Wer fuhr im Wagen mit

ZEUGE 6  Ich sah dort Dr. Frank und Dr. Schatz
sowie Dr. Capesius
Sie hatten ihre Gasmasken dabei
Dr. Schatz hatte sogar einen Stahlhelm auf                    5
Ich erinnere mich daran
denn einer seiner Begleiter sagte
Du siehst aus wie ein kleiner Pilz

VERTEIDIGER  Wir möchten das Gericht daran erinnern
daß zu gewissen Zeiten im Krieg                              10
das Tragen von Gasmasken Pflicht war
Weder das Weggehen unserer Mandanten
noch ihr Zurückkommen mit einer Gasmaske
beweist
wohin sie gegangen sind                                      15

RICHTER  Herr Zeuge
haben Sie Lieferscheine
für die Sendungen des Gases gesehen

ZEUGE 6  Beim Eintreffen dieser Sendungen
die später immer größere Mengen umfaßten                     20
und die dann im alten Theatergebäude
außerhalb des Lagers gespeichert wurden
hatte ich die Begleitscheine oft
zur Verwaltung zu bringen
Als Absender war die deutsche Gesellschaft                   25
für Schädlingsbekämpfung angegeben

RICHTER  Auf welchem Weg
wurden die Sendungen befördert

ZEUGE 6  Teils kamen sie im Lastwagentransport
direkt von der Fabrik                                        30
oder sie liefen per Bahn
über Wehrmachtsfrachtbriefe

RICHTER  Erinnern Sie sich an angegebene Mengen

ZEUGE 6  Es kamen 14 bis 20 Kisten
auf einmal an                                                35

RICHTER Wie oft trafen Ihrer Berechnung nach
diese Transporte ein
ZEUGE 6 Mindestens einmal wöchentlich
Im Jahre 1944 mehrmals in der Woche
Da wurden auch die Lastwagen der Fahrbereitschaft
des Lagers herangeholt
RICHTER Wieviele Büchsen
waren in einer Kiste enthalten
ZEUGE 6 Jede Kiste enthielt 30 Büchsen
à 500 Gramm
RICHTER Sahen Sie Preisangaben
ZEUGE 6 Der Preis per Kilo war 5 RM
RICHTER Wieviele Büchsen
wurden für eine Vergasung benötigt
ZEUGE 6 Für 2000 Menschen in einer Kammer
wurden etwa 16 Büchsen verbraucht
RICHTER Das Kilo zu 5 Mark
macht 40 Mark


III


RICHTER Angeklagter Mulka
Als Lageradjutant unterstand Ihnen auch
die Fahrbereitschaft
Hatten Sie da Fahrbefehle auszuschreiben
ANGEKLAGTER 1 Ich habe keine solchen Befehle
geschrieben
Damit hatte ich nichts zu tun
RICHTER Wußten Sie
was Anforderungen von Material zur Umsiedlung
bedeuteten
ANGEKLAGTER 1 Nein

RICHTER Angeklagter Mulka
Das Gericht ist im Besitz von Fahrbefehlen
zum Transport von Material zur Umsiedlung
Diese Dokumente sind von Ihnen unterschrieben

ANGEKLAGTER 1 Es mag sein
daß ich den einen oder den andern Befehl
einmal abzeichnen mußte

RICHTER Haben Sie nicht erfahren
daß Material zur Umsiedlung
aus dem Gas Zyklon B bestand

ANGEKLAGTER 1 Wie ich bereits äußerte
war mir dies nicht bekannt

RICHTER Von wem wurden die Anforderungen
dieses Materials ausgegeben

ANGEKLAGTER 1 Sie liefen durch Fernschreiben ein
und wurden an den Kommandanten
oder den Schutzhaftlagerführer
weitergeleitet
Von dort gelangten sie an den Chef
der Fahrbereitschaft

RICHTER Unterstand der nicht Ihnen

ANGEKLAGTER 1 Nur disziplinar

RICHTER Lag es nicht in Ihrem Interesse
zu erfahren
wozu die Lastwagen der Fahrbereitschaft
eingesetzt wurden

ANGEKLAGTER 1 Es war mir ja bekannt
daß sie zur Materialverfrachtung
benötigt wurden

RICHTER Wurden auch Häftlinge
in den Lastwagen transportiert

ANGEKLAGTER 1 Davon weiß ich nichts
Zu meiner Zeit gingen die Häftlinge
zu Fuß

RICHTER Angeklagter Mulka

Es befindet sich in unserer Hand ein Schriftstück
in dem die Rede ist
von der erforderlichen dringenden Fertigstellung
der neuen Krematorien
mit dem Hinweis
daß die damit beschäftigten Häftlinge
auch sonntags zu arbeiten hätten
Das Schreiben ist von Ihnen unterzeichnet

ANGEKLAGTER 1 Ja
das muß ich wohl diktiert haben

RICHTER Wollen Sie immer noch behaupten
daß Sie von den Massentötungen
nichts gewußt haben

ANGEKLAGTER 1 Alle meine Einlassungen
entsprechen der Wahrheit

RICHTER Wir haben als Zeugen einberufen
den ehemaligen Werkstattleiter
der Fahrbereitschaft des Lagers
Herr Zeuge
wieviele Wagen gab es da

ZEUGE 1 Die Lastwagenstaffel bestand aus
10 schweren Fahrzeugen

RICHTER Von wem erhielten Sie die Fahrbefehle

ZEUGE 1 Vom Fahrbereitschaftschef

RICHTER Von wem waren die Fahrbefehle unterschrieben

ZEUGE 1 Das weiß ich nicht

RICHTER Herr Zeuge
Wozu wurden die Lastwagen eingesetzt

ZEUGE 1 Zum Abholen von Frachten
und zum Häftlingstransport

RICHTER Wohin wurden die Häftlinge transportiert

ZEUGE 1 Das kann ich nicht mit Bestimmtheit sagen

RICHTER Haben Sie an diesen Transporten teilgenommen

ZEUGE 1 Ich mußte da mal mitfahren
als Ersatz

RICHTER  Wohin fuhren Sie

ZEUGE 1  Ins Lager rein
  wo sie da ausgesucht wurden
  und was da so war

RICHTER  Wohin fuhren Sie dann mit den Menschen  5

ZEUGE 1  Bis zum Lagerende
  Da war ein Birkenwald
  Da wurden die Leute abgeladen

RICHTER  Wohin gingen die Menschen

ZEUGE 1  In ein Haus rein  10
  Dann habe ich nichts mehr gesehen

RICHTER  Was geschah mit den Menschen

ZEUGE 1  Das weiß ich nicht
  Ich war ja nicht dabei

RICHTER  Erfuhren Sie nicht  15
  was mit ihnen geschah

ZEUGE 1  Die wurden wohl verbrannt
  an Ort und Stelle

# 11 Gesang von den Feueröfen

## I

RICHTER  Herr Zeuge
  Sie gehörten den Fahrern
5  der Sanitätswagen an
  in denen das Blausäurepräparat Zyklon B
  zu den Gaskammern transportiert wurde
ZEUGE 2  Ich war als Traktorführer
  ins Lager kommandiert worden
10  und mußte dann später auch
  als Fahrer von Sanitätswagen
  Dienst tun
RICHTER  Wohin fuhren Sie
ZEUGE 2  Ich hatte die Sanitäter und Ärzte
15  abzuholen
RICHTER  Wer waren die Ärzte
ZEUGE 2  Daran kann ich mich nicht erinnern
RICHTER  Wohin hatten Sie die Sanitäter und Ärzte
  zu bringen
20 ZEUGE 2  Vom alten Lager
  zur Rampe des Barackenlagers
RICHTER  Wann fuhren Sie
ZEUGE 2  Wenn Transporte ankamen
RICHTER  Wie wurden die Transporte angekündigt
25 ZEUGE 2  Mit einer Sirene
RICHTER  Wohin fuhren Sie von der Rampe aus
ZEUGE 2  Zu den Krematorien
RICHTER  Fuhren die Ärzte mit
ZEUGE 2  Ja
30 RICHTER  Was taten die Ärzte dort
ZEUGE 2  Der Arzt blieb im Wagen sitzen

oder stand daneben
Die Sanitäter mußten die Sachen
verrichten
RICHTER  Welche Sachen
ZEUGE 2  Die Vergasungen
RICHTER  Befanden sich bei Ihrer Ankunft
die Menschen schon
in der Gaskammer
ZEUGE 2  Sie waren noch beim Auskleiden
RICHTER  Gab es da keine Unruhen                              1●
ZEUGE 2  Wie ich da war
ging es immer ganz friedlich zu
RICHTER  Was konnten Sie vom Vorgang
der Vergasung sehen
ZEUGE 2  Wenn die Häftlinge in die Kammern                   1●
eingeführt worden waren
gingen die Sanitäter zu den Luken
setzten ihre Gasmasken auf
und entleerten die Büchsen
RICHTER  Wo befanden sich die Luken                          2●
ZEUGE 2  Da war eine schräge Anschüttung
über dem unterirdischen Raum
mit 4 Kästen
RICHTER  Wieviele Büchsen wurden entleert
ZEUGE 2  3 bis 4 Büchsen in jedes Loch                       2●
RICHTER  Wie lange dauerte das
ZEUGE 2  Etwa eine Minute
RICHTER  Schrien die Menschen nicht
ZEUGE 2  Wenn einer gemerkt hatte
was los war                                                  3●
konnte man wohl einen Schrei hören
ANKLÄGER  Herr Zeuge
Wie weit stand Ihr Wagen
von der Vergasungskammer entfernt
ZEUGE 2  Der stand auf dem Weg                               3●
etwa 20 Meter ab

ANKLÄGER  Und da konnten Sie hören
was unten in den Kammern geschah
ZEUGE 2  Manchmal bin ich ausgestiegen
um zu warten
ANKLÄGER  Was taten Sie da
ZEUGE 2  Nichts
Ich rauchte eine Zigarette
ANKLÄGER  Näherten Sie sich den Luken
über der Gaskammer
ZEUGE 2  Ich ging manchmal etwas auf und ab
um mir die Beine zu vertreten
ANKLÄGER  Was hörten Sie da
ZEUGE 2  Wenn die Deckel von den Luken
abgehoben wurden
hörte ich ein Dröhnen von unten
als ob sich dort viele Menschen
unter der Erde befänden
ANKLÄGER  Und was taten Sie dann
ZEUGE 2  Die Luken wurden wieder geschlossen
und ich mußte zurückfahren
RICHTER  Herr Zeuge
Sie waren Häftlingsarzt im Sonderkommando
das zum Dienst in den Krematorien
eingesetzt war
Wieviele Häftlinge befanden sich
in diesem Kommando
ZEUGE 7  Insgesamt 860 Mann
Das Häftlingskommando wurde im Abstand
von einigen Monaten vernichtet
und durch eine neue Belegschaft ersetzt
RICHTER  Wem unterstanden Sie
ZEUGE 7  Dr. Mengele
RICHTER  Herr Zeuge
Wie ging die Einlieferung
in die Gaskammern vor sich

ZEUGE 7  Der Lokomotivpfiff
vorm Einfahrtstor zur Rampe
war das Signal
daß ein neuer Transport eintraf
Das bedeutete
daß in etwa einer Stunde
die Öfen voll gebrauchsfähig sein mußten
Die Elektromotore wurden eingeschaltet
Diese trieben die Ventilatoren
die das Feuer in den Öfen
auf den erforderlichen Hitzegrad brachten
RICHTER  Konnten Sie sehen
wie die Gruppen von der Rampe kamen
ZEUGE 7  Vom Fenster meines Arbeitszimmers aus
konnte ich den oberen Teil der Rampe
und den Weg zum Krematorium überblicken
Die Menschen kamen in Fünferreihen an
Die Kranken fuhren in Lastwagen hinterher
Das Krematoriumgelände
war von einem Gitter abgeschlossen
Am Tor hingen Warnungsschilder
Die Begleitmannschaften mußten zurückbleiben
und das Sonderkommando übernahm die Führung
Nur Ärzte und Sanitätsdienstgrade
sowie Mitglieder der Politischen Abteilung
kamen herein
RICHTER  Wen von den Angeklagten
sahen Sie dort
ZEUGE 7  Stark sah ich dort und Hofmann
auch Kaduk und Baretzki
VERTEIDIGER  Wir machen darauf aufmerksam
daß unsere Mandanten
die Teilnahme an diesen Vorgängen
bestreiten
RICHTER  Herr Zeuge
Setzen Sie Ihren Bericht fort

ZEUGE 7  Die Menschen gingen langsam und müde
         durch das Tor
         Die Kinder hingen an den Röcken der Mütter
         Ältere Männer trugen Säuglinge
         oder schoben Kinderwagen
         Der Weg war mit schwarzer Schlacke bestreut
         Rechts und links waren ein paar Wasserhähne
         auf den Grasflächen
         Oft drängten sich die Menschen darum
         und das Kommando ließ sie noch trinken
         trieb sie aber zur Eile an
         Sie hatten noch etwa 50 Meter zu gehen
         bis sie zur Treppe kamen
         die hinunter in die Auskleideräume führte

RICHTER  Was war vom Krematoriumbau zu sehen

ZEUGE 7  Nur das Verbrennungsgebäude
         mit dem großen viereckigen Schornstein
         Unterirdisch schloß sich daran
         seitlich abzweigend
         die Vergasungskammer
         und in der Längsrichtung
         der Auskleideraum

RICHTER  Bestand freie Sicht auf das Krematorium

ZEUGE 7  Es war von Bäumen und Buschwerk umgeben
         und lag etwa 100 Meter
         von der Lagerumzäunung entfernt
         Gegenüber waren die Außenzäune
         mit Wachtürmen
         Dahinter breiteten sich offene Felder aus

RICHTER  Wie groß war der Auskleideraum

ZEUGE 7  Etwa 40 Meter lang
         12 bis 15 Stufen führten hinab
         Er war etwas über 2 Meter hoch
         In der Mitte stand eine Reihe von Tragpfeilern

RICHTER  Wieviele Menschen wurden auf einmal
                                    hinabgeführt

ZEUGE 7  1000 bis 2000 Menschen

RICHTER  Wußten die Menschen
was ihnen bevorstand

ZEUGE 7  Über der schmalen Treppe
waren Tafeln angebracht
Da stand in verschiedenen Sprachen
BADE- UND DESINFIZIERUNGSRAUM
Das klang beruhigend
und beschwichtigte viele
die noch mißtrauisch waren
Oft sah ich Menschen
froh hinuntergehen
und Mütter scherzten mit ihren Kindern

RICHTER  Brach nie Panik aus
zwischen den vielen Menschen
im engen Raum

ZEUGE 7  Es ging alles sehr schnell und effektiv
Das Kommando zum Ausziehen wurde gegeben
und während die Menschen sich noch
ratlos umsahen
half das Sonderkommando ihnen schon
beim Abnehmen der Kleider
An den Seiten waren Bänke aufgestellt
mit numerierten Haken darüber
und es wurde wiederholt gesagt
daß Kleidungsstücke und Schuhe
zusammengebunden aufzuhängen seien
und daß jeder sich die Nummer seines Hakens
zu merken habe
damit nach der Rückkehr aus dem Bad
kein Durcheinander entstehe
In dem grellen Licht
kleideten sich die Menschen aus
Männer und Frauen
Alte und Junge
Kinder

RICHTER Warfen sich diese vielen Menschen
niemals auf ihre Bewacher
ZEUGE 7 Nur einmal hörte ich
wie einer rief
5   Sie wollen uns umbringen
Aber da antwortete schon ein anderer
Das ist undenkbar
Niemals kann so etwas geschehn
Verhaltet euch ruhig
0   Und wenn Kinder weinten
wurden sie von ihren Eltern getröstet
und man schäkerte und spielte mit ihnen
während sie in den angrenzenden Raum
getragen wurden
5 RICHTER Wo lag der Eingang zu diesem Raum
ZEUGE 7 Am Ende der Auskleidehalle
Es war eine dicke Eichentür
mit einem Guckloch
und einem Radgriff
0   zum Zuschrauben
RICHTER Wie lange dauerte das Auskleiden
ZEUGE 7 Etwa 10 Minuten
Dann wurden alle
in den andern Raum gedrängt
5 RICHTER Mußte nie Gewalt angewendet werden
ZEUGE 7 Die Leute vom Sonderkommando riefen
Schnell schnell
das Wasser wird kalt
Und es wurde auch wohl gedroht und geschlagen
0   oder einer der Wachleute
gab einen Schuß ab
RICHTER War der andere Raum
durch Duschen getarnt
ZEUGE 7 Nein
5   Da war nichts

RICHTER  Wie groß war dieser Raum

ZEUGE 7  Kleiner als der Auskleideraum
Etwas mehr als 30 Meter lang

RICHTER  Wenn 1000 und mehr Menschen
in einem solchen Raum zusammengedrängt wurden
mußte es doch zum Aufruhr kommen

ZEUGE 7  Da war es zu spät
Die letzten wurden hineingepreßt
und die Tür wurde zugeschraubt

RICHTER  Herr Zeuge                                                    10
haben Sie eine Erklärung dafür
warum die Menschen dies alles
mit sich geschehen ließen
Angesichts dieses Raumes
mußten sie doch wissen                                            1
daß ihr Ende bevorstand

ZEUGE 7  Es kam kein einziger heraus
um darüber berichten zu können

RICHTER  Was zeigte sich den Menschen
in diesem Raum                                                        2

ZEUGE 7  Da waren Betonwände
mit einzelnen Ventilklappen
In der Mitte waren die Tragpfeiler
und rechts und links davon
standen je 2 Säulen                                                   2
aus perforiertem Eisenblech
Auf dem Fußboden waren Abflußgatter
Auch hier brannte starkes Licht

RICHTER  Was war von den Menschen zu hören

ZEUGE 7  Sie schrien jetzt                                            3
und schlugen an die Tür
aber es war nicht viel zu hören
da war solch ein Summen
von den Ofenräumen

RICHTER  Was war durch die Türluke zu sehen                          3

11. Gesang

ZEUGE 7  Die Menschen drängten sich an die Tür
und kletterten an den Säulen hoch
Dann kam das Ersticken
als das Gas eingeworfen wurde

## II

ZEUGE 7  Das Gas wurde oben
in die Blechsäulen eingeworfen
Innerhalb der Säulen
verlief eine spiralenförmige Rinne
in der sich die Masse verteilte
In der feuchten erhitzten Luft
entwickelte sich das Gas schnell
und drang durch die Öffnungen
RICHTER  Wie lange dauerte die Wirkungszeit des Gases
bis der Tod eintrat
ZEUGE 7  Das hing von der Menge des Gases ab
Aus Ersparnisgründen wurde meist
nicht genügend eingeworfen
so daß die Tötung
bis zu 5 Minuten dauern konnte
RICHTER  Was war die unmittelbare Wirkung des Gases
ZEUGE 7  Es weckte Schwindel und starke Übelkeit
und lähmte die Atmungsfunktionen
RICHTER  Wie lange stand der Raum unter Gas
ZEUGE 7  20 Minuten
Dann wurden die Entlüftungsapparate eingeschaltet
und das Gas herausgepumpt
Nach 30 Minuten wurden die Türen geöffnet
Nur zwischen den Leichen war noch in kleinen Mengen
Gas vorhanden

und verursachte einen Reizhusten
deshalb mußten die Leute des Räumungskommandos
Gasmasken tragen
RICHTER  Herr Zeuge
Sahen Sie diesen Raum nach der Öffnung
ZEUGE 7  Ja
Die Leichen lagen übereinandergedrängt
in der Nähe der Tür und der Säulen
und zwar lagen Säuglinge
Kinder und Kranke unten
darüber die Frauen
und ganz oben die kräftigsten Männer
Dies war so zu erklären
daß die Menschen sich gegenseitig niedertraten
und aufeinanderkletterten
weil das Gas sich anfangs am stärksten
in Bodenhöhe entwickelte
Die Menschen waren ineinander verkrallt
Die Haut war zerkratzt
Viele bluteten aus Nase und Mund
Die Gesichter waren angeschwollen
und fleckig
Die Menschenhaufen waren besudelt
von Erbrochenem
von Kot Urin und Menstruationsblut
Das Räumungskommando kam mit Wasserschläuchen
und spritzte die Leichen ab
Dann wurden sie in die Lastfahrstühle gezogen
und hinauf in den Verbrennungssaal befördert
RICHTER  Wie groß waren die Fahrstühle
ZEUGE 7  Es waren 2 Lastenaufzüge
die je 25 Tote faßten
Sobald ein Aufzug vollbeladen war
wurde ein Klingelzeichen gegeben
Oben an den Fahrstühlen

stand das Schleppkommando bereit
Sie trugen eine Schlinge in der Hand
die sie den Toten um das Handgelenk streiften
Auf einer eigens dazu bestimmten Bahn
wurden die Leichen zu den Öfen geschleift
Das Blut wurde von ständig fließendem Wasser
abgespült
Vor der Verbrennung
wurden sie von Spezialkommandos
zur Auswertung übernommen
Alles was noch an Schmuck
an den Körpern zu finden war
wie Halsketten Armbänder
Ringe und Ohrgehänge
wurde abgenommen
sodann wurde das Haar geschnitten
und sofort gebündelt
und in Säcke verpackt
und zum Schluß traten die Zahnzieher an
die sich auf Dr. Mengeles ausdrücklichen Befehl
aus erstklassigen Spezialisten zusammensetzten
Doch bei ihrer Arbeit mit Zangen und Brecheisen
rissen sie mit den Goldzähnen und Brücken
ganze Stücke der Kiefer heraus
und die Knochenstücke und das daran haftende Fleisch
wurden in einem Säurebad weggeätzt
100 Mann arbeiteten unaufhörlich vor den Öfen
in 2 Schichten

RICHTER  Wieviele Öfen befanden sich im
                Verbrennungssaal
ZEUGE 7  In den beiden großen Krematorien II und III
standen je 5 Öfen
Jeder Ofen hatte 3 Verbrennungskammern
Außer den Krematorien II und III
am Ende der Rampe

gab es die Krematorien IV und V
die je 2 vierkammrige Öfen hatten
Diese Krematorien lagen etwa
750 Meter entfernt
hinter dem Birkenwald
Bei voll laufendem Betrieb
waren zusammen 46 Verbrennungskammern
angeheizt

RICHTER  Wieviele Körper
fanden in einer Ofenkammer Platz

ZEUGE 7  Die Kapazität einer Kammer
umfaßte 3 bis 5 Leichen
Es kam jedoch selten vor
daß alle Öfen gleichzeitig arbeiteten
da diese auf Grund der Überheizung
oft beschädigt waren
Die Hersteller dieser Öfen
die Firma ⌐Topf und Söhne⌐ hat
wie es in ihrer Patentschrift
nach dem Kriege heißt
ihre Einrichtungen
auf Grund gewonnener Erfahrungen
verbessert

RICHTER  Wie lange dauerte die Verbrennung
in einer Ofenkammer

ZEUGE 7  Ungefähr eine Stunde
Dann konnte ein neuer Schub gefaßt werden
In den Krematorien II und III
wurden innerhalb von 24 Stunden
über 3000 Menschen verbrannt
Bei Überfüllung
verbrannte man die Leichen auch in Gruben
die neben den Krematorien
ausgehoben worden waren
Diese Gruben waren etwa 30 Meter lang

und 6 Meter tief
An den Enden der Gruben waren Abflußgräben
für das Fett
Das wurde mit Büchsen abgeschöpft
und über die Leichen gegossen
damit sie besser brannten
Im Sommer 1944
als die Verbrennungen die höchsten Ziffern erreichten
wurden täglich
bis zu 20 000 Menschen vernichtet
Ihre Asche wurde mit Lastwagen
zu dem 2 Kilometer entfernten Fluß gefahren
und dort ins Wasser geschüttet
RICHTER Wie wurden die Wertgegenstände
und das Zahngold verwaltet
ZEUGE 1 Bei der Einsammlung der Kleider
wurden die aufgefundenen Gelder und Schmuckstücke
in eine verschlossene Kiste geworfen
die oben einen Schlitz hatte
Vorher füllten sich die Wachleute
die eigenen Taschen
Die Kleider und Schuhe
die von den Häftlingen selbst
noch ordentlich zusammengelegt worden waren
liefen ins Reich
wo sie den Ausgebombten zugute kamen
Das Zahngold wurde eingeschmolzen
Ich wurde als Untersuchungsrichter angefordert
weil ausgehende Pakete
die kiloweise Gold enthielten
beschlagnahmt worden waren
Ich ermittelte daß es sich um Zahngold handelte
Nachdem ich das Gewicht einer einzelnen Plombe
errechnet hatte
kam ich zu dem Ergebnis

  daß Tausende von Menschen notwendig waren
  um einen solchen Klumpen Gold herzugeben
RICHTER Wurde denn damals von außen
  ein Richter einberufen
  der Vorgänge im Lager zu untersuchen hatte
ZEUGE 1 Irgendwo lebten noch Vorstellungen
  von einem Rechtsstaat fort
  Der Kommandant
  wollte die Korruption im Lager bekämpfen
  Bei meinem Besuch klagte er mir
  daß seine Leute der schweren Arbeit
  charakterlich oft nicht gewachsen seien
  Er führte mich dann zu den Verbrennungsanlagen
  wo er mir Einzelheiten erklärte
  Drinnen in den Heizräumen war alles
  spiegelblank geputzt
  Nichts deutete darauf hin
  daß Menschen hier verbrannt wurden
  Nicht einmal ein Stäubchen lag von ihnen
  auf der Ofenarmatur
  In der Wachtstube saßen die Mannschaften
  halbbetrunken auf den Bänken
  und in den Waschräumen standen
  ausgesucht hübsche Häftlingsmädchen
  und buken an einem Herd
  Kartoffelpuffer für die Männer
  die sich von ihnen bedienen ließen
  Als ich die Spinde der Leute untersuchte
  ergab sich
  daß diese vollgeladen waren
  mit Reichtümern
  Als Richter erhob ich damals Anklage auf Raub
  und einige wurden verhaftet und abgeurteilt
RICHTER Wie ging eine solche Anklage vor sich
ZEUGE 1 Es war ein Scheinprozeß

Weiter nach oben hin
konnte nicht verhaftet werden
und auf vielfachen Mord
war in diesem Fall keine Anklage möglich
RICHTER   Sahen Sie als Untersuchungsrichter
keine anderen Möglichkeiten
Ihre Kenntnisse zu veröffentlichen
ZEUGE 1   Vor welchem Gerichtshof
hätte ich Klage erheben können
über die Mengen der Getöteten
und über die
von den höchsten Verwaltungsstellen
übernommenen Werte
Ich konnte doch kein Verfahren
gegen die oberste Staatsführung einleiten
RICHTER   Konnten Sie nicht
auf andere Weise eingreifen
ZEUGE 1   Ich wußte
daß niemand mir geglaubt hätte
Ich wäre hingerichtet
oder im besten Fall
als geistesgestört eingesperrt worden
Ich dachte auch an Flucht über die Grenze
aber ich zweifelte
ob man mir dort glauben würde
und ich fragte mich was geschehen würde
wenn man mir glaubte
und wenn ich verhört werden sollte
gegen mein eigenes Volk
und ich konnte mir nur denken
daß man dieses Volk vernichten würde
für seine Taten
So blieb ich

III

RICHTER  Herr Zeuge
Es wird berichtet von einem Aufstand
des Sonderkommandos
Wann fand dieser Aufstand statt
ZEUGE 3  Am 6. Oktober 1944
Das Kommando sollte an diesem Tag
von den Wachmannschaften liquidiert werden
RICHTER  War dies dem Kommando vorher bekannt
ZEUGE 3  Alle wußten
daß sie umgebracht werden sollten
Lange vorher schon hatten sie sich
durch Häftlinge
die in den Rüstungsbetrieben arbeiteten

Sprengstoff  Büchsen mit Ekrasit* besorgt
Der Plan war
die Wachposten unschädlich zu machen
die Krematorien zu sprengen
und zu fliehen
Doch das Krematorium
in dem die Sprengbomben verwahrt lagen
wurde früher als erwartet ausgehoben
und die Leute sprengten sich selbst
in die Luft
Es kam noch zum Kampf
doch alle wurden überwältigt
Mehrere hundert lagen
hinter dem Birkenwäldchen
Sie lagen auf dem Bauch
und die Männer der Politischen Abteilung
töteten sie durch Kopfschüsse
RICHTER  Wer von den Angeklagten war dabei
ZEUGE 3  Boger war der Leitende

RICHTER  Wurde das Krematorium
   durch die Sprengung vernichtet
ZEUGE 3  Durch die Sprengung von 4 Pulverfässern
   explodierte das ganze Gebäude
   und brannte nieder
RICHTER  Was geschah mit den übrigen Krematorien
ZEUGE 3  Sie wurden kurze Zeit danach
   vom Lagerpersonal selbst gesprengt
   da die Front näherrückte
ANKLÄGER  Herr Zeuge
   Halten Sie es für möglich
   daß der Adjutant des Lagerkommandanten
   nicht über die Vorgänge in den Krematorien
   unterrichtet war
ZEUGE 3  Ich halte es für unmöglich
   Jedem der 6000 Mitglieder des Personals
   die im Lager arbeiteten
   waren die Vorgänge bekannt
   und jeder leistete auf seinem Posten
   was für das Funktionieren des Ganzen
   geleistet werden mußte
   Des weiteren wußte jeder Zugführer
   jeder Weichensteller
   jeder Bahnhofsbeamte
   der mit der Verfrachtung der Menschen
   zu tun hatte
   was im Lager geschah
   Jede Telegraphistin und Stenotypistin
   an denen die Deportationsbefehle vorbeiliefen
   wußten davon
   Jeder einzelne
   in den hundert und tausend Amtsstellen
   die mit den Aktionen beschäftigt waren
   wußte
   worum es ging

VERTEIDIGER  Wir protestieren gegen diese Behauptungen
    die vom Haß diktiert sind
    Niemals kann Haß
    eine Grundlage bilden
    für die Beurteilung
    der hier zur Sprache geführten
    Einzelheiten
ZEUGE 3  Ich spreche frei von Haß
    Ich hege gegen niemanden den Wunsch
    nach Rache
    Ich stehe gleichgültig
    vor den einzelnen Angeklagten
    und gebe nur zu bedenken
    daß sie ihr Handwerk
    nicht hätten ausführen können
    ohne die Unterstützung
    von Millionen anderen
VERTEIDIGER  Hier steht nur zur Diskussion
    was unseren Mandanten
    bewiesenerweise vorgehalten werden kann
    Vorwürfe allgemeiner Art
    bleiben belanglos
    vor allem Vorwürfe
    die sich gegen eine ganze Nation richten
    die während der hier zu erörternden Zeit
    in einem schweren und aufopfernden
    Kampf stand
ZEUGE 3  Ich bitte nur
    darauf hinweisen zu dürfen
    wie dicht der Weg von Zuschauern gesäumt war
    als man uns aus unsern Wohnungen vertrieb
    und in die Viehwagen lud
    Die Angeklagten in diesem Prozeß
    stehen nur als Handlanger
    ganz am Ende

Andere sind über ihnen
die vor diesem Gericht nie
zur Rechenschaft gezogen wurden
Einige sind uns hier begegnet
als Zeugen
Diese leben unbescholten
Sie bekleiden hohe Ämter
sie vermehren ihren Besitz
und wirken fort in jenen Werken
in denen die Häftlinge von damals
verbraucht wurden

ANKLÄGER  Herr Zeuge
können Sie uns aus Ihrer Sicht sagen
wie hoch Sie die Zahl
der im Lager getöteten Menschen
schätzen

ZEUGE 3  Von den 9 Millionen 600 Tausend Verfolgten
die in den Gebieten lebten
die ihre Verfolger beherrschten
sind 6 Millionen verschwunden
und es ist anzunehmen
daß die meisten von ihnen
vorsätzlich vernichtet wurden
Wer nicht erschossen erschlagen
zu Tode gefoltert
und vergast wurde
kam um an Überarbeitung
Hunger Seuchen und Elend
Allein in diesem Lager
sind über 3 Millionen Menschen
ermordet worden
Um aber die Gesamtzahl der unbewaffneten Opfer
in diesem Ausrottungskrieg zu ermessen
müssen wir den 6 Millionen
aus rassischen Gründen Getöteten

3 Millionen erschossene und verhungerte
sowjetische Kriegsgefangene hinzufügen
sowie 10 Millionen Zivilisten
die in den besetzten Ländern umkamen⌐

VERTEIDIGER  Selbst wenn wir alle
die Opfer aufs tiefste beklagen
so ist unsere Aufgabe hier
Übertreibungen
und von bestimmter Stelle gelenkten
Beschmutzungen
entgegenzuwirken
Nicht einmal die Zahl von 2 Millionen Toten
läßt sich im Zusammenhang mit diesem Lager
bestätigen
Nur die Tötung von einigen Hunderttausend
hat Beweiskraft
Die Mehrzahl der genannten Gruppen
gelangte nach dem Osten
und als Ermordete können nicht solche zählen
die als Banden aufgegriffen
und liquidiert wurden
oder die als Überläufer
in den feindlichen Armeen fielen
Es wird uns in diesem Prozeß
nur allzu deutlich
welche politischen Absichten
hier die Aussagen bestimmen
über die untereinander zu verhandeln
die Zeugen reichlich Gelegenheit hatten
*Die Angeklagten lachen zustimmend*

ANKLÄGER  Das ist eine bewußte und gewollte
Mißachtung und Kränkung
der Toten des Lagers
und der Überlebenden
die sich bereitgefunden haben

hier als Zeugen auszusagen
In einem solchen Verhalten der Verteidigung
wird offensichtlich die Fortsetzung
jener Gesinnung demonstriert
5 die die Angeklagten in diesem Prozeß
schuldig werden ließ
Das soll hier mit Nachdruck
und mit aller Deutlichkeit
festgestellt werden
10 VERTEIDIGER Wer ist denn dieser Nebenkläger
mit seiner unpassenden Kleidung
Es entspricht mitteleuropäischen Gesellschaftsformen
mit geschlossener Robe im Gerichtssaal zu erscheinen
RICHTER Wir rufen zur Ordnung
15 Angeklagter Mulka
Wollen Sie uns jetzt nicht sagen
was Sie im Zusammenhang mit den
                    Vernichtungsaktionen
gewußt und angeordnet haben
20 ANGEKLAGTER 1 Ich habe nichts diesbezügliches
                                    angeordnet
RICHTER Haben Sie nichts
von den Vernichtungsaktionen erfahren
ANGEKLAGTER 1 Erst gegen Ende meiner Dienstzeit
25 Ich kann heute sagen
daß ich von Abscheu erfüllt war
RICHTER Wenn Sie von Abscheu erfüllt waren
warum weigerten Sie sich dann nicht
daran teilzunehmen
30 ANGEKLAGTER 1 Ich war Offizier
und kannte das Militärstrafgesetz
ANKLÄGER Sie waren kein Offizier
ANGEKLAGTER 1 Doch
ich war Offizier
35 ANKLÄGER Sie waren kein Offizier

Sie haben einem uniformierten
Mordkommando angehört
ANGEKLAGTER 1  Hier wird meine Ehre angegriffen
RICHTER  Angeklagter Mulka
Es handelt sich um Mord
ANGEKLAGTER 1  Wir waren davon überzeugt
daß es bei diesen Befehlen
um die Erreichung eines versteckten
Kriegszieles ging
Herr Präsident                                                        1
ich bin darunter fast seelisch zerbrochen
Ich wurde so krank davon
daß ich ins Lazarett
eingeliefert werden mußte
Aber das muß ich hier betonen                                        1
daß ich alles nur von außen sah
und daß ich meine Finger
aus der Sache hielt
Hohes Gericht
Ich war gegen diese ganze Angelegenheit                              2
Ich wurde selbst
ein Verfolgter des Systems
RICHTER  Was geschah Ihnen denn
ANGEKLAGTER 1  Ich wurde verhaftet
weil ich mich defaitistisch* geäußert hatte                          2
Drei Monate saß ich in Haft
Nach meiner Freilassung
kam ich in die Terrorangriffe des Feindes
Viele konnte ich damals noch retten
als ich als alter Soldat                                             3
bei den Räumungsarbeiten mithalf
Mein eigener Sohn kam um
Herr Präsident
man soll in diesem Prozeß
auch nicht die Millionen vergessen                                   3

(franz.)
ablehnend,
schwarz-
seherisch

die für unser Land ihr Leben ließen
und man soll nicht vergessen
was nach dem Krieg geschah
und was immer noch
gegen uns vorgenommen wird
Wir alle
das möchte ich nochmals betonen
haben nichts als unsere Schuldigkeit getan
selbst wenn es uns oft schwer fiel
und wenn wir daran verzweifeln wollten
Heute
da unsere Nation sich wieder
zu einer führenden Stellung
emporgearbeitet hat
sollten wir uns mit anderen Dingen befassen
als mit Vorwürfen
die längst als ⌜verjährt⌝
angesehen werden müßten
*Laute Zustimmung von seiten der Angeklagten*

# Anhang

**SITUATIONSPLAN**

| | |
|---|---|
| 1–28 | Blocks |
| a | Lagerkommandant |
| b | Hauptwache |
| c | Kommandantur-Gebäude |
| d | Verwaltungs-Gebäude |
| e | SS-Lazarett |
| f–g | Politische Abteilung |
| h | Krematorium I |
| i | Blockführerstube |
| j | Lagerküche |
| k | Aufnahmegebäude |
| l | »Theatergebäude« |
| m | Schwarze Wand |

## Meine Ortschaft

Bei meinen Überlegungen, welche menschliche Siedlung
oder welche Gegend einer Landschaft am besten dazu geeignet sei, in diesem Atlas umrissen zu werden, tauchten
5 anfangs viele Möglichkeiten auf. Doch von meinem Ge-
burtsort aus, der den Namen Nowawes trägt und der den
Informationen nach gleich neben Potsdam an der Bahn-
strecke nach Berlin liegen soll, über die Städte Bremen und
Berlin, in denen ich meine Kindheit verbrachte, bis zu den
10 Städten London, Prag, Zürich, Stockholm, Paris, in die ich

später verschlagen wurde, nehmen alle Aufenthaltsorte etwas Provisorisches an, und dabei habe ich die kürzeren Zwischenstationen gar nicht erwähnt, alle diese Flecken, heißen sie nun Warnsdorf in Böhmen, oder Montagnola im Tessin, oder Alingsas in Westschweden.

Es waren Durchgangsstellen, sie boten Eindrücke, deren wesentliches Element das Unhaltbare, schnell Verschwindende war, und wenn ich untersuche, was jetzt daraus hervorgehoben und für wert befunden werden könnte, einen festen Punkt in der Topographie meines Lebens zu bilden, so gerate ich nur immer wieder an das Zurückweichende, alle diese Städte werden zu blinden Flecken, und nur eine Ortschaft, in der ich nur einen Tag lang war, bleibt bestehen.

Die Städte, in denen ich lebte, in deren Häusern ich wohnte, auf deren Straßen ich ging, mit deren Bewohnern ich sprach, haben keine bestimmten Konturen, sie fließen ineinander, sie sind Teile einer einzigen ständig veränderlichen irdischen Außenwelt, weisen hier einen Hafen auf, dort einen Park, hier ein Kunstwerk, dort einen Jahrmarkt, hier ein Zimmer, dort einen Torgang, sie sind vorhanden im Grundmuster meines Umherwanderns, im Bruchteil einer Sekunde sind sie zu erreichen und wieder zu verlassen, und ihre Eigenschaften müssen jedesmal neu erfunden werden.

Nur diese eine Ortschaft, von der ich seit langem wußte, doch die ich erst spät sah, liegt gänzlich für sich. Es ist eine Ortschaft, für die ich bestimmt war und der ich entkam. Ich habe selbst nichts in dieser Ortschaft erfahren. Ich habe keine andere Beziehung zu ihr, als daß mein Name auf den Listen derer stand, die dorthin für immer übersiedelt werden sollten. Zwanzig Jahre danach habe ich diese Ortschaft gesehen. Sie ist unveränderlich. Ihre Bauwerke lassen sich mit keinen anderen Bauwerken verwechseln.

Auch sie trägt einen polnischen Namen, wie meine Geburtsstadt, die man mir vielleicht einmal aus dem Fenster eines fahrenden Zuges gezeigt hatte. Sie liegt in der Gegend, in der mein Vater kurz vor meiner Geburt in einer sagenhaften kaiserlich-königlichen Armee kämpfte. Von den übriggebliebenen Kasernen dieser Armee wird die Ortschaft beherrscht.

Zum besseren Verständnis der dort Werksamen und Ansässigen wurde ihr Name verdeutscht.

Auf dem Bahnhof von Auschwitz scheppern die Güterzüge. Lokomotivpfiffe und polternder Rauch. Klirrend aneinanderstoßende Puffer. Die Luft voll Regendunst, die Wege aufgeweicht, die Bäume kahl und feucht. Rußgeschwärzte Fabriken, umgeben von Stacheldraht und Mauerwerk. Holzkarren knirschen vorbei, von dürren Pferden gezogen, der Bauer vermummt und erdfarben. Alte Frauen auf den Wegen, in Decken gehüllt, Bündel tragend. Weiter ab in den Feldern einzelne Gehöfte, Gesträuch und Pappeln. Alles trübe und zerschlissen. Unaufhörlich die Züge oben auf dem Bahndamm, langsam hin- und herrollend, vergitterte Luken in den Waggons. Abweichgeleise führen weiter, zu den Kasernen, und noch weiter, über öde Felder zum Ende der Welt.

Außerhalb der Siedlungen, die nach der Räumung wieder bewohnt sind und aussehen, als sei der Krieg vor kurzem erst vorüber, erheben sich die Eisengitter vor der Anlage, die heute zu einem Museum ernannt ist. Autos und Omnibusse stehen am Parkplatz, eben tritt eine Schulklasse durch das Tor, ein Trupp Soldaten mit weinroten Mützen kehrt nach der Besichtigung zurück. Links eine lange Holzbaracke, hinter einer Luke Verkauf von Broschüren und Postkarten. Überheizte Wärterstuben. Gleich hinter der Baracke niedrige Betonwände, darüber eine grasbewachsene Böschung, ansteigend zum flachen Dach mit dem kurzen dicken viereckigen Schornstein. An Hand der Lagerkarte stelle ich fest, daß ich schon vor dem Krematorium stehe, dem kleinen Krematorium, dem ersten Krematorium, dem Krematorium mit der begrenzten Kapazität. Die Baracke vorn, das war die Baracke der politischen Abteilung, da befand sich das sogenannte Standesamt, in dem die Zugänge und Abgänge verzeichnet wurden. Da saßen die Schreiberinnen, da gingen die Leute mit dem Emblem des Totenkopfs aus und ein.

Ich bin hierher gekommen aus freiem Willen. Ich bin aus keinem Zug geladen worden. Ich bin nicht mit Knüppeln in dieses Gelände getrieben worden. Ich komme zwanzig Jahre zu spät hierher.

Eisengitter vor den kleinen Fenstern des Krematoriums. Seitwärts eine schwere morsche Tür, schief in den Angeln hängend, drinnen klamme Kälte. Zerbröckelnder Steinboden. Gleich rechts in einer Kammer ein großer eiserner Ofen. Schienen davor, darauf ein metallenes Fahrzeug in der Form eines Troges, von Menschenlänge. Im Innern des Kellers zwei weitere Öfen, mit den Bahrenwagen auf den Schienen, die Ofenluken weit offen, grauer Staub darin, auf einem der Wagen ein vertrockneter Blumenstrauß.

Ohne Gedanken. Ohne weitere Eindrücke, als daß ich hier allein stehe, daß es kalt ist, daß die Öfen kalt sind, daß die Wagen starr und verrostet sind. Feuchtigkeit rinnt von den schwarzen Wänden. Da ist eine Türöffnung. Sie führt zum Nebenraum. Ein langgestreckter Raum, ich messe ihn mit meinen Schritten. Zwanzig Schritte die Länge. Fünf Schritte die Breite. Die Wände weißgetüncht und abgeschabt. Der Betonboden ausgetreten, voller Pfützen. An der Decke, zwischen den massiven Tragbalken, vier quadratische Öffnungen, schachtartig durch den dicken Steinguß verlaufend, Deckel darüber. Kalt. Hauch vor dem Mund. Weit draußen Stimmen, Schritte. Ich gehe langsam durch dieses Grab. Empfinde nichts. Sehe nur diesen Boden, diese Wände. Stelle fest: durch die Öffnungen in der

Decke wurde das körnige Präparat geworfen, das in der feuchten Luft sein Gas absonderte. Am Ende des Raums eine eisenbeschlagene Tür mit einem Guckloch, dahinter eine schmale Treppe, die ins Freie führt. Ins Freie.

Dort steht ein Galgen. Ein Bretterkasten, mit nach innen herabgefallenen Luken, darüber der Pfahl mit dem Querbalken. Ein Schild teilt mit, daß hier der Kommandant des Lagers gehängt wurde. Als er auf dem Kasten stand, die Schlinge um den Hals, sah er hinter der doppelten Stacheldrahtumzäunung die Hauptstraße des Lagers vor sich, mit den Pappeln zu den Seiten.

Ich steige die Böschung hinauf auf die Decke des Krematoriums. Die hölzernen, mit Teerpappe benagelten Deckel lassen sich von den Einwurflöchern heben. Darunter liegt das Verlies. Sanitäter mit Gasmasken öffneten die grünen Blechbüchsen, schütteten den Inhalt hinab auf die emporgestreckten Gesichter, legten schnell wieder den Deckel auf.

Weiter. Ich bin noch außerhalb des Lagers. Der Galgen steht auf den Grundmauern der Vernehmungsbaracke, in der es ein Zimmer gab mit einem Holzgestell und einem Eisenrohr darüber. An dem Eisenrohr hingen sie und wurden geschaukelt und mit dem Ochsenziemer zerschlagen.

Die Kasernengebäude stehen dicht aneinander, das Verwaltungsgebäude, das Kommandanturgebäude, das Revier der Wachleute. Hohe Fensterfronten über dem Krematoriumbunker. Überall Einsicht auf das flache Dach, auf das die Sanitäter stiegen. In unmittelbarer Nähe die Barackenfenster, durch die die Schläge und das Schreien aus der Schaukelstube zu hören waren.

Alles eng, zusammengedrängt. An den Betonpfeilern vorbei, die in doppelter Reihe die Stacheldrähte tragen. Elektrische Isolatoren daran. Schilder mit der Aufschrift VORSICHT HOCHSPANNUNG. Rechts Schuppen und stallähnliche Bauwerke, ein paar Wachtürme, links eine

Bude mit einem Kioskfenster, daran ein Brett unter dem vorspringenden Dach, zur Abstempelung von Papieren, dann plötzlich das Tor, mit dem gußeisernen Textband, in dem das mittlere Wort MACHT sich am höchsten emporwölbt. Ein rot-weiß gestreifter Schlagbaum ist hochgestellt, ich trete ein in das Geviert, das sich Stammlager nennt.

Viel darüber gelesen und viel darüber gehört. Über sie, die hier frühmorgens zur Arbeit marschierten, in die Kiesgruben, zum Straßenbau, in die Fabriken der Herren, und abends zurückkehrten, in Fünferreihen, ihre Toten tragend, zu den Klängen eines Orchesters, das dort unter den Bäumen spielte. Was sagt dies alles, was weiß ich davon? Jetzt weiß ich nur, wie diese Wege aussehen, mit Pappeln bestanden, schnurgerade gezogen, mit rechtwinklig dazu verlaufenden Seitenwegen, dazwischen die ebenmäßigen vierzig Meter langen zweistöckigen Blöcke aus rotem Ziegel, numeriert von 1 bis 28. Eine kleine eingekerkerte Stadt mit zwangsmäßiger Ordnung, völlig verlassen. Hier und da ein Besucher im wäßrigen Nebel, unzugehörig zu den Häusern aufblickend. Entfernt an einer Ecke die Kinder vorbeiziehend, vom Lehrer geführt.

Hier die Küchengebäude am Hauptplatz, und davor ein holzgezimmertes Schilderhäuschen, mit aufgetürmtem Dach und Wetterfahne, lustig mit Steinfugen bemalt, wie aus einem Burgenbaukasten. Es ist das Häuschen des Rapportführers, von dem aus der Appell überwacht wurde. Ich wußte einmal von diesen Appellen, von diesem stundenlangen Stehen im Regen und Schnee. Jetzt weiß ich nur von diesem leeren lehmigen Platz, in dessen Mitte drei Balken in die Erde gerammt sind, die eine Eisenschiene tragen. Auch davon wußte ich, wie sie hier unter der Schiene auf Schemeln standen und wie dann die Schemel unter ihnen weggestoßen wurden und wie die Männer mit den Totenkopfmützen sich an ihre Beine hängten, um ihnen das Genick zu brechen. Ich hatte es vor mir gesehen, als ich davon hörte und davon las. Jetzt sehe ich es nicht mehr.

Vorherrschend der Eindruck, daß alles viel kleiner ist, als ich es mir vorgestellt hatte. Von jedem Punkt aus ist die Umgrenzung zu sehen, die hellgraue, aus Betonblöcken zusammengefügte Mauer hinter den Stacheldrähten. An der äußeren rechten Ecke der Block Zehn und Elf, verbunden mit Mauern, vorn in der Mitte das offene Holztor zum Hof mit der Schwarzen Wand.

Diese Schwarze Wand, zu deren Seiten sich kurze Bohlenstücke vorschieben zum Kugelfang, ist jetzt mit Korkplatten und Kränzen verkleidet. Vierzig Schritte vom Tor zur Wand. Ziegelstücke in den Sandboden gestampft. Am Saumstein des linken Gebäudes, dessen Fenster mit Brettern verschalt sind, läuft die Abflußrinne, in der sich das Blut der aufgehäuften Erschossenen sammelte. Im Laufschritt, nackt, kamen sie rechts aus der Tür, die sechs Stufen hinab, je zwei, vom Bunkerkapo an den Armen gehalten. Und hinter den zugenagelten Fenstern im Block gegenüber lagen die Frauen, deren Gebärmutter angefüllt wurde mit einer weißen zementartigen Masse.

Hier ist der Waschraum des Block Elf. Hier legten sie, die zur Wand mußten, ihre erbärmlichen blaugestreiften Kleider ab, hier in diesem kleinen schmutzigen Raum, zur unteren Hälfte geteert, zur oberen gekalkt, voll rostiger und schwärzlicher Flecken und Spritzer, umlaufen von einem blechernen Waschtrog, durchstoßen von schwarzen Rohren, quer durchspannt von einer Duschleitung, standen sie, ihre Nummern mit Tintenstift auf die Rippen geschrieben.

Hier der Waschraum, hier der steinerne Gang, geteilt von Eisengittern, vorn die Blockführerstube, mit Schreibtisch, Feldbett und Spinden, an der Wand der Wahlspruch EIN VOLK EIN REICH EIN FÜHRER, ein Gitternetz vor der Tür, ein Einblick in einen Schaukasten. Ein Panoptikum auch das Gerichtszimmer gegenüber, mit dem langen Sitzungstisch, den Protokollheften auf der grauen Decke, denn hin und wieder wurden die Todesurteile auch ausgesprochen, von Männern, die heute redlich leben und ihre bürgerlichen Ehren genießen.

Hier die Treppe, die hinabführt zu den Bunkern. Man hat sich die Mühe gegeben, die Wände mit einem Saum von flimmriger Marmorierung zu bemalen. Der Mittelgang, und rechts und links die Seitengänge mit Zellen, etwa drei mal zweieinhalb Meter groß, mit einem Kübel in einem Holzkasten und einem winzigen Fenster. Manche auch ohne Fenster, nur mit einem Luftloch oben in der Ecke. Bis zu vierzig Mann waren sie hier, kämpften um einen Platz an der Türritze, rissen sich die Kleider ab, brachen zusammen. Es gab solche, die noch lebten nach einer Woche ohne Nahrung. Es gab solche, deren Schenkel die Spuren von Zähnen trugen, deren Finger abgebissen waren, als man sie herauszog.

Ich blicke in diese Räumlichkeiten, denen ich selbst entgangen bin, stehe still zwischen den fossilen Mauern, höre keine Stiefelschritte, keine Kommandorufe, kein Stöhnen und Wimmern.

Hier, an diesem schmalen Vorraum, befinden sich die vier Stehzellen. Da ist die Luke am Boden, einen halben Meter hoch und breit, dahinter noch Eisenstäbe, da krochen sie hinein, und standen dort zu viert, in einem Schacht von neunzig zu neunzig Zentimetern. Oben das Luftloch, kleiner als die Fläche einer Hand. Standen dort fünf Nächte lang, zehn Nächte lang, zwei Wochen lang jede Nacht, nach der schweren Tagesarbeit.

An der Außenwand des Block sind vorgebaute Betonkästen mit einem kleinen perforierten Blechdeckel. Von hier dringt die Luft durch den langen Mauerschacht hinab in die Zellen, in denen sie standen, den Rücken, die Knie am Stein. Sie starben im Stehen, mußten morgens unten herausgekratzt werden.

Seit Stunden gehe ich jetzt im Lager umher. Ich weiß mich zu orientieren. Ich bin im Hof gestanden vor der Schwarzen Wand, ich habe die Bäume gesehen hinter der Mauer, und die Schüsse des Kleinkalibergewehrs, die aus nächster Nähe in den Hinterkopf abgefeuert wurden, habe ich nicht gehört. Ich habe die Dachbalken gesehen, an denen sie an den rücklings gebundenen Händen aufgehängt wurden, einen Fußbreit über dem Boden. Ich habe die Räume mit den verdeckten Fenstern gesehen, in denen den Frauen durch Röntgenstrahlen die Eierstöcke verbrannt wurden. Ich habe den Korridor gesehen, in dem sie alle standen, Zehntausende, und langsam vorrückten ins Arztzimmer, und hingeführt wurden einer nach dem andern, hinter den graugrünen Vorhang, wo sie auf einen Schemel gedrückt wurden und den linken Arm heben mußten und die Spritze ins Herz bekamen, und durchs Fenster sah ich den Hof draußen, auf dem die hundertneunzehn Kinder aus Zamosc warteten, und noch mit einem Ball spielten, bis sie an der Reihe waren.

Ich habe die Zeichnung gesehen vom Dach des alten Küchengebäudes, auf das mit großen Buchstaben gemalt war ES GIBT EINEN WEG ZUR FREIHEIT – SEINE MEILENSTEINE HEISSEN GEHORSAM FLEISS SAUBERKEIT EHRLICHKEIT WAHRHAFTIGKEIT NÜCHTERNHEIT UND LIEBE ZUM VATERLAND. Ich habe den Berg des abgeschnittenen Haares im Schaukasten gesehen. Ich habe die Reliquien der Kinderkleider gesehen, die Schuhe, Zahnbürsten und Gebisse. Es war alles kalt und tot.

Ständig gegenwärtig ist das Klirren und Rollen der Güterzüge, das Puffen aus den Schornsteinen der Lokomotiven, das langgezogene Pfeifen. Züge rollen in Richtung Birkenau durch die weite flache Landschaft. Hier, wo der lehmige Weg zum Bahndamm ansteigt und ihn überquert, standen die Herren mit ausgestreckten Händen und zeigten auf die offenen Felder und bestimmten die Gründung des Verbannungsortes, der jetzt wieder einsinkt in die sumpfige Erde.

Ein einzelnes Geleise zweigt ab von der Fahrtstrecke. Läuft durch das Gras, hier und da auseinandergebrochen, weit hin zu einem verblichenen langgestreckten Bau, zu einer Scheune mit zerborstenem Dach, zerfallendem Turm, läuft mitten durch das gewölbte Scheunentor.

So wie im andern Lager alles eng und nahe war, so ist hier alles endlos ausgebreitet, unüberblickbar.

Rechts bis zu den Waldstreifen hin die unzähligen Schornsteine der abgetragenen und verbrannten Baracken. Nur einzelne Reihen stehen noch von diesen Ställen für Hunderttausende. Links, ausgerichtet und im Dunst verschwindend, die steinernen Behausungen der gefangenen Frauen. In der Mitte, einen Kilometer lang, die Rampe. Noch im Zerfall ist das Prinzip der Ordnung und Symmetrie zu erkennen. Hinter dem Scheunentor, an der Weiche, teilt sich das Gleis nach rechts und links. Gras wächst zwischen den Schwellen. Gras wächst im Schotter der Rampe, die sich kaum über die Schienen erhebt. Es war hoch zu den aufgerissenen Türen der Güterwagen. Anderthalb Meter mußten sie herabspringen auf das scharfkantige Geröll, ihr Gepäck und ihre Toten hinabwerfen. Nach rechts kamen die Männer, die noch eine Weile leben durften, nach links die Frauen, die zur Arbeit fähig befunden wurden, geradeaus den Weg zogen die Alten, Kranken und Kinder, den beiden rauchenden Schloten entgegen.

Die Sonne, nah über dem Horizont, bricht aus dem Gewölk und spiegelt sich in den Fenstern der Wachttürme. Rechts und links am Ende der Rampe liegen Ruinenklumpen zwischen den Bäumen, die Pappeln an der rückwärtigen Umgitterung stehen reglos, weit weg in einem Gehöft schnattern Gänse. Rechts, da ist das Birkenwäldchen. Ich sehe das Bild vor mir von den Frauen und Kindern, die dort lagern, eine Frau trägt den Säugling an der Brust, und im Hintergrund zieht eine Gruppe zu den unterirdischen Kammern. An dem riesigen Steinhaufen, mit den verbogenen Eisenträgern und herabgestürzten Betondecken, läßt sich die Architektur der Anlagen noch feststellen. Hier führt die schmale Treppe hinab in den etwa 40 Meter langen Vorraum, in dem sich Bänke befanden und numerierte Haken an den Wänden, zum Aufhängen der Schuhe und Kleidungsstücke. Hier standen sie nackt, Männer, Frauen und Kinder, und es wurde ihnen befohlen, sich ihre Nummern zu merken, damit sie ihre Kleider wiederfänden nach dem Duschen.

Diese langen steinernen Gruben, durch die Millionen von Menschen geschleust wurden, in die rechtwinklig abzweigenden Räume mit den durchlöcherten Blechsäulen, und dann hinaufbefördert wurden zu den Feueröfen, um als brauner süßlich stinkender Rauch über die Landschaft zu treiben. Diese Steingruben, zu denen Stufen hinabführen, die abgenutzt sind von Millionen Füßen, leer jetzt, sich zurückverwandelnd zu Sand und Erde, friedlich liegend unter der sinkenden Sonne.

Hier sind sie gegangen, im langsamen Zug, kommend aus allen Teilen Europas, dies ist der Horizont, den sie noch sahen, dies sind die Pappeln, dies die Wachtürme, mit den Sonnenreflexen im Fensterglas, dies ist die Tür, durch die sie gingen, in die Räume, die in grelles Licht getaucht waren und in denen es keine Duschen gab, sondern nur diese viereckigen Säulen aus Blech, dies sind die Grundmauern, zwischen denen sie verendeten in der plötzlichen Dunkelheit, im Gas, das aus den Löchern strömte. Und diese Worte, diese Erkenntnisse sagen nichts, erklären nichts. Nur Steinhaufen bleiben, vom Gras überwuchert. Asche bleibt in der Erde, von denen, die für nichts gestorben sind, die herausgerissen wurden aus ihren Wohnungen, ihren Läden, ihren Werkstätten, weg von ihren Kindern, ihren

Frauen, Männern, Geliebten, weg von allem Alltäglichen, und hineingeworfen wurden in das Unverständliche. Nichts ist übriggeblieben als die totale Sinnlosigkeit ihres Todes.

Stimmen. Ein Omnibus ist vorgefahren, und Kinder steigen aus. Die Schulklasse besichtigt jetzt die Ruinen. Eine Weile hören die Kinder dem Lehrer zu, dann klettern sie auf den Steinen umher, einige springen schon herab, lachen und jagen einander, ein Mädchen läuft eine lange ausgehöhlte Spur entlang, die sich neben Schienenresten über ein Betonbruchstück erstreckt. Dies war die Schleifbahn, auf der die toten Leiber zu den Loren rutschten. Zurückblickend auf meinem Weg zum Frauenlager sehe ich die Kinder noch zwischen den Bäumen und höre, wie der Lehrer in die Hände klatscht, um sie zu sammeln.

Im Augenblick, in dem die Sonne versinkt, steigen die Bodennebel auf und schwelen um die niedrigen Baracken. Die Türen stehen offen. Irgendwo trete ich ein. Und dies ist jetzt so: hier ist das Atmen, das Flüstern und Rascheln noch nicht ganz von der Stille verdeckt, diese Pritschen, in drei Stockwerken übereinander, an den Seitenwänden entlang und entlang des Mittelteils, sind noch nicht ganz verlassen, hier im Stroh, in den schweren Schatten, sind die tausend Körper noch zu ahnen, ganz unten, in Bodenhöhe, auf dem kalten Beton, oben, unter dem schräg aufsteigenden Dach, auf den Brettern, in den Fächern, zwischen den gemauerten Tragwänden, dicht aneinander, sechs in jedem Loch, hier ist die Außenwelt noch nicht ganz eingedrungen, hier ist noch zu erwarten, daß es sich regt da drinnen, daß ein Kopf sich hebt, eine Hand sich vorstreckt.

Doch nach einer Weile tritt auch hier das Schweigen und die Erstarrung ein. Ein Lebender ist gekommen, und vor diesem Lebenden verschließt sich, was hier geschah. Der Lebende, der hierherkommt, aus einer andern Welt, besitzt nichts als seine Kenntnisse von Ziffern, von niedergeschriebenen Berichten, von Zeugenaussagen, sie sind Teil seines Lebens, er trägt daran, doch fassen kann er nur, was ihm selbst widerfährt. Nur wenn er selbst von seinem Tisch gestoßen und gefesselt wird, wenn er getreten und gepeitscht wird, weiß er, was dies ist. Nur wenn es neben ihm geschieht, daß man sie zusammentreibt, niederschlägt, in Fuhren lädt, weiß er, wie dies ist.

Jetzt steht er nur in einer untergegangenen Welt. Hier kann er nichts mehr tun. Eine Weile herrscht die äußerste Stille. Dann weiß er, es ist noch nicht zuende.

1964

[In: Peter Weiss, *Rapporte*. Frankfurt/M.: Suhrkamp Verlag 1968, S. 113–124]

# Antwort auf eine Kritik zur Stockholmer Aufführung der »Ermittlung«

Harald Ofstad kritisiert den Inhalt meines Stücks *Die Ermittlung* nach der Aufführung im Dramatischen Theater. Den Buchtext, der etwa ein Drittel mehr enthält als die Aufführung, hat Prof. Ofstad nicht gelesen. Einige der für mich wesentlichen Themen des Stücks werden dort ausführlicher behandelt, als es in der Theatervorstellung möglich ist. Was ich darzustellen versuchte, ist das folgende:

1. Die Angeklagten haben, mit ein paar halbherzigen Ausnahmen, in dem anderthalb Jahre dauernden Auschwitz-Prozeß in Frankfurt am Main kein Verständnis für ihre Mitschuld gezeigt. Sie wiederholten ständig, daß sie nur ihre Pflicht taten. Für uns mag das banal klingen. Aber es ist ein wichtiges Faktum. Warum gaben sie diese Haltung nicht auf?

Weil ihre Handlungen die natürliche Folge einer Gesellschaftsordnung waren, in der sie, zusammen mit vielen andern, lebten. Die Angeklagten waren Durchschnittsmenschen, und in den meisten Fällen hatten sie ein durchschnittliches Familienleben, mit all den uns bekannten banalen und rührenden Einzelheiten. Wie konnten sie gleichzeitig an einem Massenmord teilnehmen?

Weil der Massenmord legitim wurde, weil sie nur im Bewußtsein handelten, eine Teilarbeit zu leisten zum Besten einer »großen Idee«. Die Idee, der sie Folge leisteten, war: die Notwendigkeit der Vernichtung einer minderwertigen Rasse und einer schädlichen politischen Anschauung. Während des Nazismus handelte es sich wie bekannt um das Judentum und den Weltkommunismus.

Der Spielraum eines Schauspiels hätte nicht ausgereicht, um die Gründe des Antisemitismus zu analysieren. Ich befaßte mich nur mit den Folgeerscheinungen. Die Gründe des Rassenhasses werden von den Opinionsmachern immer wieder verdunkelt und in dieser Verdunkelung angefacht, um davon abzulenken, daß es sich um einen ökonomischen Kampf handelt. Es klingt besser, von mystischen Kräften zu sprechen, als davon, daß es um den krassen Gewinn geht. Die Gewinne des faschistischen deutschen Staats betrugen Multi-Milliarden nach der Enteignung des jüdischen Besitzes. Die Großunternehmer gewannen am meisten. Und sie gewannen weiter, als ihnen nach Ausbruch des Krieges Sklavenarbeiter aus allen Teilen Europas zur Verfügung gestellt wurden.

2. In dem Stück treten immer wieder Zeugen auf, die auf seiten der Angeklagten tätig waren, doch heute unbescholten in der westdeutschen Gesellschaft leben. Warum sitzen sie nicht auf der Anklagebank?
Weil man sie nicht bei den letzten Handlungen des tätigen Mords ertappte. Weil sie zu den Organisatoren gehörten, zu den Befehlserteilern, weil sie sich nicht beschmutzten. Auch sie taten damals das, was für sie das einzig Richtige war: sie sorgten dafür, daß die als Feinde Benannten vernichtet wurden und daß das Leben der Nation mit allen Mitteln gesichert wurde.
Sie können auch heute noch glauben, daß sie das Richtige taten, weil die Gesellschaftsordnung, unter der sie leben, sich nicht grundsätzlich geändert hat. Zwar kann man ihnen nicht mehr den Antisemitismus vorwerfen, doch der Kreuzzug gegen den Kommunismus besteht weiter.
In Militär und Industrie, weitgehend auch im Rechtswesen und in den Bildungsinstitutionen, sind nach wie vor Kräfte vorhanden, die dem Nazismus nahestanden. Deshalb dürfen die Zeugen, die ehemals für die Lagerwelt arbeiteten, so

sicher auftreten und sich im Vollgefühl ihrer Rechtschaffenheit äußern.

3. Ein zentraler Abschnitt des Stücks weist auf die Rolle der Gesellschaft hin, in der solche Lager entstehen können. Es wird ausgesprochen, daß es sich hier nur um die letzte Konsequenz eines Systems der Ausbeutung handelt, das von einem andern Gesichtspunkt aus schönfärberisch »Freies Unternehmertum« genannt wird.
Die Tatsache – eine übliche Erwiderung –, daß es auch in der Sowjetunion Konzentrationslager und Menschenvernichtung gegeben hat, ist auf völlig andere, wenn auch nicht bessere Gründe zurückzuführen. Dies war nur möglich in einem von totalitärer Despotie beherrschten Sozialismus. Unmöglich wäre es in einer Gesellschaft, in der der Sozialismus sich verwirklicht hat und die Klassenunterschiede aufgehoben sind.

4. Wesentliche Hinweise in dem Stück beziehen sich auch darauf, daß es an jedem Einzelnen lag, sich gegen die herrschende Ordnung zu stellen und sie zu verändern. Mehrmals äußern sich Zeugen, oder es ist von Mitgliedern des Lagerpersonals die Rede, die sich weigerten, an den Vernichtungsaktionen teilzunehmen. Hier mag auch die Parallele aufklingen, wie schwer es heute noch eine westdeutsche Opposition hat, und wie unmöglich es erscheint, sich gegen die kompakte und konservative Masse von Vorurteilen und Propaganda aufzulehnen.

5. Gezeigt werden soll auch, wie es für den Durchschnittsmenschen möglich ist, sich Schritt für Schritt in eine immer größere Wirklichkeitsfälschung und Abstumpfung hineinleiten zu lassen. Sowohl für den Durchschnitts-Gefangenen war es möglich, das, was wir heute von unsrer Normalität aus das »Unfaßbare« nennen, als das Normale zu betrach-

ten, als es auch für den Durchschnitts-Bewacher möglich war, seinen menschlichen Maßstab zu verlieren und im Töten das Alltägliche zu sehn.

Und hier muß das Stück offen bleiben. Hier sind keine definitiven Ergebnisse vorhanden. Der Werdegang dieser Menschentypen ist noch nicht beendet.

Der Faschismus in Deutschland war ein zeitlich begrenztes Unterfangen. Die Technik der Menschenvernichtung geht weiter. Die kommunistische Revolution in Griechenland wurde niedergeschlagen. Immer noch sitzen Tausende seit anderthalb Jahrzehnten in den griechischen Gefängnissen. Die Gefängnisse in Spanien und Portugal sind mit politischen Gefangenen überfüllt. Die Einwohner Kongos und Angolas wurden zu zehntausenden niedergeschossen. Die gesamte afrikanische Bevölkerung Südafrikas lebt praktisch im Konzentrationslager. Cuba oder die Dominikanische Republik werden mit dem Tod bedroht. Amerikaner lassen sich nach Vietnam ausschiffen, um eine andere Menschenrasse anzugreifen, und so weiter.

6. Das Problem der Mitschuld. Für mich ist die vor allem die Schuld der Unwissenheit. Wir leben mit den Ereignissen, die im Nazi-Deutschland stattfanden. Sie sind zu Bestandteilen unsres Bewußtseins geworden. Als ich das Stück schrieb, kam es mir vor allem darauf an, mir selbst die Vorgänge in allen Einzelheiten deutlich zu machen. Ebenso versuche ich, mir die Vorgänge deutlich zu machen, die sich heute überall dort abspielen, wo große Menschenmengen immer noch von Exploiteuren niedergehalten und bedroht werden.

Das Gefühl der Mitschuld bleibt dunkel, solange es nur nach psychologischen und philosophischen Erklärungen sucht. Die greifbaren Erklärungen spielen sich im Bereich der Ökonomie ab. Harald Ofstad hat selbst darauf hingewiesen: es handelt sich um die Eigentumsverhältnisse an den Produktionsmitteln. Nur hier werden sich einmal die Änderungen erreichen lassen, die die Bedrohung aufheben, unter der wir leben.

5  *1966*

[In: Peter Weiss, *Rapporte* 2. Frankfurt/M.: Suhrkamp Verlag 1971, S. 45–50]

# Kommentar

# Zeittafel

1916   Am 8. November in Nowawes (Potsdam) geboren.

1919   Umzug der Familie nach Bremen. Weiss besucht die Volksschule in Horn und dann das Gymnasium.

1930   Umzug der Familie nach Berlin. Weiss besucht das Heinrich-von-Kleist Gymnasium in Schmargendorf.

1932   Zeichen- und Malunterricht bei Eugen Spiro.

1933   Wechsel auf die Rackow-Handelsschule.

1934   Der Unfalltod der Schwester am 3. September löst laut Weiss »eigentlich den ganzen Prozeß der Produktivität« aus. Erste großformatige Ölgemälde und literarische Versuche (Erzählungen, Gedichte).

1935   Anfang des Jahres aufgrund der jüdischen Herkunft des Vaters Emigration der Familie nach England. Besuch der Polytechnic School of Photography in London.

1936   Erste Ausstellung in einer Londoner Garage. Ende des Jahres Umzug nach Warnsdorf in Böhmen.

1937   Reise ins Tessin, wo er Hermann Hesse besucht. Aufnahme an der Prager Kunstakademie (Klasse von Willi Nowak).

1938   Preis der Kunstakademie für die Gemälde *Das große Welttheater* und *Das Gartenkonzert*. Zweiter Aufenthalt bei Hermann Hesse im Tessin.

1939   Übersiedlung nach Schweden, wo der Vater eine Textilfabrik in Alingsås übernommen hat. Weiss arbeitet als Textildrucker und Musterzeichner für die väterliche Firma.

1941   Erste Gemäldeausstellung in Stockholm. Erste Psychoanalyse.

1942   Gaststudent der Stockholmer Kunstakademie.

1943   Waldarbeiter in Nordschweden. Hochzeit mit Helga Henschen.

1944   Geburt der Tochter Randi-Maria (Rebecca). Weiss beginnt, auf Schwedisch zu schreiben. Teilnahme an den *Konstnärer i landsflykt*-Ausstellungen in Stockholm und Göteborg.

1946    Weiss erhält die schwedische Staatsbürgerschaft.

1947    Als Korrespondent der Stockholmer Zeitung *Tidningen* in Berlin. Das erste Buch *Från ö till ö* (»Von Insel zu Insel«) erschienen.

1948    *De besegrade* (»Die Besiegten«) erschienen.

1949    Hochzeit mit Carlota Dethorey. Geburt des Sohns Paul. *Dokument I* (»Der Fremde«) als Privatdruck erschienen.

1950    Zweite Psychoanalyse (bis 1952). Uraufführung von *Rotundan* (»Der Turm«).

1952    Weiss unterrichtet an der Stockholmer Volkshochschule. Mitglied des »Svensk Experimentalfilmstudios« (später »Arbetsgruppen för film«). Beginnt, eigene Filme zu drehen. Bis 1960 entstehen 14 Experimental-, Dokumentar- und Spielfilme, darunter *Enligt lag* (»Im Namen des Gesetzes«, 1957) und *Hägringen* (»Fata Morgana«, 1959). Lebensgemeinschaft mit der schwedischen Künstlerin Gunilla Palmstierna.

1953    *Duellen* (»Das Duell«) als Privatdruck erschienen.

1956    Die Studien *Avantgardefilm* als Buch erschienen. Weiss gibt Malunterricht im Stockholmer Gefängnis Långholmen.

1957    Beginn des Collagenwerks. Illustrationen.

1960    Letzte Filmarbeiten. *Der Schatten des Körpers des Kutschers* (geschrieben 1952) erschienen. Rückkehr zur deutschen Sprache als Instrument literarischen Ausdrucks.

1961    *Abschied von den Eltern* und die Strindberg-Übersetzung *Fräulein Julie* erschienen.

1962    *Fluchtpunkt* erschienen. Erste Teilnahme an einer Tagung der Gruppe 47.

1963    Charles-Veillon-Preis. *Das Gespräch der drei Gehenden* und die Strindberg-Übersetzung *Ein Traumspiel* erschienen. Uraufführung von *Nacht mit Gästen*. Erste Ausstellung des bildnerischen Werks in Deutschland.

1964    Hochzeit mit Gunilla Palmstierna. Uraufführung des Dramas *Marat/Sade*, das Weiss international berühmt macht (verfilmt 1966 von Peter Brook). Lebt fortan als freier Schriftsteller überwiegend in Stockholm.

1965 Lessing-Preis. Literaturpreis der schwedischen Arbeiter-
bewegung. Uraufführung der *Ermittlung* gleichzeitig an
15 Bühnen. Weiss bekennt sich zu den »Richtlinien des
Sozialismus«.

1966 Heinrich-Mann-Preis. Beginn des öffentlichen Engage-
ments für Vietnam. Uraufführung von *Försäkringen*
(»Die Versicherung«).

1967 Carl-Albert-Anderson-Preis. Uraufführung des *Gesangs
vom Lusitanischen Popanz*. Teilnahme am 1. Russell-
Tribunal zum Vietnam-Krieg. Reise nach Kuba.

1968 Uraufführung *Viet Nam Diskurs* und *Mockinpott*. Reise
nach Nordvietnam. Protest gegen die Besetzung der
ČSSR. Eintritt in die schwedische »Vänsterpartiet Kom-
munisterna« (Linkspartei Kommunisten).

1970 Uraufführung von *Trotzki im Exil*. Erster Herzinfarkt.

1971 Uraufführung von *Hölderlin*.

1972 Beginn der Arbeit an der *Ästhetik des Widerstands*. Geburt der Tochter Nadja.

1973 Teilnahme am 2. Russell-Tribunal.

1974 Reise in die Sowjetunion.

1975 Uraufführung der Kafka-Dramatisierung *Der Prozeß*.
Der erste Band der *Ästhetik des Widerstands* erschienen.

1976 Erste große Retrospektive des malerischen Werks in Sö-
dertälje (danach in Rostock, Berlin, München, Zürich,
Paris).

1978 Thomas-Dehler-Preis. Der zweite Band der *Ästhetik des
Widerstands* und die Strindberg-Übersetzung *Der Vater*
erschienen.

1980 Zweite und bisher umfangreichste Retrospektive des malerischen Werks in Bochum.

1981 Preis des Südwestfunks. Literaturpreis der Stadt Köln.
Dritter Band der *Ästhetik des Widerstands* und die *Notizbücher 1971–1980* erschienen.

1982 Bremer Literaturpreis. Schwedischer Theaterkritiker-
preis. Uraufführung des *Neuen Prozesses*. *Notizbücher
1960–1971* erschienen. Ablehnung der von den Univer-
sitäten Marburg und Rostock angetragenen Ehrendok-

torwürden. Weiss stirbt am 10. Mai im Stockholmer Karolinska-Krankenhaus. Er wird postum mit dem Georg-Büchner-Preis ausgezeichnet.

1986    Erste umfangreiche Retrospektive des filmischen Werks in Lübeck. Die Interview-Sammlung *Peter Weiss im Gespräch* erschienen.

1989    Gründung der Internationalen-Peter-Weiss-Gesellschaft. Stiftung des Peter-Weiss-Preises der Stadt Bochum.

1991    *Rekonvaleszenz* (geschrieben 1970–72) und die *Werke in sechs Bänden* erschienen. Werkausstellungen in Berlin und Stockholm.

1992    *Briefe an Hermann Levin Goldschmidt und Robert Jungk 1938–1980* erschienen.

2000    *Die Situation* (geschrieben 1956) erschienen.

2003    *Inferno* (geschrieben 1964) erschienen.

## Anamnese und Mnemosyne: Arbeit an der Wieder-Erinnerung und künstlerische Gestaltung

Vom 20. Dezember 1963 bis zum 20. August 1965 fand in Frankfurt am Main unter der offiziellen Bezeichnung »Strafsache gegen Mulka und andere« der Auschwitz-Prozess statt. Es war der erste große Prozess, der von der bundesdeutschen Justiz gegen Nazi-Verbrecher durchgeführt wurde.

Die Verfolgung von NS-Verbrechern

Die Nürnberger Prozesse gegen die Hauptkriegsverbrecher waren 1945/46 von den Alliierten durchgeführt worden. Polnische Gerichte hatten 1947 in Warschau den Kommandanten von Auschwitz, Rudolf Höß (1900–1947), und im selben Jahr in Krakau 40 Angestellte des Lagers verurteilt. Zum Prozess gegen den Organisator der Deportationen, Adolf Eichmann (1906–1962), kam es 1961 vor einem israelischen Gericht.

Erst ab 1958 begann die begrenzte Verfolgung von NS-Verbrechern durch die bundesdeutsche Justiz, indem eine Zentralstelle in Ludwigsburg eingerichtet wurde. Aber noch immer zeigten manche deutsche Gerichte wenig Interesse, ein Verfahren aufzunehmen. Auch der Frankfurter Auschwitz-Prozess hätte ohne das Engagement des Generalstaatsanwaltes Fritz Bauer (1903–1968), eines ehemaligen Emigranten, der Zentralstelle in Ludwigsburg und des Internationalen Auschwitz-Komitees in Wien unter der Leitung von Hermann Langbein (1912–1995), einem ehemaligen Häftling, wahrscheinlich nicht stattgefunden.

In der DDR gab es ähnliche Widerstände in der Justiz kaum, da hier die Justizelite nach 1945 von der sowjetischen Militärverwaltung durch schnell angelernte Volksrichter ausgetauscht worden war. Nachdem in den ersten Jahren durchaus rechtsstaatliche Verfahren stattgefunden hatten, erfolgten allerdings bereits 1950 Schnell- oder Schauprozesse, die jeder rechtsstaatlichen Grundlage entbehrten.

Der Prozess in Frankfurt/M.

Fünfeinhalb Jahre Vorermittlungen waren abgeschlossen, als in Frankfurt am Main schließlich 22 Angeklagte vor Gericht gestellt wurden. Es waren ehemalige Angestellte des Konzentrationslagers Auschwitz, unter ihnen der Adjutant des Lagerkommandanten, Robert Mulka (1895–1969). Diese Männer hatten bis zu ihrer Verhaftung überwiegend ohne Tarnung unter ihrem richtigen Namen in Deutschland gelebt und waren in den unterschiedlichsten Berufen tätig, als Handwerker, Krankenpfleger, Lehrer und Ärzte. Nach geltender Rechtslage konnte nur als Täter verurteilt werden, wer im Exzess Befehle überschritten oder ohne Befehl gehandelt hatte. Wer nur Befehle ausgeführt hatte, konnte nicht als Mörder, aber als Gehilfe verurteilt werden, was relativ milde Freiheitsstrafen nach sich zog. Während des Prozesses wurden 359 Zeugen gehört, wovon 248 Überlebende des Lagers waren. Die 22 Angeklagten wurden von 21 Verteidigern vertreten, es gab vier Staatsanwälte und drei Nebenkläger sowie neun Richter, unter ihnen ein Vorsitzender Richter. Tageszeitungen, Rundfunk und Fernsehen berichteten täglich von den Verhandlungen, Zuschauer aus dem In- und Ausland verfolgten den Prozess persönlich. Heute gilt der Prozess als ein Wendepunkt, der die Bereitschaft zur Auseinandersetzung mit der Vergangenheit deutlich vorantrieb. »Nach dem Prozeß, so wird man ohne Übertreibung sagen können, war diesbezüglich nichts mehr so wie vorher«, schreibt der Historiker Norbert Frei (S. 124). Für Frei war bereits das Zustandekommen des Prozesses das Ergebnis einer Veränderung des vergangenheitspolitischen Klimas in der Bundesrepublik Anfang der 1960er-Jahre, nachdem in den 1950er-Jahren die Bereitschaft zur Auseinandersetzung mit den NS-Verbrechen nahezu völlig erloschen war.

P. Weiss als Prozessbeobachter

Unter den Zuschauern im Frankfurter Gerichtssaal befand sich an einigen Tagen auch Peter Weiss. Zusammen mit seiner Familie hatte Weiss als Jugendlicher 1934 Deutschland verlassen müssen, da sein Vater jüdischer Herkunft war. Die Flucht vor dem NS-Terror hatte ihn über verschiedene Grenzen und Länder schließlich nach Schweden geführt, wo er seitdem lebte. Anfang der 1960er-Jahre war er in Deutschland als Prosa-Autor bekannt geworden und wurde 1964, also während des Prozesses, als Autor des Dramas *Die Verfolgung und Ermordung Jean Paul Marats* gefeiert.

Noch bevor die Urteile am 19. und 20. August 1965 in Frankfurt verkündet wurden, hatte Weiss aus dem Material der Berichterstattung die Bühnenfassung eines dramatischen Textes herge-

stellt. Am 19. Oktober wurde *Die Ermittlung* von mehreren
Bühnen gleichzeitig uraufgeführt.

Kann die massenhafte Vernichtung von Menschen ein Thema Die Kunst nach Auschwitz
der Kunst sein? Sind Literatur und andere Kunstformen nicht so
sehr Teil von Menschlichkeit und Zivilisation, dass Darstel-
lungsversuche am äußersten Punkt der Unmenschlichkeit unan-
gebracht sein müssen? Oder besitzt gerade die Kunst die Möglichkeiten, die anderen, juristischen oder wissenschaftlichen
Darstellungen fehlen, um den Schrecken und die Absurdität der
Ereignisse zum Ausdruck zu bringen?

Vor Darstellungsproblemen stehen in diesem Fall sowohl die
Wissenschaft als auch die Literatur. Versucht man, die Todesmaschinerie darzustellen, besteht die Gefahr, in der Darstellung
die Entmenschlichung und Verdinglichung der Opfer zu wiederholen. Stellt man ein Einzelschicksal dar, setzt man sich dem
Vorwurf der Verharmlosung aus.

Theodor W. Adornos (1903–1969) viel zitierter Satz »nach Th. W. Adorno
Auschwitz ein Gedicht zu schreiben, ist barbarisch« wurde häufig als Darstellungsverbot aufgefasst. Liest man den Satz im
Kontext seines ersten Erscheinens, im Jahre 1951 in »Kultur-
kritik und Gesellschaft« (in: *Gesammelte Schriften*, Bd. 10.1,
S. 16), wo er als Schlusspointe einer dialektischen Argumentation über das Verhältnis von Kunst und Gesellschaft auftaucht,
kann man ihn als Mahnung verstehen, keine Kunst zu schaffen,
als habe es Auschwitz nicht gegeben.

Irving Howe hat die Warnungen Adornos neu formuliert, als er I. Howe
zwei Gefahren der literarischen Darstellung herausgestellt hat,
einerseits den voyeuristischen Sadomasochismus und andererseits die literarische Mimesis, die den Schrecken mildert oder
sogar mit ihm versöhnt. Howe rät zur indirekten und zur ver-
mittelten Darstellung:

> »Wenn sie dem Holocaust nahekommen, wahren die erfah-
> rensten Schriftsteller vorsichtige Distanz. Sie wissen oder füh-
> len, daß sie ihrem Gegenstand nicht direkt entgegentreten
> können. Sie nähern sich ihm tangential; er muß mit extremer
> Vorsicht behandelt werden, mittels Strategien mittelbarer
> und einkreisender Erzählweisen, die den zentralen Schrecken
> unberührt lassen – ihn unberührt lassen, aber immer als lau-
> ernden Schatten belassen oder beschwören« (Howe, S. 41).

Für Adorno schien der Dichter Paul Celan (1920–1970) Wege gefunden zu haben, Gedichte nach Auschwitz zu schreiben, denn hier werde »das äußerste Entsetzen durch Verschweigen« ausgedrückt. Auch Peter Weiss war zunächst skeptisch, entschied sich aber für das Sprechen: »Es gibt nichts, worüber es sich nicht sprechen läßt« (»Gespräch über Dante«, in: *Rapporte*, S. 147) und für die Verstehbarkeit:

> »Und dann zeigte sich eben dies, daß es kein Vorstoßen über die gegebenen Dimensionen hinaus gab, und daß auch das Ungeheuerliche etwas Gewohntes war, daß es nur ein Fortsetzen gab von Betätigungen, die von Lebenden ersonnen und angebahnt worden waren. Demnach mußte alles verständlich sein« (»Laokoon oder Über die Grenzen der Sprache«, in: *Rapporte*, S. 182).

Die Darstellung in der *Ermittlung* Betrachtet man *Die Ermittlung* unter dem Aspekt der Darstellbarkeit des Holocaust, so muss zunächst festgehalten werden, dass darstellerische Mittel mit großer Zurückhaltung verwendet werden. Im Zentrum stehen authentische Aussagen von Zeugen und Angeklagten. Nicht Auschwitz kommt auf die Bühne, sondern ein Gerichtsprozess über Auschwitz. Gleichzeitig aber ist die stilistische, rhetorische und gestalterische Bearbeitung des dokumentarischen Materials von nicht geringer Bedeutung.

Quellen Neben seinen eigenen Prozessbesuchen stützte Weiss sich v. a. auf die Berichterstattung von Bernd Naumann, der für die *Frankfurter Allgemeine Zeitung* fortlaufend über den Prozess schrieb.

> »Da vom Frankfurter Auschwitz-Prozeß keine eigentlichen Gerichtsprotokolle vorlagen (wie etwa im Fall Oppenheimer), war ich bei meiner Arbeit, neben meinen eigenen Notizen, auf das Studium der Zeitungsberichte angewiesen. Vorbildlich wurde der Prozeß von der FAZ überwacht, wo Bernd Naumann und seine Mitarbeiter ausführlich über jeden der Verhandlungstage, oft bis in die Einzelheiten des Dialogs, Rapport ablegten« (*Notizbücher*, S. 390).

Vergleicht man die Berichte mit dem Dramentext, erkennt man, dass die Aussagen der Angeklagten überwiegend wörtlich nach Naumann zitiert werden. Häufig wurden die Aussagen gekürzt, aber ohne den Sinn zu verändern. Auch die Zeugenaussagen beruhen hauptsächlich auf den Zeitungsberichten. Sie werden allerdings durch weitere Zeugnisse, sei es durch schriftlich überlieferte Berichte von Überlebenden oder durch wissenschaftliche Dokumente, ergänzt. Außerdem enthalten die Zeugenaussagen Verdichtungen des Autors.

Die umfangreichste Ergänzung stellt die Hinzufügung der 3. Szene im »Gesang von der Möglichkeit des Überlebens« über den so genannten »Frauenblock« dar. Dort wurden medizinische Experimente an weiblichen Häftlingen durchgeführt. In Frankfurt fanden keine Befragungen zu diesem Thema statt, weil sie keinen der Angeklagten betrafen. Obwohl die Befragung fiktiv ist, ist die Szene authentisch im Hinblick auf die Lagersituation, da sich die Aussagen der Zeuginnen auf Berichte von Überlebenden stützen. Ebenfalls nicht aus dem Prozess stammen die kommentierenden Äußerungen des Zeugen 3 in demselben Gesang, Szene II. Die Kommentare gehen teilweise auf die Schriften Hannah Arendts (1906–1975) zurück, in Ansätzen folgen sie dem Prozess-Gutachten des Historikers Martin Broszat (1926–1989). Die Deutung des Lagers als extreme Form der Ausbeutung findet sich nicht bei Broszat, war aber eine unter politischen Häftlingen verbreitete Deutung. *Ergänzungen*

Hunderte von Zeugenaussagen werden im Text von Weiss auf die Aussagen von neun Zeugen verteilt und konzentriert. Der Stil der Aussagen ist vereinheitlicht. Dabei gehen individuelle Merkmale des Sprechens wie ausländische Akzente – in der Mehrzahl polnische –, Sprachduktus und Stockungen im Redefluss, etwa durch Weinen oder Schweigen, verloren (vgl. »Auschwitz-Überlebende sagen aus«, CD mit Originaltönen, Beilage zu: Kingreen). *Verdichtungen*

Durch die stilistische Homogenisierung wird den Zeugenaussagen aber auch eine Autorität überpersönlicher Zeugenschaft verliehen. Tatsächlich vermitteln die Zeugen die Realität des Lagers, im Prozess ebenso wie im Text von Weiss. Die Angeklagten konnten oder wollten sich nicht erinnern und leugneten kontinuierlich die gegen sie erhobenen Vorwürfe. Weitere sprachliche Bearbeitungen verstärken v. a. die Anschaulichkeit, so dass die Vorstellungskraft der Rezipienten Bilder evozieren kann.

Außerdem hat Weiss explizite Hinweise auf nationale oder eth- *Übertragbarkeit* nische Zugehörigkeit weitgehend weggelassen. Im Stück ist nicht von »Juden«, »Polen« oder »Russen« die Rede, auch das Wort »Auschwitz« fällt nicht. Stattdessen ist von »Menschen« und von »Ortschaft« die Rede. Dies ist Teil einer Universalisierung, die den Text auf andere Orte und andere Zeiten übertragbar macht. Auf diese Weise wird die historische Distanz abgebaut, und es wird an die Rezipienten appelliert, Vergleiche mit der Gegenwart herzustellen. Die Täter dagegen werden identifiziert und mit ihren Namen genannt. Durch die namentliche Nennung von Firmen, die die Häftlinge als Arbeitssklaven missbrauchten oder Geschäfte mit ihrer Ermordung machten, werden diese symbolisch ebenfalls auf die Anklagebank gesetzt.

**Aufbau u. Strukturierung** Der Textaufbau gibt z. T. die Strukturen wieder, die ein Gerichtsprozess mit Befragungen, Aussagen und Stellungnahmen vorgibt. Auffällig sind die Abweichungen von diesen Strukturen. Während die Zeitungsberichte von Bernd Naumann naturgemäß von der Chronologie des Prozesses bestimmt sind, folgt die Anordnung des Materials bei Weiss der Topographie des Tatortes, anders gesagt, dem Leidensweg der Häftlinge durch das Lager. Der Text beginnt mit dem »Gesang von der Rampe«, gefolgt vom »Gesang vom Lager«, einzelnen Folterstätten und Todesarten und endet mit dem »Gesang von den Feueröfen«.

**Montage** Ein weiteres bedeutendes Mittel der Strukturierung und der Gestaltung ist die Gegenüberstellung von Tätern und Opfern. Im Verlauf des Verfahrens in Frankfurt wurden zunächst die Angeklagten verhört. Dann folgte die Beweisaufnahme, in der die Zeugen zu Wort kamen. Im Drama von Weiss sind die Aussagen so montiert, dass sich Angeklagte und Zeugen direkter aufeinander beziehen, als es im Prozess geschah. Häufig kommentieren sich die Aussagen gegenseitig, in vielen Fällen sind die Gegenüberstellungen für die Angeklagten entlarvend. Durch einzelne Montagen werden sie geradezu der Lüge überführt. Dafür seien hier nur zwei kurze Beispiele gegeben:

**Beispiele** Am Ende des ersten Teilgesangs (I,I) wird ein ehemaliger Bahnangestellter nach dem Rauch gefragt, den er aus den Schornsteinen des Lagers aufsteigen sah, und er antwortet: »Ich dachte mir / das sind die Bäckereien / Ich hatte gehört / da würde Tag und Nacht Brot gebacken / Es war ja ein großes Lager« (S. 15 f.).

Die folgende Aussage eines überlebenden Häftlings endet mit einer Aussage, die den Bahnbeamten als Lügner erkennbar macht: »Die Luft war voll von Rauch / Der Rauch roch süßlich und versengt / Dies war der Rauch / der fortan blieb« (S. 17). Es war unmöglich, den Rauch der Krematorien mit dem Rauch von Bäckereien zu verwechseln.

Ein weiteres Beispiel stammt ebenfalls aus dem »Gesang von der Rampe«. Als der Angeklagte Baretzki vom Richter gefragt wird, ob ihm der Zweck der Aussonderungen auf der Rampe bekannt war, antwortet er: »Wir erfuhren das / Ich war empört darüber« und versucht seiner Empörung mit einem Verweis auf ein Gespräch mit seiner Mutter Glaubwürdigkeit zu verleihen. Im Stück folgt auf die Aussage Baretzkis die Aussage eines Zeugen, in der es ebenfalls um eine Mutter geht. Der Zeuge beschuldigt Baretzki, das neugeborene Kind dieser Mutter ermordet zu haben, indem er ihm einen Fußtritt gab, so dass es meterweit geschleudert wurde (vgl. S. 26 f.). Im Prozess fanden die Zeugenaussage und die Befragung Baretzkis an unterschiedlichen Verhandlungstagen statt.

Durch die Gegenüberstellung von Tätern und Opfern findet Weiss auch eine Lösung für ein viel diskutiertes Problem der Darstellung. Laut dem Historiker Dan Diner ist die Wahl der Perspektive eng mit der Interpretation der Ereignisse verbunden. Wählt man die Perspektive der Täter, wird man auf Kontinuität und Erklärbarkeit stoßen (Banalität). Wählt man die Perspektive der Opfer, stößt man auf Diskontinuität und Sinnlosigkeit (Monstrosität) (vgl. Diner).

*D. Diner*

So banal die Pflichtbeteuerungen und die geschmacklosen Witze der Täter wirken mögen, konfrontiert mit den Zeugenaussagen enthüllen diese Sätze ihre ganze Ungeheuerlichkeit und Skrupellosigkeit. Aus der Sicht der Häftlinge ist es nur zu verständlich, dass diese Männer wie »Monster« wirkten. Um aber den Zusammenhang zwischen diesen »Monstern« der Lagerzeit und den Bürgern der »normalisierten« Verhältnisse noch erkennen zu können, ist es notwendig, auch ihre Durchschnittlichkeit sichtbar zu machen.

*Konfrontation von Tätern u. Opfern*

Die Alltäglichkeit mancher »Sprüche« verweist zudem auf die Zeitgenossen der Angeklagten und damit auch auf den Schuldzusammenhang einer Gesellschaft, in der diese Täter 20 Jahre lang leben konnten, ohne ein Schuldbewusstsein zu entwickeln. »Es hat höchstens mal eine gesetzt / wenn ich bei Streitigkeiten / zu schlichten hatte«, sagt Bednarek (S. 50), dem vorgeworfen wird, die Verlierer beim so genannten »Sportmachen« erschlagen zu haben. Was »Sportmachen« bedeutete, erläutert ein Zeuge: »Wir mußten hüpfen wie Frösche / Schneller hüpfen schneller hüpfen / rief er / und wenn einer nicht mitkam / schlug er ihn mit dem Schemel zusammen« (S. 48 f.).

Der Schrecken wird auf doppelte Weise deutlich: in den detaillierten Schilderungen der Verbrechen und in der Gleichgültigkeit der Angeklagten angesichts dieser Schilderungen. Die Soziologin und Politikwissenschaftlerin Hannah Arendt, die auch zeitweise zu den Zuschauern in Frankfurt gehört hatte, sah in der Ungerührtheit der Angeklagten einen Verweis auf die öffentliche Meinung, die sich von der veröffentlichten Meinung unterscheide: »Sie kam offen zum Ausdruck im Verhalten der Angeklagten – in ihrer lachenden und grinsenden Unverschämtheit gegenüber der Staatsanwaltschaft und gegenüber den Zeugen, in ihrer mangelnden Achtung des Gerichts, in den ›verachtungsvollen und bedrohlichen‹ Blicken, die sie dem Publikum in den seltenen Augenblicken, in denen Laute des Entsetzens hörbar wurden, zuwarfen« (Arendt 1989, S. 101).

Im Stück von Weiss kulminiert diese Haltung der Angeklagten in der wiederholten Regieanweisung »Die Angeklagten lachen«. Im Kontrast dazu steht das viermalige »die Zeugin schweigt« im »Gesang von der Möglichkeit des Überlebens« als einzige Regieanweisung für die Opfer. Das anhaltende Leiden der Opfer steht der anhaltenden Skrupellosigkeit der Täter gegenüber. Auch der Schluss des Stückes akzentuiert den Blick auf die Gegenwart. Nicht mit dem Urteil endet der Text, sondern mit einer Aussage des Angeklagten 1 (Mulka), in der er versucht, sich selbst als Opfer darzustellen. Die letzten – vom Autor hinzugefügten – Sätze der Aussage verweisen auf die 1965 aktuelle Debatte über die Verjährung von Nazi-Verbrechen.

Appell-
charakter

Obwohl der Schrecken auf vielfältige Weise präsent ist, zielt der Text nicht auf ein Verharren im Entsetzen. Allein schon die offenen, mehrdeutigen, manchmal rätselhaften Sätze, mit denen die einzelnen Gesänge enden, wirken dem entgegen: »Ich kam aus dem Lager heraus / aber das Lager besteht weiter« (S. 97), »Mir geht es immer gut« (S. 115).

Auch die kommentierenden Aussagen des Zeugen 3 mit seinen Appellen an die Verstehbarkeit erfüllen die Funktion, eine gewisse Distanz zum Schrecken herzustellen und die Reflexion über die Ursachen beim Leser/Zuschauer in Gang zu setzen.

Dabei stehen die kapitalismuskritischen Erklärungsversuche des Zeugen 3 den geschilderten Erfahrungen von Sprach- und Sinnlosigkeit gegenüber. Von der Unfähigkeit zu sprechen zeugt nicht nur das Verhalten der Zeugin 4, sondern auch eine Zeugin, die zu einem brutalen Mord Bogers an einem Kind befragt wird (vgl. S. 68 f.). Von dem Opfer Lili Tofler wird berichtet, sie habe in einem Brief gefragt, »ob es ihnen möglich sein könnte / jemals weiterzuleben / nach den Dingen die sie hier gesehen hatten« (S. 104). Bereits im »Gesang vom Lager« war von einem Mädchen die Rede, das sich freiwillig zu den Leichen gelegt hatte (S. 43). Das Verstummen und die Todeswünsche sind im Drama an weibliche Figuren gebunden. Es kommt wie in der Hinzufügung der Szene über den »Frauenblock« der Wille zum Ausdruck, dem Leiden der weiblichen Opfer einen Ort in den Gesängen der *Ermittlung* zu geben. Allerdings liegt der Aufteilung in sterbende, aber ungebrochene Frauen und rationalisierende, handelnde Männer eine Stilisierung zugrunde, die traditionellen Rollenbildern entspricht.

Bereits der Untertitel »Oratorium in elf Gesängen« weist auf eine literarische Vorlage hin: Dantes *Divina Commedia* (Die Göttliche Komödie; vgl. Erl. zu 7,2). Die Zahl der Angeklagten (18), der Zeugen (9) und der Juristen (3) sind als Multiplikatoren der heiligen Zahl 3 weitere Anspielungen. Nicht zuletzt betonen die Zäsuren, mit denen die Aussagen in eine leicht rhythmisierte Versform gebracht wurden, die Anlehnung an ein Epos. Die *Divina Commedia* ist mehr als nur eine formale Vorlage. Man kann die drei Bereiche des mittelalterlichen Textes, Inferno (Hölle), Purgatorio (Fegefeuer) und Paradiso (Himmel), in der *Ermittlung* wiederfinden, allerdings verwandelt in eine rein diesseitige Lesart: die Schuld der Angeklagten, die Unschuld der Op-

Dantes *Divina Commedia* als lit. Vorlage

fer und einen Zwischenbereich, in dem nach der Mitschuld der Unschuldigen und dem widerständigen Verhalten Einzelner gefragt wird. Hierzu gehören die Überlegungen des Zeugen 3 zur Widerstandsbewegung, die Befragungen zu den Funktionshäftlingen, aber auch die innere Stärke Lili Toflers und die Hilfeleistungen des SS-Arztes Flagge.

Der Text versucht, eine Vorstellung von der Todesmaschinerie und der fabrikartigen Vernichtung von Menschen zu vermitteln. Gleichzeitig wird die Aufmerksamkeit immer wieder auf individuelles Leiden und individuelle Entscheidungsspielräume gelenkt. Das kommt bereits in den Überschriften der Gesänge zum Ausdruck. Die Gesänge über die Todesarten, »Gesang von der Schaukel«, »Gesang von der Schwarzen Wand« oder »Gesang vom Phenol« werden vom »Gesang vom Ende der Lili Tofler« und dem »Gesang vom Unterscharführer Stark« unterbrochen.

Nicht nur über die *Divina-Commedia*-Zitate, auch in den verdichteten Textstellen werden Beziehungen zu literarischen und kulturellen Traditionen hergestellt:

Die Aussage der Zeugin 5 im »Gesang vom Lager« handelt von der Entmenschlichung der Opfer. Sie beschreibt zunächst den Bruch mit den Vorstellungen des normalen Lebens und beschreibt dann, dass man sich an die Verkehrung der Werte gewöhnen musste, wenn man überleben wollte. Die Darstellung endet mit zwei außergewöhnlich dichten Sätzen, für die es keine Vorlage in den Prozessaussagen gibt:

»Überleben konnte nur der Listige
der sich jeden Tag
mit nie erlahmender Aufmerksamkeit
seinen Fußbreit Boden eroberte
Die Unfähigen
die Trägen im Geiste
die Milden
die Verstörten und Unpraktischen
die Trauernden und die
die sich selbst bedauerten
wurden zertreten« (S. 42).

*Anspielung auf die Bergpredigt*
Tatsächlich zeigt eine nähere Betrachtung, dass dieser kurze Text ein dichtes Gewebe aus Intertexten und Verweisen darstellt,

wovon die Seligpreisungen der *Bergpredigt* am bedeutendsten sind.

In beiden Texten, in der neutestamentarischen *Bergpredigt* und in der *Ermittlung*, werden die angesprochen, die im Kampf ums Dasein benachteiligt sind, sei es, weil ihnen geistige Kräfte fehlen, weil sie friedlich sind oder weil sie Trauer und Mitleid bzw. Selbstmitleid zeigen. In der *Bergpredigt* wird den Schwachen und Selbstlosen das Himmelreich versprochen. Unrecht und Benachteiligung sollen dort wieder gutgemacht werden. Diese Hoffnung existiert für die Menschen in der Rede der Zeugin nicht. Dort heißt es, dass die Benachteiligten »zertreten« werden. Das Bild des »Zertretenwerdens« korrespondiert mit dem bildhaften Ausdruck in der Zeile: Wer überleben will, muss sich »seinen Fußbreit Boden« erobern. Das Bild impliziert, dass die Starken auf Kosten der Schwachen überleben. Es handelt sich also um eine Umschrift oder eine Umdeutung der *Bergpredigt*.

Diese Dekonstruktion der biblischen friedlichen Botschaft stellt einen Verweis auf die unfriedlichen Elemente der christlichen Geschichte dar, wozu auch der Antisemitismus zählt. Damit handelt es sich um einen indirekten Verweis auf das Judentum der Mehrheit der Opfer im Lager. Bei genauerer Betrachtung enthält die Passage noch weitere Verweise und Implikationen. Der Satz »Überleben konnte nur der Listige« verweist nicht auf die *Bergpredigt*, sondern auf Odysseus, den Listigen. Der Satz korrespondiert sowohl mit dem Buch des Überlebenden Primo Levi (1919–1987) *Ist das ein Mensch?* (1947) und seinem zentralen Kapitel »Der Gesang des Ulyss« als auch mit Adorno/Horkheimers Studie *Dialektik der Aufklärung* (1947), in der ein großer Bogen von der Odyssee bis zu den nationalsozialistischen Vernichtungslagern geschlagen wird (ausführlicher dazu Meyer, S. 123–140).

Verweis auf Odysseus

Es werden also Beziehungen zwischen der Kulturgeschichte und dem Lager hergestellt, das zunächst so fernab aller menschlichen Vorstellungen zu liegen scheint. Anders als in Primo Levis Buch stellt die kulturelle Tradition nicht unbedingt eine positive Gegenwelt dar. Weiss vermeidet hier ebenso wie in der Verwendung des *Divina-Commedia*-Modells die ungebrochene Übertragung literarischer Muster.

Der Text stellt kein Abbild des Prozesses dar; der Autor wählte aus, fasste zusammen, arbeitete einzelne Aspekte auch mit Hilfe von Ergänzungen heraus und interpretierte. Dennoch dokumentiert der Text bis heute zentrale Aussagen des Prozesses, Erinnerungen der Opfer und Worte der Täter. Der Dokumentationswert dürfte heute größer sein als in den 1960er-Jahren. Die Prozessaussagen werden in eine Form gebracht, die eine reflektierende Rezeption ermöglicht, ohne dass der Schrecken ausgespart oder verharmlost würde. Bereits die sprachlichen Bearbeitungen, aber besonders die verdichteten Passagen deuten an, welche Rolle die Kunst bei der »Rückeroberung« der Individualität (vgl. Kertész, S. 85) spielen kann.

Auf die Gestaltungen der *Ermittlung* trifft zu, was die Figur Max Hodann in Weiss' *Ästhetik des Widerstands* (1975–1981) über den Ursprung der Kunst aus der zielgerichteten Entwicklungsfähigkeit, der Entelechie, und über die heilende Kraft der Formgebung sagt:

> »Die Kunst, sagte Hodann, setze dort ein, wo alle Philosophien und Ideologien aufhören, sie entspringe der Entelechie, jener rätselhaften Kraft, die allem Lebenden innewohnt, um es zu steuern und, erleide es Schaden, wieder herzustellen, zu den mnestischen Funktionen gehöre sie, die im Hirn, in den Zentren des Visuellen und Akustischen, der örtlichen und zeitlichen Orientierung, alles Vernommne bewahren und es uns, auf Nervenreize hin, zugänglich machen, ohne daß je, beim Sezieren, Spuren dieser aus Erinnrungen bestehenden Denkfähigkeit entdeckt worden wären« (*Ästhetik des Widerstands*, 3. Bd., S. 134).

Zweierlei Weisen von Erinnerung prägen den Text der *Ermittlung*: Anamnese, die Arbeit an der Wieder-Erinnerung und die Aufdeckung von verdrängtem Wissen, ebenso wie Mnemosyne, die gestaltende Erinnerung. Beide arbeiten daran, die Aussagen dieses Prozesses zum Bestandteil unseres kulturellen Gedächtnisses werden zu lassen.

# Textgeschichte

Noch im Januar 1964 bezweifelt Peter Weiss, dass eine künstlerische Darstellung des Themas der Massenvernichtung möglich ist: »Zur *Endlösung*: es ist ja nur unsere Generation, die etwas davon weiß, die Generation nach uns kennt es schon nicht mehr. Wir müssen etwas darüber aussagen. Doch wir können es noch nicht. Wenn wir es versuchen, mißglückt es« (*Notizbücher*, S. 211). Doch unter dem Eindruck eines Besuches beim Frankfurter Prozess im März desselben Jahres ändert er seine Meinung: »zuerst dachte ich, es ließe sich nicht beschreiben, doch da es Taten sind, von Menschen begangen, an Menschen auf dieser Erde –« (*Notizbücher*, S. 226). Weiss' Zweifel und Entscheidung zur Darstellung

Wie oft und wie lange Weiss genau den Prozess besuchte, ist nicht belegt. Er scheint mehrmals im Frühling 1964 während seiner Berlin-Aufenthalte nach Frankfurt gefahren zu sein. In einem Interview mit Hans Mayer sagte er: »Ich war anfangs, in den ersten Monaten, immer einmal im Monat da und manchmal ein paar Tage hintereinander, später waren größere Unterbrechungen dabei« (»Kann sich die Bühne eine Auschwitz-Dokumentation leisten«, S. 9).

Am Anfang der Überlegungen zu möglichen Literarisierungen steht eine Beschäftigung mit dem Maler Giotto (1266–1337) und dem Schriftsteller Dante (1265–1321): »Dante und Giotto wandern durch die Konzentrationslager. Frage: läßt sich dies noch beschreiben« (*Notizbücher*, S. 215). Näheres findet sich im Text »Vorübung zum dreiteiligen Drama divina commedia«: »Spannung würde entstehen beim Vergleich der Welten, die sie in sich trugen, der Maler und der Schreiber, bei Giotto alles vom Diesseitigen geprägt, bei Dante vom Glauben an das Übernatürliche« (in: *Rapporte*, S. 128). Aus dieser Idee erwächst der Plan eines dreiteiligen Dramas nach dem Vorbild von Dantes *Divina Commedia*. Die Figur Giottos verschwindet aus dem Projekt, aber sein diesseitiger Blick wird erhalten bleiben. Vorübung

Auf welche Weise Weiss das mittelalterliche Epos von Dante in einem Welttheater aktualisieren wollte, hat er in der »Vorübung« beschrieben: Dante

»Dante, sollte er seine Wanderung noch einmal antreten, müßte nach anderen Mitteln suchen, seine Zeit zu vergegenwärtigen, grundlegend müßte er den Sinn revidieren, den er den Ortschaften Inferno, Purgatorio und Paradiso beigemessen hatte. […] Inferno beherbergt alle die, die nach des früheren Dante Ansicht zur unendlichen Strafe verurteilt wurden, die heute aber hier weilen, zwischen uns, den Lebendigen, und unbestraft ihre Taten weiterführen, und zufrieden leben mit ihren Taten, unbescholten, von vielen bewundert. […] Purgatorio dann ist die Gegend des Zweifelns, des Irrens, der mißglückten Bemühungen, die Gegend des Wankelmuts und des ewigen Zwiespalts, doch immerhin gibt es hier die Bewegung, es gibt den Gedanken an eine Veränderung der Lage, selbst wenn es unmöglich scheint, den Wulst zu durchbrechen, der jede unserer Regungen einengt. […] Deutlich sah ich die Landschaft des Paradiso, wo jene zuhause sind, denen Dante einmal Glückseligkeit zusprach. Heute, da von Belohnung nicht mehr die Rede ist, und allein das bestandene Leiden gewertet wird, bleibt dem Wanderer nichts anderes übrig, als mitzuteilen, was er erfahren hat von diesem Leiden« (»Vorübung«, S. 136–138).

Diese Lektüre »gegen den Strich« verweltlicht die christliche Dreiteilung in Paradiso (Himmel), Inferno (Hölle) und Purgatorio (Fegefeuer). In Weiss' Theaterstück würden sich alle drei Bereiche in diesem Leben, auf dieser Erde befinden. Inferno wäre gleichzusetzen mit den Tätern, die unbestraft ihr Leben fortsetzen; im Paradiso fände man diejenigen, die unschuldig gelitten haben; und Purgatorio bezeichnet einen Bereich des Zweifelns und der Entscheidung, aber auch der Veränderung.

Der Titel ›Die Ermittlung‹ Im Juli/August 1964 fällt in den *Notizbüchern* zum ersten Mal der Name »Ermittlung« für den Paradiso-Teil (*Notizbücher*, S. 282).

Im Paradiso-Teil plant Weiss, seine Notizen und Lektüren zum Prozess zu verwenden, denkt aber im November 1964 noch an eine Kombination mit Material anderer Schauplätze von Verbrechen:

»In diesem Paradies-Teil ist eine Menge Material über die Konzentrationslager verwendet. Ich habe den Auschwitz-

Prozeß oft besucht und dadurch viel Material bekommen. Aber es wird kein Stück über Auschwitz. Der Paradies-Teil soll ein Stück werden, in dem die unterdrückten Menschen leben und ihre Erfahrungen zum Ausdruck bringen« (Alvarez-Interview, in: *Peter Weiss im Gespräch*, S. 55).

Im Dezember 1964 reist Peter Weiss nach Polen, um dort das Konzentrationslager und Museum Auschwitz zu besichtigen. Anlass ist der Lokaltermin des Frankfurter Gerichts ebendort am 14. Dezember. Nach der Besichtigung verfasst Weiss nicht nur den Text *Meine Ortschaft*, sondern hier wird ihm offensichtlich klar, wie das Material des Prozesses angeordnet werden soll: Die Stationen des Textes folgen dem Leidensweg der Häftlinge von der Rampe bis zu den Verbrennungsöfen. Damit ist auch entschieden, dass sich dieser Text ausschließlich auf die in Frankfurt verhandelten Verbrechen bezieht. Weiss schickt dann Mitte Februar eine erste Fassung des Stücks noch unter dem Titel »Paradiso« an den Suhrkamp Verlag. Mitte März ist endgültig entschieden, diesen Teil als unabhängiges Drama zu veröffentlichen. Die umfangreichen Entwürfe zu den beiden anderen Teilen der *Divina-Commedia*-Trilogie blieben teilweise unvollendet und wurden zu Lebzeiten von Weiss nicht veröffentlicht. Christoph Weiß hat nicht nur die Entwicklungsphasen der *Ermittlung* detailliert rekonstruiert, sondern auch im Weiss-Nachlass eine reinschriftliche Fassung zum »Inferno«-Teil ausgemacht, die er 2003 unter dem Titel *Inferno* herausgegeben hat. Der Inhalt des Stücks steht in engem Zusammenhang mit den autobiographischen Erzählungen *Abschied von den Eltern* (1961) und *Fluchtpunkt* (1962) und ist teilweise deren Fortschreibung, da Weiss hier persönliche Erfahrungen seiner Deutschland-Besuche in den 1960er-Jahren verarbeitet.

Noch bevor am 19. August 1965 die Urteile in Frankfurt verkündet wurden, hatte Weiss die Arbeiten an der *Ermittlung* abgeschlossen. Einen Vorabdruck des Stückes veröffentlichte im August 1965 die Zeitschrift *Theater heute* in einem Sonderheft. Bereits im Juni hatte das von Hans Magnus Enzensberger (*1929) herausgegebene *Kursbuch* die *Frankfurter Auszüge* gedruckt. Hier handelte es sich um eine Zusammenstellung von Prozess-Aussagen, die im Sommer 1964 von Weiss verfasst wor-

Die Text-<br>struktur

Paradiso

Inferno

den war, noch ohne Einteilung in Gesänge und kaum strukturiert. Die größte Gestaltung weist der Schluss des Textes auf, der aus einer Montage diverser Leugnungen der Angeklagten besteht.

Erstauflage u. Textbearbeitungen

Anfang Oktober 1965 erscheint die erste Auflage der *Ermittlung* im Suhrkamp Verlag. Seit der 2. Auflage (8.–15. Tsd. 1965) liegt der Text in der bis heute gebräuchlichen Fassung vor. Einzelne Textbearbeitungen nimmt der Autor noch bis zum Druck der 2. Auflage vor. Christoph Weiß hat die Bearbeitungen der verschiedenen Fassungen untersucht und v. a. eine Tendenz zur »politischen Verschärfung« festgestellt. Beispiele hierfür sind die Nennungen der an den Verbrechen beteiligten Firmen. Hieß es zunächst allgemein »Chemische Werke und Rüstungsbetriebe«, so lautet der Text seit dem Manuskriptdruck, der an die Theater verschickt wurde: »Es waren Niederlassungen / der IG Farben / der Krupp- und Siemenswerke«. Der Angeklagte Capesius war zunächst nur als »Vertreter für Medikamente« bezeichnet worden, nun wird der Name des »Bayer-Konzerns« genannt. Aus »Kriegsgefangene« werden »sowjetische Kriegsgefangene«. Gleichzeitig fügt der Autor auch andere Verweise auf die Herkunft der Opfer hinzu wie etwa zwei Verweise auf die jüdischen Opfer, den Namen »Sarah« sowie »6 Millionen / aus rassischen Gründen Getöteten«.

Allerdings folgen nicht alle späten Ergänzungen und Änderungen einer Politisierung. Manche Varianten betonen entgegen den politischen Erklärungsmustern eine literarische Wahrheit. Berthold Brunner hat in diesem Sinne auf die Hinzufügung vom Bild des »Knochenmehls« in der Aussage des Zeugen 3 hingewiesen (Brunner, S. 78). Als weiteres Beispiel wäre der letzte Teil einer Aussage über den »Bunkerjakob« zu nennen: »Ihr Tod rührt mich nicht / Dies alles rührt mich so wenig / wie es den Stein rührt / in der Mauer« (S. 182). Diese Sätze werden erst nach dem Vorabdruck in *Theater heute* hinzugefügt. Sie sind Teil der literarischen Verdichtungsarbeit des Autors.

# Rezeptions- und Deutungsgeschichte

Am 19. Oktober 1965 wurde *Die Ermittlung* gleichzeitig von 14 Ring der Urauffüh-rungen am 19.10.1965 west- wie ostdeutschen Bühnen uraufgeführt. Die Freie Volks-bühne in West-Berlin, die Münchner Kammerspiele, die Städti-schen Bühnen Essen und die Städtischen Bühnen Köln sowie das Volkstheater in Rostock und das Hans-Otto-Theater in Potsdam inszenierten das Stück, während sich die Akademie der Künste in Ost-Berlin, das Theater der Stadt Cottbus, die Bühnen der Stadt Gera, das Landestheater Halle/Leuna, das Meininger und das Neustrelitzer Theater, das Staatstheater Dresden und das Nationaltheater Weimar für eine szenische Lesung des Textes entschieden. Auch die Royal Shakespeare Company in London unter der Leitung von Peter Brook (*1925) reihte sich in diesen Ring der Uraufführungen mit einer Lesung ein. Die Inszenierung von Peter Palitzsch (1918–2004) am Staatstheater in Stuttgart fand am 23. Oktober statt.

Besondere Aufmerksamkeit wurde den beiden Berliner Auffüh-rungen zuteil. In West-Berlin führte Erwin Piscator (1893–1966) Regie, die Musik hatte Luigi Nono (1924–1990) kom-poniert. Die Lesung der Ost-Berliner Akademie der Künste fand in der Volkskammer der DDR statt, wodurch der Eindruck eines »Staatsaktes« entstand. Unter den Lesenden waren prominente Künstler wie die Schauspielerin Helene Weigel (1900–1971), die Schriftsteller Stephan Hermlin (1915–1997) und Wieland Herz-felde (1896–1988) sowie Politiker wie der stellvertretende Mi-nisterpräsident Alexander Abusch (1902–1982). Es gab ein Re-giekollektiv (von Appen, Bellag, Engel, Wolf), die Musik stamm-te von Paul Dessau (1894–1979).

Im Osten Deutschlands waren die Rezensionen der Urauffüh- Die Rezen-sionen rungen durchweg positiv. Im Westen waren das Stück und die Uraufführungen umstritten. Christoph Weiß hat die Reaktionen auf die ersten Aufführungen umfassend dokumentiert (vgl. Ch. Weiß, *Auschwitz in der geteilten Welt*, Teil 2). Nicht zuletzt durch sein Bekenntnis zum Sozialismus in »Die Richtlinien des Sozialismus enthalten für mich die gültige Wahrheit«, (»10 Ar-beitspunkte eines Autors in der geteilten Welt«, in: *Rapporte 2*) und durch Interview-Äußerungen kurz vor den Uraufführungen gerieten Peter Weiss und *Die Ermittlung* zwischen die Fronten des Kalten Krieges. Einzelne Äußerungen wurden »rezeptionsleitend« (Ch. Weiß, S. 211) wie etwa folgende in einem Interview im *Sonntag*:

›Kapitalismuskritik‹

> »Das Stück entbehrt nicht der aktuellen Sprengkraft. Ein Großteil davon behandelt die Rolle der deutschen Großindustrie bei der Judenausrottung. Ich will den Kapitalismus brandmarken, der sich sogar als Kundschaft für Gaskammern hergibt« (in: *Peter Weiss im Gespräch*, S. 79).

In der DDR wurden solche Stellungnahmen begrüßt und *Die Ermittlung* wurde wesentlich als Anklage der kapitalistischen Bundesrepublik rezipiert.

Im Westen befürchteten manche Kritiker unter dem Eindruck der politischen Haltung von Weiss eine Instrumentalisierung von Auschwitz. So schrieb Hans Dietrich Sander am 18. September 1965 in der *Welt*, man solle sich darüber klar sein,

> »daß dieses neue Stück die erste Partisanenaktion des Peter Weiss darstellt. Es geht ihm in erster Linie mitnichten um die Vergangenheit, von deren Schatten wir noch umgeben sind. Er hat dieses Stück geschrieben, um, synchron mit der permanenten Propagandakampagne des Ostblocks, die Bundesrepublik anzugreifen.«

Kritik am »Theater Auschwitz«

Andere Einwände betrafen die Frage, ob Auschwitz überhaupt auf der Bühne darstellbar sei; geäußert wurden sie ebenfalls noch vor den Uraufführungen. So veröffentlichte Joachim Kaiser (*1928) sein »Plädoyer gegen das Theater-Auschwitz« am 4./5. September in der *Süddeutschen Zeitung*. Durchaus polemisch nannte Kaiser die geplante Ringuraufführung eine »theatralische Wiedergutmachungs- und Aufklärungsaktion«. Angesichts des »Unmaß des Schrecklichen« habe das Publikum keine Möglichkeit mehr zur Kritik. »Das Publikum muß den Fakten parieren. Es hat keine Freiheit, weil sich auch der Autor keine Freiheit nahm.« Er zieht den Schluss: »Auschwitz hingegen sprengt den Theaterrahmen, ist unter ästhetischen Bühnenvoraussetzungen schlechthin nicht konsumierbar.« Noch vor Kaiser, am 13. August in einem WDR-Kommentar, hatte Siegfried Melchinger, Mitherausgeber von *Theater heute*, die Befürchtung geäußert, *Die Ermittlung* könne in den »Kulturbetrieb« geraten. »Wenn man sich vorstellt, jemand könne an der Kasse erscheinen und einmal *Lohengrin* und zweimal *Ermittlung* verlangen, wird einem übel. In Städten, wo man es sich leisten kann, sollte das Stück außerhalb des Spielplans in Sälen gegeben werden.« Gegen das Stück selbst hatte Melchinger keine Einwände, im Gegenteil: »Jeder Denkende wird zugeben, daß uns Deutschen Vorführungen wie diese bitter nötig sind.«

Offensichtlich widerlegten aber Inszenierungen und Publikumsreaktionen die ästhetischen Bedenken. In Berlin verließ das Publikum die Piscator-Inszenierung schweigend (vgl. Ch. Weiß, Teil 2, S. 380); auch von anderen Aufführungen wird von betroffenem Schweigen, auch von Erschütterung berichtet (vgl. ebd., S. 396). Vereinzelt liest man von Empörung oder von Langeweile eines Kritikers (vgl. ebd., S. 259). Häufig kann man eine gewisse Ratlosigkeit konstatieren, wie ein Stück bewertet werden soll, das eine Montage aus Fakten darstelle, aber doch gleichzeitig Positionierungen des Autors erkennen lasse. »Die Musen verhüllen ihr Haupt, und der Theaterkritiker würde gern auf das Wort verzichten. Angesichts der *Ermittlung* von Peter Weiss fühlt er sich nicht zuständig« (*Münchner Merkur*, 21. 10. 1965). Nur wenige erkennen wie Walter Jens (*1923) den »hohen Kunstverstand«, mit dem das Material sprachlich bearbeitet wurde (*Die Zeit*, 29. 10. 1965).

Betroffenheit des Publikums

Bemerkenswert ist auch, dass das Thema »Kapitalismuskritik« nach den Aufführungen nur noch am Rande auftaucht (vgl. Ch. Weiß, S. 249). So heißt es etwa in einem dpa-Bericht, der in mehr als 30 Zeitungen am 21. Oktober abgedruckt wurde: »Die Anklage von Weiss gegen die Großindustrie überschreitet nicht die Grenzen authentischer Mitteilungen.«

Die erste umfassende wissenschaftliche Analyse der *Ermittlung* stammt von Erika Salloch, die 1937 aus Deutschland in die USA emigriert war. Salloch stellt das Stück in die Tradition des Zeitstücks der 1920er-Jahre und arbeitet exemplarisch den Zusammenhang von Montage und Verdichtung heraus. Analysen zum Textaufbau und zur Textstruktur stehen im Mittelpunkt einer weiteren frühen Interpretation zur *Ermittlung* von dem DDR-Wissenschaftler Martin Haiduk.

E. Salloch

Die Frage nach der Kapitalismuskritik blieb auch in der Forschung ein Thema. Dabei steht weniger die Tatsache einer kapitalismuskritischen Ebene in Frage als die Bedeutung, die dieser Kritik im Stück insgesamt zukommt. Bereits der Titel von Rolf D. Krauses Untersuchung *Faschismus als Theorie und als Erfahrung* zeigt den Versuch an, das Stück in die faschismustheoretischen Diskussionen seiner Zeit einzuordnen. Krause hat zwei Ansätze für *Die Ermittlung* entdeckt: »der Faschismus als übergeschichtliches, universal-anthropologisches Phänomen« und »schließlich die Aufhebung des Faschismus in der Imperialismustheorie« (S. 356). Er vermisst dagegen psychologische und psychoanalytische Erklärungen, wie etwa die Disposition zum Faschismus in der Über-Ich-Bildung des autoritären Charakters (vgl. S. 379).

Krause verkennt manchmal, dass ein literarisches Werk anderen Regeln als denen einer wissenschaftlichen Abhandlung folgt. Andererseits enthält seine Untersuchung bis heute den breitesten und ausführlichsten Vergleich zwischen der *Ermittlung* und den von Weiss verwendeten Materialien. Hierzu gehört auch eine Synopse (vgl. Krause, S. 676–682). Vollständig ist auch Krauses Quellenvergleich nicht, was angesichts der Fülle der zu untersuchenden Zeitungen und Schriften nicht verwundern kann.

Auch Christoph Weiß baut auf den Textvergleichen von Krause auf. Weiß betont im Kontext seiner Untersuchungen zur Textgenese die schrittweise politische Verschärfung:

»Herausgestellt wurde von Weiss die Verbindung von Faschismus und Kapitalismus einerseits sowie die Zusammenhang zwischen der westdeutschen und der nationalsozialistischen Gesellschaft andererseits. Weiss betonte die Beteiligung der Industrie an Auschwitz als letzte Konsequenz des Systems kapitalistischer Ausbeutung, das in der Bundesrepublik fortwirke, die auch in der personalen Kontinuität der NS-Gesellschaft stehe. Das damit in den Vordergrund gerückte, mit Konkretisierungen arbeitende ökonomistisch-personalistische Deutungsmuster fiel um so mehr auf, als die im übrigen größtenteils unverändert gebliebene ›Paradiso‹-Reinschrift gemäß Weiss' Universalitätskonzeption auf Anonymisierung angelegt war« (Weiß, S. 12).

R. D. Krause

Ch. Weiß

In diesem Zusammenhang wird immer wieder auf die so genannte Dimitroff-These verwiesen. Dabei handelt es sich um die offizielle Definition des Faschismus durch die Kommunistische Internationale von 1933: Der »Faschismus an der Macht« sei die »offene terroristische Diktatur der am meisten reaktionären, chauvinistischen und imperialistischen Elemente des Finanzkapitals« (zit. n. Wippermann, S. 21).

Die ›Dimitroff-These‹

Schon Krause hatte allerdings darauf hingewiesen, dass die Dimitroff-These nicht konsequent in der *Ermittlung* angewendet wird. Die Justiz, hier also Richter und Staatsanwaltschaft, werden von der Kritik ausgenommen, obwohl Weiss in den Angriffen des Nebenklägers Kaul Material für eine solche Kritik hätte finden können (vgl. Krause, S. 421). Außerdem fügt Weiss in späten Fassungen nicht nur systemkritische Bemerkungen hinzu, sondern auch die Widerlegungen der Befehlsnotstandsthese. Textpassagen zum nicht angepassten Verhalten Einzelner werden erweitert, so dass insgesamt die Verantwortung des Individuums gegenüber dem »System« an Bedeutung gewinnt (vgl. Krause, S. 418).

Alfons Söllner hat auf den Zusammenhang zwischen der kapitalismuskritischen Ebene der *Ermittlung*, der Psychoanalyse und der politischen Kultur der 1960er-Jahre aufmerksam gemacht. Söllner liest das Drama wirkungsästhetisch »als ein gegen die Verdrängung gerichtetes Aufklärungsunternehmen« (S. 170). Nicht nur die Konfrontation mit der verleugneten Vergangenheit, sondern auch die Konfrontation mit ökonomischen Hintergründen sei Teil dieser Wirkungsästhetik. Denn gerade die wirtschaftliche Dimension des Völkermords sei zur Zeit des Prozesses tabu gewesen. Im Sinne der Argumentation von Alexander (1908–1982) und Margarete Mitscherlichs (*1917) *Die Unfähigkeit zu trauern* (1967) stellt Söllner heraus: »Es ist die wahnhafte Verstärkung des ökonomischen Leistungswillens, die die postulierte Trauerarbeit verhindert« (S. 183).

A. Söllner

A. u. M. Mitscherlich

Robert Cohen deutet die Kapitalismuskritik als einen Erklärungsversuch, der im Text eine analytische Gegenwirkung zur lähmenden Schilderung der Verbrechen entfalten soll:

R. Cohen

»Alles scheint hier darauf angelegt, von Szene zu Szene die völlige, die absolute Unfaßbarkeit des Geschehens zu beweisen. Unter dem Eindruck dieser unaufhörlichen Folge von Scheußlichkeiten erlahmt das Denken. Aber wenn diese Wirkung der Ermittlung auch unvermeidbar ist, so wird sie im Verlauf des Stücks auch wieder aufgehoben. Denn es herrscht in der Ermittlung ein Gegenprinzip [...]«

In einer »Dialektik von sich verweigerndem Denken und der Notwendigkeit rationaler Analyse steht das Stück« (Cohen 1992, S. 144 f.).

M. Meyer — Ähnlich sieht auch Marita Meyer ein Nebeneinander von Unerklärbarkeit und Rationalisierungen, wobei der Zusammenhang von Erklären und Überleben, Sinnlosigkeitserfahrungen und Todeswunsch betont wird. Außerdem wird auf einen Gender-Aspekt des Stückes aufmerksam gemacht: Das rational-erklärende Verhalten ist an männliche, das mimetisch-solidarische Verhalten ist an weibliche Figuren gebunden.

Kritik an der Universalisierung — Die Universalisierungstendenz des Dramas hat auch zur Folge, dass das Wort »Jude« im Stück nicht fällt. Das löste teilweise heftige Kritik aus. James Young beschuldigt Peter Weiss, mit

J. Young — seinem Drama symbolisch die Vernichtungspolitik der Nationalsozialisten fortzuführen:

> »So stellt man zum Beispiel fest, daß sein Dokumentarstück, wo nahezu die Hälfte der vier Millionen Opfer einzig und allein ihrer jüdischen Herkunft wegen ermordet wurde, genauso judenrein [im Original deutsch – d. Ü.] ist wie der größte Teil Europas nach dem Holocaust« (Young, S. 123).

Analog zu seinem politisch-ökonomischen Vorverständnis manipuliere Weiss die Fakten. Die einzige im Stück namentlich bezeichnete Gruppe, die sowjetischen Kriegsgefangenen, sollen laut Young stellvertretend für alle anderen Opfer stehen (vgl. S. 125).

J.-M. Chaumont — Jean-Michel Chaumont hat sich mit den überwiegend unhaltbaren Deutungen Youngs auseinander gesetzt. Er führt die Aggressivität, mit der Young seine Interpretation vorträgt, darauf zurück, dass sich der Diskurs über das Gedächtnis »zur Zeit fast ausschließlich um das Thema der Eigentümlichkeit, ja der absoluten Einzigartigkeit der Shoah« artikuliere (Chaumont, S. 78).

Jenseits von polemischen Angriffen gibt es auch wohl überlegte

Einwände, in denen problematisiert wird, ob die Universalisierung des Dramas nicht von der konkreten Situation und damit von der historischen Verantwortung ablenke (vgl. Cohen 1992, S. 166).

Ohne diese Bedenken ausräumen zu wollen, bleibt darauf hinzuweisen, dass Peter Weiss das allgemein Menschliche der Opfer betont, auch um die nationalistischen und rassistischen Stigmatisierungen nicht zu wiederholen. Gleichzeitig gibt es verdeckte Hinweise auf das Judentum der Opfer im Text, in Namengebungen und in verdichteten Textstellen, die auf eine Beschäftigung des Autors mit der besonderen Bedeutung des Antisemitismus verweisen (vgl. Meyer, S. 13–33 u. S. 123–129). Diese Bedeutung nicht explizit gemacht zu haben, könnte der Autor Jahre später für ein Versäumnis gehalten haben (vgl. Weiss, *Rekonvaleszenz*, S. 12 f., und die Deutung dieser Textstelle bei Heidelberger-Leonard, S. 51).

Die Bedeutung von Dantes *Divina Commedia* für das Gesamtwerk von Weiss im Allgemeinen wie für *Die Ermittlung* im Besonderen ist auch dank der Dante-Essays des Autors stets ein Thema der Forschung gewesen. In der deutschsprachigen Literatur ist die jahrzehntelange Beschäftigung mit Dante einzigartig, in der italienischen Literatur findet sie nur in Pier Paolo Pasolini (1922–1975) eine Parallele (vgl. Kuon, S. 42).

Die Bedeutung Dantes f. das Werk v. P. Weiss

Manche sehen von dieser Beschäftigung in der *Ermittlung* nur noch das Zahlengerüst zur Ordnung des Materials, andere erkennen Dantes Text als Modell und als Gegenentwurf auch in der inneren Struktur des Dramas wieder (vgl. Salloch).

Die Suche nach Erklärungen für die intensive künstlerische Beschäftigung mit Dante hat mehrere Antworten hervorgebracht: Christine Ivanovic sieht im Gespräch zwischen Dante und Vergil in der *Commedia* eine Darstellungsform, die Weiss als »antidoktrinäre Rede« für ein Schreiben nach Auschwitz entwickle (Ivanovic, S. 72). Jens Birkmeyer betont die Verbindung von Visionärem und Faktischem, die sich während der Dante-Lektüre von Weiss zu einem »poetischen Paradigma« entwickle (Birkmeyer, S. 127).

Unbestritten teilt Weiss das Interesse Dantes für Fragen von Schuld und Gerechtigkeit, wenn er auch die Antworten des mit-

Die Schuldfrage im biographischen Kontext

telalterlichen Autors ablehnt. Nicht zuletzt findet er hier ein Vorbild für die Darstellung von etwas schwer Darstellbarem.

Im Kontext der Schuldfrage steht eine biographische Deutung der *Ermittlung*. Wenn man den Lili-Tofler-Gesang als parallele Konstruktion zum Auftauchen Beatrices in der Komödie Dantes erkennt, öffnet sich der biographische Kontext von Peter Weiss als jemandem, der den Lagern entkommen ist. Peter Weiss kannte das Schuldgefühl der Überlebenden und die quälende Frage, ob er den Toten hätte helfen können. So schreibt er in der autobiographischen Erzählung *Fluchtpunkt*: »Lange trug ich die Schuld, daß ich nicht zu denen gehörte, die die Nummer der Entwertung ins Fleisch eingebrannt bekommen hatten, daß ich entwichen und zum Zuschauer verurteilt worden war« (S. 137). In der *Divina Commedia* ist das Auftreten Beatrices eng mit dem Schuldbekenntnis Dantes über ein verfehltes Leben verbunden. Analog hierzu wird im Dante-Zitat und besonders im Beatrice-Zitat der *Ermittlung* ein Schuldbekenntnis des Autors Peter Weiss gesehen (vgl. Oesterle sowie Knoche). Als weiterer Beleg für diese Deutung wird häufig die Textstelle im »Gesang vom Phenol« herangezogen, wo von den Funktionshäftlingen »Schwarz« und »Weiß« die Rede ist. Der Autor Peter Weiss war sich bewusst, dass ihn seine damals allzu deutsche, nämlich autoritäre Erziehung, anfällig für die nationalsozialistischen Machtphantasien gemacht hätte. Die Bereitschaft auch zur selbstkritischen Behandlung des Themas »hebt sein Werk weit hinaus über alle sonstigen literarischen Versuche der sogenannten Vergangenheitsbewältigung« (Sebald, S. 142).

Schuldgefühle und selbstkritische Einschätzungen des Autors rechtfertigen allerdings nicht die Rede von der »Austauschbarkeit von Täter und Opfer«, die in der Forschung zur *Ermittlung* immer wieder auftaucht. Im Drama wird zwar (wie in den Prozessberichten) manchmal auf bedrückende Weise deutlich, dass sich die Opfer den Tätern annähern mussten, um zu überleben, aber der Autor stellt in seinem Stück die Gleichsetzung von Opfern und Tätern als eine Entlastungsstrategie der Täter heraus (vgl. Erl. zu 169,33–170,5).

*Die Ermittlung als Dokumentarstück ...*

Marita Meyer hat sich von der nachfragenden, »ermittelnden« Form des Textes zu Recherchen nach historischen Kontexten und literarischen Sub- und Intertexten anleiten lassen. Sichtbar wurde ein Text, der bis heute überzeugende ästhetische Lösungen für zentrale Probleme der Darstellbarkeit des Holocaust besitzt. Ein sowohl dokumentierender als auch interpretierender Text, dessen literarische Mittel eingesetzt werden, um die Verbrechen ebenso wie den Frankfurter Prozess zum Teil unseres kulturellen Gedächtnisses werden zu lassen.

Auch Ingo Breuer hat jüngst in einer Untersuchung zum deutschsprachigen Geschichtsdrama die Bedeutung der *Ermittlung* als Erinnerungsdrama betont, wobei er allerdings der Dokumentation weniger Bedeutung beimisst. Eher handele es sich um eine »Gegen-Ermittlung«. Breuer unterstreicht den Gegenwartsbezug und die Gedächtnisdiskurse der 1960er-Jahre wie etwa die Kollektivschuldthese oder die Frage nach gesellschaftlichen und mentalen Kontinuitäten. »Peter Weiss geht es offensichtlich nicht nur um die Fakten der Vergangenheit, sondern auch und sogar vorrangig um deren Interpretation« (Breuer, S. 221).

... und Erinnerungsdrama

Auf der Bühne war *Die Ermittlung* nach der spektakulären Uraufführung noch bis 1967 mit weiteren Inszenierungen präsent. Danach verschwand das Stück aus den Spielplänen. Erst 1979 tauchte es im Programm des Schlosstheaters Moers wieder auf. In den 1980er-Jahren folgten vereinzelte Inszenierungen an anderen deutschen Bühnen. Seit Anfang der 1990er-Jahre nimmt das Interesse der Theater wieder deutlich zu. Von 1990 bis 2004 gab es 13 deutsche Premieren. Die Künstler Esther und Jochen Gerz machten das Stück 1998 zur Grundlage ihrer *Berliner Ermittlung*, an der mehrere Berliner Bühnen, Tageszeitungen, Hörfunk und Fernsehen beteiligt waren. Im Ausland wurde das Stück in demselben Zeitraum elfmal inszeniert, viermal in Italien, dreimal in Schweden, zweimal in Großbritannien und jeweils einmal in Brasilien und in der Schweiz.

Aktuellere Inszenierungen

# Literaturhinweise

## A. Textausgaben

Die Ermittlung, in: *Theater 1965. Chronik und Bilanz des Bühnenjahrs*, Sonderheft von *Theater heute* (65), S. 57–87.

*Die Ermittlung. Oratorium in 11 Gesängen*, 1.–7. Tsd., Frankfurt/M.: Suhrkamp 1965.

–, 8.–15. Tsd., Frankfurt/M.: Suhrkamp 1965.

–, 1. Aufl. Berlin: Rütten & Loening 1965.

–, 2. Aufl. Berlin: Rütten & Loening 1966.

–, Gütersloh: Bertelsmann Lesering 1966.

–, in: Peter Weiss, *Dramen*, 2 Bde., Frankfurt/M.: Suhrkamp 1968.

–, Hamburg: Rowohlt 1969.

–, in: Peter Weiss, *Stücke 1*, Frankfurt/M.: Suhrkamp 1976.

–, in: Peter Weiss, *Stücke*, hg. v. Manfred Haiduk, Berlin: Henschelverlag 1977.

–, in: *Spectaculum 33*, Frankfurt/M.: Suhrkamp 1980.

–, mit Beiträgen v. Walter Jens u. Ernst Schumacher, Frankfurt/M.: Suhrkamp 1991.

–, in: Peter Weiss, *Werke in sechs Bänden*, hg. v. Suhrkamp Verlag in Zusammenarbeit mit Gunilla Palmstierna-Weiss, Frankfurt/M.: Suhrkamp 1991.

## B. Zu Peter Weiss und zur »Ermittlung«

Beise, Arnd, *Peter Weiss*, Stuttgart 2002.

Birkmeyer, Jens, *Bilder des Schreckens. Dantes Spuren und die Mythosrezeption in Peter Weiss' Roman »Die Ästhetik des Widerstands«*, Wiesbaden 1994.

Breuer, Ingo, *Theatralität und Gedächtnis. Deutschsprachiges Geschichtsdrama seit Brecht*, Köln 2004.

Brunner, Berthold, Peter Weiss und das »Inferno«. Über ein unveröffentlichtes Stück, die »Ermittlung« und das Verhältnis zu Nachkriegsdeutschland – eine Auseinandersetzung mit den Interpretationen von Christoph Weiß, in: *Peter Weiss Jahrbuch*, Bd. 11, St. Ingbert 2002.

Chaumont, Jean-Michel, Der Stellenwert der »Ermittlung« im Gedächtnis von Auschwitz, in: *Peter Weiss. Neue Fragen an alte Texte*, hg. v. Irene Heidelberger-Leonard, Opladen 1994.

Cohen, Robert, *Peter Weiss in seiner Zeit. Leben und Werk*, Stuttgart 1992.

Cohen, Robert, Identitätspolitik als politische Ästhetik. Peter Weiss' Ermittlung im amerikanischen Holocaust-Diskurs, in: *›Niemand zeugt für den Zeugen‹. Erinnerungskultur nach der Shoah*, hg. v. Ulrich Baer, Frankfurt/M. 2000.

Gerlach, Rainer/Richter, Matthias (Hg.), *Peter Weiss im Gespräch*, Frankfurt/M. 1986.

Haiduk, Manfred, *Der Dramatiker Peter Weiss*, Berlin/DDR 1977.

Hanenberg, Peter, *Peter Weiss. Vom Nutzen und Nachteil der Historie für das Schreiben*, Berlin 1993.

Heidelberger-Leonard, Irene, Jüdisches Bewußtsein im Werk von Peter Weiss, in: *Literatur, Ästhetik, Geschichte. Neue Zugänge zu Peter Weiss*, St. Ingbert 1992.

Ivanovic, Christine, Der Schritt zur Vernunft, in: *Peter Weiss Jahrbuch*, Bd. 6, St. Ingbert 1997.

Knoche, Susanne, Die Hölle der Gegenwart und ihre Ästhetik als Potential des Widerstands. Bildanalogien zwischen Peter Weiss und Dante, in: *Argument*-Sonderband (227).

Krause, Rolf-D., *Faschismus als Theorie und Erfahrung. »Die Ermittlung« und ihr Autor Peter Weiss*, Frankfurt/M./Bern 1982.

Kuon, Peter, Zur Rezeption der »Divina Commedia« bei Peter Weiss, Pier Paolo Pasolini und anderen, in: *Peter Weiss Jahrbuch*, Bd. 6, St. Ingbert 1997.

Lindner, Burkhardt, *Im Inferno. »Die Ermittlung« von Peter Weiss. Auschwitz, der Historikerstreit und »Die Ermittlung«*, Frankfurt/M. 1988.

Meyer, Marita, *Eine Ermittlung. Fragen an Peter Weiss und an die Literatur des Holocaust*, St. Ingbert 2000.

Oesterle, Kurt, »Dante und das Mega-Ich. Literarische Formen politischer und ästhetischer Subjektivität bei Peter Weiss«, in: *Literaturmagazin* 27 (91).

Salloch, Erika, *Peter Weiss' Die Ermittlung. Zur Struktur des Dokumentartheaters*, Frankfurt/M. 1972.

Sebald, W. G., »Die Zerknirschung des Herzens. Über Erinnerung und Grausamkeit im Werk von Peter Weiss«, in: ders., *Campo Santo*, München/Wien 2003.

Söllner, Alfons, *Peter Weiss und die Deutschen. Die Entstehung einer politischen Ästhetik wider die Verdrängung*, Opladen 1988.

Weiß, Christoph, *Auschwitz in der geteilten Welt. Peter Weiss und die »Ermittlung« im Kalten Krieg*, St. Ingbert 2000.

Young, James E., *Beschreiben des Holocaust. Darstellung und Folgen der Interpretation*, Frankfurt/M. 1992.

## C. Weitere, zitierte Literatur

Adler, H. G./Langbein, Hermann/Lingens-Reiner, Ella (Hg.), *Auschwitz. Zeugnisse und Berichte*, Hamburg 1995.

Adorno, Theodor W./Horkheimer, Max, *Dialektik der Aufklärung*, Frankfurt/M. 1969.

–, *Gesammelte Schriften*, Bd. 10.1., hg. v. Rolf Tiedemann unter Mitwirkung von Gretel Adorno, Susan Buck-Morss und Klaus Schultz, Frankfurt/M. 1977.

Améry, Jean, *Jenseits von Schuld und Sühne. Bewältigungsversuche eines Überwältigten*, Stuttgart 1988.

Arendt, Hannah, *Eichmann in Jerusalem. Ein Bericht von der Banalität des Bösen*, München 1964.

–, *Nach Auschwitz. Essays und Kommentare 1*, Berlin 1989.

Broszat, Martin, »Nationalsozialistische Konzentrationslager 1933–1945«, in: *Anatomie des SS-Staates*, Bd. 2, München 1967.

Buchheim, Hans, »Befehl und Gehorsam«, in: *Anatomie des SS-Staates*, München 1967.

Celan, Paul, *Atemwende*, Frankfurt/M. 1967.

Cohen, Elie A., *Human Behavior in the Concentration Camp*, New York 1953.

Dante Alighieri, *Die Göttliche Komödie*, Zürich 1984.

Diner, Dan, »Die Wahl der Perspektive«, in: *Vernichtungspolitik*, hg. v. Wolfgang Schneider, Hamburg 1991.

Dirks, Christian, »Selekteure als Lebensretter. Die Verteidigungsstrategie des Rechtsanwalts Dr. Hans Laternser«, in: *»Gerichtstag halten über uns selbst … « Geschichte und Wirkung des ersten Frankfurter Auschwitz-Prozesses*, hg. v. Irmtrud Wojak im Auftrag des Fritz Bauer Instituts, Frankfurt/M. 2001.

Frei, Norbert, »Der Frankfurter Auschwitz-Prozeß und die deutsche Zeitgeschichtsforschung«, in: *Auschwitz: Geschichte, Rezeption und Wirkung. Jahrbuch 1996 zur Geschichte und Wirkung des Holocaust*, hg. v. Fritz Bauer Institut, Frankfurt/M. 1997.

Freimüller, Tobias, »Mediziner: Operation Volkskörper«, in: *Karrieren im Zwielicht. Hitlers Eliten nach 1945*, hg. v. Norbert Frei, Frankfurt/M. 2001.

Hayes, Peter, »IG Farben und der IG Farben-Prozeß. Zur Verwicklung eines Großkonzerns in die nationalsozialistischen Verbrechen«, in: *Auschwitz: Geschichte, Rezeption und Wirkung. Jahrbuch 1996 zur Geschichte und Wirkung des Holocaust*, hg. v. Fritz Bauer Institut, Frankfurt/M. 1997.

Hilberg, Raul, *Die Vernichtung der europäischen Juden*, Frankfurt/M. 1990.

Howe, Irving, »Literatur und Holocaust«, in: *Lettre international 1*, 1988.

Jüdisches Historisches Institut Warschau (Hg.), *Faschismus – Getto – Massenmord. Dokumentation über Ausrottung und Widerstand der Juden in Polen während des Zweiten Weltkrieges*, Berlin 1960.

Kertész, Imre, *Galeerentagebuch*, Hamburg 1997.

Kingreen, Monica, *Der Auschwitz-Prozess 1963–1965. Geschichte, Bedeutung und Wirkung. Materialien für die pädagogische Arbeit*, Fritz Bauer Institut, Frankfurt/M. 2004.

Langbein, Hermann, *Der Auschwitz-Prozeß. Eine Dokumentation,* Wien 1965.

Levi, Primo, *Ist das ein Mensch?*, München/Wien 1991.

Lifton, Robert Jay, *Ärzte im Dritten Reich*, Stuttgart 1988.

Miquel, Marc von, »Juristen: Richter in eigener Sache«, in: *Karrieren im Zwielicht. Hitlers Eliten nach 1945*, hg. v. Norbert Frei, Frankfurt/M. 2001.

Mitscherlich, Alexander und Margarete, *Die Unfähigkeit zu trauern*, München 1967.

Naumann, Bernd, *Auschwitz. Bericht über die Strafsache Mulka u. a. vor dem Schwurgericht Frankfurt*, Frankfurt/M. 1965 (die gekürzte Ausgabe von 1968 bildet die Vorlage für die heute leicht zugängliche Ausgabe von 2004).

Patai, Raphael/von Ranke-Graves, Robert, *Hebräische Mythologie. Über die Schöpfungsgeschichte und andere Mythen aus dem Alten Testament*, Hamburg 1986.

Reitlinger, Gerald, *Die Endlösung. Hitlers Versuch der Ausrottung der Juden Europas 1939–1945*, Berlin 1961.

Semprún, Jorge, *Was für ein schöner Sonntag!*, Frankfurt/M. 1984.

Weiss, Peter, *Abschied von den Eltern*, Frankfurt/M. 1964.

–, *Fluchtpunkt*, Frankfurt/M. 1965.

–, *Rapporte*, Frankfurt/M. 1968.

–, *Rapporte 2*, Frankfurt/M. 1968.

–, *Die Ästhetik des Widerstands*, 1. Bd. (1975), 2. Bd. (1978), 3. Bd. (1981), dreibändige Ausgabe in einem Band, Frankfurt/M. ²1986.

–, *Notizbücher 1960–1971*, Frankfurt/M. 1982.

–, *Meine Ortschaft*, in: *Deutsche Orte*, hg. v. Klaus Wagenbach, Berlin 1991.

–, *Rekonvaleszenz*, Frankfurt/M. 1991.

–, *Briefe an Hermann Levin Goldschmidt und Robert Jungk 1938–1980*, hg. v. Beat Mazenauer, Leipzig 1992.

–, »Kann sich die Bühne eine Auschwitz-Dokumentation leisten«, Peter Weiss im Gespräch mit Hans Mayer (Oktober 1965), in: *Peter Weiss Jahrbuch*, Bd. 4, hg. v. Martin Rector u. Jochen Vogt, Opladen 1995, S. 8–30.

–, *Inferno*, Stück und Materialien, hg. v. Christoph Weiß, Frankfurt/M. 2003.

Werle, Gerhard/Wandres, Thomas, *Auschwitz vor Gericht. Völkermord und bundesdeutsche Strafjustiz*, München 1995.

Wippermann, Wolfgang, *Faschismustheorien. Zum Stand der gegenwärtigen Diskussion*, Darmstadt 1989.

Wojak, Irmtrud, »Zur Einführung: Der erste Frankfurter Auschwitz-Prozeß und die ›Bewältigung‹ der NS-Vergangenheit«, in: *Auschwitz-Prozeß 4 Ks 2/63 Frankfurt am Main*, hg. v. Irmtrud Wojak im Auftrag des Fritz Bauer Instituts, Frankfurt/M. 2004.

# Wort- und Sacherläuterungen

7.2  **Oratorium**: (lat.) Hier: Musikstück für Chor, Solostimmen und Orchester über einen meist biblischen Text, ohne szenische Darstellung.

7.2  **11 Gesängen**: Anspielung auf die zwei mal 33 (und ein mal 34) Gesänge von Dante Alighieris (1265–1321) Epos *Divina Commedia* (Die Göttliche Komödie), entstanden um 1307–1321. Da in der *Ermittlung* jeder Gesang dreigeteilt ist, ergeben sich 33 Einzelgesänge.

8.6  **Angeklagte 1–18**: 1 = Robert Mulka (1895–1969), Adjutant des Lagerkommandanten, vor der Verhaftung Kaufmann, verurteilt zu 14 Jahren Gefängnis.

2 = Wilhelm Boger (1906–1977), kaufmännischer Angestellter, verurteilt zu einer lebenslänglichen Haftstrafe.

3 = Dr. Victor Capesius (1907–1985), Apotheker, verurteilt zu neun Jahren Gefängnis.

4 = Dr. Willy Frank (1903–1989), Zahnarzt, verurteilt zu sieben Jahren Gefängnis.

5 = Dr. Willi Schatz (1905–1985), Zahnarzt, mangels Beweisen freigesprochen.

6 = Dr. Franz Lucas (1911–1994), leitender Arzt der gynäkologischen Abteilung eines Krankenhauses, verurteilt zu drei Jahren und drei Monaten Gefängnis.

7 = Oswald Kaduk (1906–1997), Krankenpfleger, verurteilt zu einer lebenslänglichen Haftstrafe.

8 = Franz Hofmann (1906–1973), Schutzhaftlagerführer, verurteilt zu einer lebenslänglichen Haftstrafe.

9 = Josef Klehr (1904–1988), Tischler, verurteilt zu einer lebenslänglichen Haftstrafe.

10 = Herbert Scherpe (1907–1997), Pförtner, verurteilt zu vier Jahren und sechs Monaten Gefängnis.

11 = Emil Hantl (1902–1984), Weber, verurteilt zu drei Jahren und sechs Monaten Gefängnis.

12 = Hans Stark (1921–1991), Lehrer an einer Landwirtschaftsschule, verurteilt zu zehn Jahren Gefängnis.

13 = Stefan Baretzki (1919–1988), Arbeiter bei einer Kohlehandlung, verurteilt zu einer lebenslänglichen Haftstrafe.

14 = Bruno Schlage (1903–1977), Hausmeister, verurteilt zu sechs Jahren Gefängnis.

15 = Heinrich Bischof, richtig: Bischoff (1904–1964), schied wegen Erkrankung vorzeitig aus dem Verfahren aus, starb am 26. Oktober 1964.

16 = Pery Broad (1921–1994), kaufmännischer Angestellter, verurteilt zu vier Jahren Gefängnis.

17 = Arthur Breitwieser (1910–1978), Buchhalter, mangels Beweisen freigesprochen.

18 = Emil Bednarek (1907–?), Gastwirt, verurteilt zu einer lebenslänglichen Haftstrafe.

**Umsiedlertransporte**: Millionen von Menschen wurden von den Machthabern des Dritten Reichs um- oder ausgesiedelt. V. a. in den besetzten Gebieten wurden die nicht-dt. Bewohner vertrieben, so dass dt. Siedler Häuser und Besitztümer übernehmen konnten. — 12.2

**Ortschaft**: Statt »Auschwitz« verwendet Weiss einen verallgemeinernden Ausdruck, so dass Übertragungen auf andere Orte möglich werden. — 13.14

Vor der dt. Besatzung hieß der Ort Oswiecim. Auch heute trägt er wieder seinen poln. Namen. Oswiecim liegt ca. 50 km westlich von Krakow (Krakau).

Man kann auch eine Anspielung auf Weiss' Text *Meine Ortschaft* in der Wortwahl sehen, worin der Autor seine persönlichen Reflexionen während eines Besuchs der Gedenkstätte Auschwitz beschreibt. Der Verleger Klaus Wagenbach (*1930) hatte dt. Schriftsteller gebeten, Texte über einen »Gedächtnisort« ihrer Wahl zu schreiben. Die Anthologie wurde 1965 unter dem Titel *Atlas* herausgegeben. Weiss entschied sich für den Ort Auschwitz (Oswiecim). In seinem Text heißt es: »Nur diese eine Ortschaft, von der ich seit langem wußte, doch die ich erst spät sah, liegt gänzlich für sich. Es ist eine Ortschaft, für die ich bestimmt war und der ich entkam. Ich habe selbst nichts in dieser Ortschaft erfahren. Ich habe keine andere Beziehung zu ihr, als daß mein Name auf den Listen derer stand, die dorthin für immer übersiedelt werden sollten« (1991 erschien eine überarbeitete Neuausgabe unter dem Titel *Deutsche Orte*, die den Weiss-Text unverändert enthält, ebd. S. 67; vgl. auch Anhang, S. 224).

13.22 **IG Farben**: Interessengemeinschaft Farbenindustrie AG: dt. Chemiekonzern, entstand 1925 als Zusammenschluss mehrerer dt. Firmen, wurde nach 1945 zerschlagen, 13 Manager wurden in den Nürnberger Prozessen 1947/48 als Kriegsverbrecher verurteilt. 1951 waren alle Verurteilten aus der Haft entlassen. Ab 1952 wurden die Nachfolgegesellschaften BASF, Bayer und Hoechst u. a. neu gegründet, worin einige verurteilte ehemalige Manager bald wieder Karriere machten.

Das Gelände von Auschwitz wurde von den IG Farben v. a. aus topographischen, geologischen und verkehrstechnischen Gründen ausgewählt, nicht vorrangig wegen der Möglichkeit der Sklavenarbeit. Aber als sich diese Möglichkeit bot, wurde sie ohne Skrupel genutzt und auf ein Ausbauen gedrängt, so dass es zur »Vernichtung durch Arbeit« kam.

Ab Ende 1942 kam es zur verschärften Ausbeutung der Häftlinge in dem neu errichteten KZ-Außenlager Monowitz. »Juden in gutem körperlichen Zustand wurden von Auschwitz herbeigeschafft, in stickigen und verlausten Baracken in Dreierkojen untergebracht, auf das Notdürftigste mit Nahrung und der lagerüblichen Kleidung versorgt, im Morgengrauen bei jedem Wetter zu langen Frühappellen geweckt und gezwungen, in Elf-Stunden-Schichten im Laufschritt schwere Ladungen zu schleppen. Innerhalb von drei bis vier Monaten nach ihrer Ankunft zehrte diese Art der Behandlung die Insassen aus und machte aus ihnen wandelnde Skelette. Wer nicht tot umfiel, wurde früher oder später von der SS ausgesondert und vergast. Auf jeden Fall wurden sie ersetzt, und der Kreislauf begann von neuem. Auf diese Weise durchliefen von 1943–1944 etwa 35 000 Menschen das KZ-Außenlager Monowitz. Man kann heute mit Sicherheit von 23 000 Toten oder einem Durchschnitt von 32 Toten pro Tag ausgehen« (Hayes, S. 112 f.).

16.8 **Menschen**: Besonders in den ersten Gesängen wird demonstrativ das Wort »Menschen« für die Opfer verwendet (vgl. S. 11,31 und S. 13,34). Auch in dieser Zeugenaussage verwendet der Zeuge nur allgemein menschliche Ausdrücke wie »Kranke«, »Tote«, »Männer«, »Frauen«, »Kinder«, »Alte«. Wie sehr diese Sprechweise dem Lagerjargon und seinem Umfeld entgegengesetzt ist, zeigt bereits die Antwort des Zeugen 2, eines Bahnbeamten und Zeugen der Verteidigung, auf die Frage des Richters, wie viele Menschen sich in einem Waggon befanden: »Da stand nur die Zahl mit Kreide / auf dem Waggon [...] 60 Stück oder 80 Stück / je nachdem« (14,20 ff.).

Dass die Häftlinge für die SS-Leute im Lager keine Menschen waren, macht eindrucksvoll eine Beschreibung von Primo Levi, Chemiker und Schriftsteller sowie Überlebender von Auschwitz, deutlich. In *Ist das ein Mensch?* erinnert er sich an den Blick des Chemikers in Auschwitz, der den Häftling Levi auf seine Eignung für das Lagerlabor hin prüfen soll: »Wie er mit Schreiben fertig ist, hebt er die Augen und sieht mich an. Von Stund an habe ich oft und unter verschiedenen Aspekten an diesen Doktor Pannwitz denken müssen. Ich habe mich gefragt, was wohl im Innern dieses Menschen vorgegangen sein mag und womit er neben der Polymerisation und dem germanischen Bewußtsein seine Zeit ausfüllte; seit ich wieder ein freier Mensch bin, wünsche ich mir besonders, ihm noch einmal zu begegnen, nicht aus Rachsucht, sondern aus Neugierde auf die menschliche Seele. Denn zwischen Menschen hat es einen solchen Blick nie gegeben. Könnte ich mir aber bis ins letzte die Eigenart jenes Blickes erklären, der wie durch die Glaswand eines Aquariums zwischen zwei Lebewesen getauscht wurde, die verschiedene Elemente bewohnen, so hätte ich damit auch das Wesen des großen Wahnsinns im Dritten Reich erklärt« (Levi, S. 127 f.).

**Die Angeklagten lachen**: Mehrere Prozessbeobachter haben 25.25
von lachenden und lächelnden Angeklagten berichtet (vgl. Arendt 1989, S. 101). Weiss macht daraus ein chorisches Lachen, die einzige Regieanweisung für die Angeklagten.

**Krematorien**: (lat.) Verbrennungsanlage (für Leichen); vgl. 25.34
auch Erl. zu 208,18.

**Dr. Wirth**: Eduard Wirths (1909–1945), Mitglied der SS, 29.32
Standortarzt, beging in amerik. Haft Selbstmord.

**Fahnenflucht**: Desertation. Während des Krieges wurden De- 30.2
serteure mit dem Tod bestraft. Der Angeklagte behauptet hier, bei einer Weigerung, an der Rampe zu selektieren, hätte ihm der Tod gedroht (Befehlsnotstand).

**Ich hatte nie [...] war unmißverständlich**: In den Befragungen 30.19–32.15
von Dr. Schatz und Dr. Lucas wird deutlich, dass man sich unter

Vorwänden dem Dienst auf der Rampe entziehen konnte. Tatsächlich konnte kein einziger Fall gefunden werden, in dem ein SS-Angehöriger mit dem Tode bestraft worden wäre, weil er sich weigerte, an Tötungen oder »Aussonderungen« teilzunehmen. Es gehörte zu den Ergebnissen des Frankfurter Prozesses, dass es den Befehlsnotstand nicht gab, mit dem viele Täter versuchten, ihre Taten zu entschuldigen (vgl. Werle/Wandres, S. 58). Vgl. auch S. 57,30 die Aussage des Zeugen: »Es geschah nichts«.

33.3 **Effektenlager**: Hier wurden die letzten Habseligkeiten der Gefangenen wie Kleidung und Uhren beschlagnahmt und sortiert. Weitergeleitet wurden die Sachen bevorzugt an SS-Angehörige und deren Familien, aber auch über Sammelstellen an die Reichsbank, das Wirtschaftsministerium, die Truppen oder an Hilfsorganisationen für »Volksdeutsche« verschickt (vgl. Hilberg, S. 1013–1028).

34.1–17 **Nach einem Abschlußbericht [...] an die Truppen**: Der Abschlussbericht, auf dem die konkreten Zahlen des Zeugen 8 beruhen, ist der Bericht der so genannten »Aktion Reinhard«, ein Deckname für die Vernichtung und Ausraubung von Juden in den besetzten poln. Gebieten, die sich nicht auf Auschwitz, sondern auf die Lager Lublin, Belzec, Sobidor und Treblinka bezog (vgl. die Zahlen des Berichts in *Faschismus – Getto – Massenmord*, S. 421 f.). Weiss montiert hier Daten bezüglich anderer Lager in die Zeugenaussage, offensichtlich aus Mangel an anschaulichem historischem Material über das Lager Auschwitz. Dieses Vorgehen wurde kritisiert. Obwohl die Darstellung der Bereicherung durch den nationalsozialistischen Staat im Allgemeinen zutreffend sei, mache sich der Autor durch ungenaue Zuordnung der Quellen angreifbar (vgl. Krause, S. 424).

35.26 **Politischen Abteilung**: Die Vertretung der Gestapo (Abk. für nationalsozialistische Geheime Staatspolizei) im Lager.

41.23–42.5 **Es war das Normale [...] beim Prügeln halfen**: Ein Großteil der Aussagen der Zeugin 5 über die grausamen Gesetze des Lageralltags gehen auf Elie A. Cohens Untersuchung *Human Behavior in the Concentration Camp* zurück, Weiss benutzte die schwed. Ausgabe *Människor i Koncentrationsläger* (vgl. Krause, S. 399–402).

Während Cohen in seiner wissenschaftlichen Arbeit nach psychologischen Erklärungen sucht, betont der Schriftsteller Weiss in seinen Bearbeitungen den Schrecken, der von der Mitteilung ausgeht, dass man sich an diese Lebensbedingungen gewöhnen kann. Siebenmal lässt er die Zeugin das Wort »normal« wiederholen, um dies zu verdeutlichen.

**Überleben konnte nur [...] wurden zertreten:** Für diese Passage gibt es keine Vorlage in den Prozessaussagen. Der Text stellt ein dichtes Gewebe aus Intertexten und Anspielungen dar. Den bedeutendsten Subtext bilden die Seligpreisungen der *Bergpredigt*: »Selig die Armen im Geiste, denn ihrer ist das Himmelreich. Selig die Trauernden, denn sie werden getröstet werden. Selig die Sanftmütigen, denn sie werden das Land zu Besitz erhalten. Selig, die hungern und dürsten nach der Gerechtigkeit, denn sie werden gesättigt werden. Selig die Barmherzigen, denn sie werden Barmherzigkeit erfahren. Selig, die lauteren Herzens sind, denn sie werden Gott schauen. Selig die Friedfertigen, denn sie werden Söhne Gottes genannt werden« (Mt 5,3–9). Zur weiteren Interpretation vgl. Komm. S. 258 f. 42.11–21

Auch das Bild des Zertretenwerdens findet sich im Matthäus-Evangelium: Im Anschluss an die Seligpreisungen sagt Jesus zu den Jüngern: »Ihr seid das Salz der Erde. Wenn das Salz schal geworden ist, womit soll man es salzen? Es taugt zu nichts weiter, als dass es hinausgeworfen und zertreten wird von den Menschen« (Mt 5,13).

**Fleckfieber:** Epidemisch auftretende Infektionskrankheit mit hoher Sterblichkeitsrate. 48.6

**Bednarek:** Emil Bednarek wurde 1940 mit dem Vorwurf, zur poln. Widerstandsbewegung zu gehören, in Auschwitz als Häftling eingeliefert. Nach einem Jahr wurde er Blockältester. In Frankfurt war er angeklagt, in dieser Funktion auch ohne Befehl andere Häftlinge getötet zu haben. Dass er als Häftling schuldig wurde, wird zwar nicht verschwiegen, aber auch nicht besonders ausgebaut, etwa um eine vermeintliche Austauschbarkeit von Täter und Opfer zu thematisieren. 49.4

**Dr. Rohde:** Werner Rohde (1904–1946), Mitglied der SS, Lagerarzt, wurde von einem brit. Militärgericht hingerichtet. 55.4

**Dr. Mengele:** Josef Mengele (1911–1979), Lagerarzt, berüchtigt für seine medizinischen Experimente an Zwillingen, hatte 55.19

sich freiwillig nach Auschwitz versetzen lassen.«Mengele wurde nach dem Krieg zum Symbol für die NS-Medizin schlechthin. In Südamerika vermeintlich unerreichbar, eignete er sich gut zur Stilisierung zum medizinischen Monster, das seinerseits die Schuld der in Deutschland wieder etablierten Mediziner zu relativieren half. Jahrzehntelang konnte sich Mengele allen Verfolgungen und Auslieferungsbegehren entziehen. Er kam 1979 bei einem Badeunfall ums Leben« (*Karrieren im Zwielicht*, hg. v. Norbert Frei, S. 40).

56.3–21 **Doch da gab [...] wollte ich sagen**: Die Aussage über Flagge stützt sich wie mehrere andere Stellen auf die Überlebende Dr. Ella Lingens, eine wichtige Zeugin im Frankfurter Prozess. Ella Lingens wurde 1908 in Wien geboren, von wo sie nach Auschwitz deportiert wurde, weil sie Juden zur Flucht verholfen hatte. Von 1943 bis 1944 war sie Häftlingsärztin in Birkenau. Sie berichtet über das Arbeitslager Babice, eine ›Insel des Friedens‹ im Konzentrationslager Auschwitz: »Man hat es einem einzigen Mann verdankt, das war der Oberscharführer Flagge. Wie er das gemacht hat, weiß ich nicht. Es war bei ihm sauber und das Essen war entsprechend. Die Frauen haben ihn ›Vati‹ genannt, er hat sogar Eier von draußen besorgt. Später, als er nach Birkenau kam, da haben in seinem Abschnitt alle Kameraden gesagt, der Flagge ist da, es ist alles gut. Ich weiß nicht, was aus ihm geworden ist. Einmal habe ich mit ihm gesprochen: ›Wissen Sie, Herr SDG, es ist alles so furchtbar, alles so sinnlos, was wir tun. Denn wenn dieser Krieg zu Ende geht, wird man uns doch alle umbringen. Man läßt doch keine Zeugen überleben.‹ Und da hat der Flagge geantwortet: ›Ich hoffe, es werden genügend unter uns sein, die das verhindern werden.‹« »Sie wollen damit sagen, daß jeder durchaus für sich selbst entscheiden konnte, ob er in Auschwitz gut oder böse war?« fragt der Vorsitzende. »Genau das wollte ich sagen« (zit. n. Naumann, S. 104 f.).

56.4 **Flacke**: Wilhelm Flagge (?), vmtl.: Walter Flagge (1894–?), Mitglied der SS (vgl. Naumann, S. 104, u. Lifton, S. 261).

68.19 **Gefreitenwinkel**: Abzeichen für niederen Rang der Wehrmacht.

70.10 **Grabner**: Maximilian Grabner (1905–1948) wurde 1947 in Polen zum Tode verurteilt.

**Dylewski**: Klaus Dylewski (*1936) wurde im Auschwitz-Prozess zu einer fünfjährigen Haftstrafe verurteilt. 70.11

**Die Atmosphäre [...] oder eine Schinderei**: Hier wird wie an 80.4–19 mehreren anderen Stellen der Überlebende Dr. Otto Wolken zitiert. Otto Wolken war ein wichtiger Zeuge der Anklage in Frankfurt. Er wurde 1903 in Wien geboren, von wo er nach Auschwitz deportiert wurde. Von 1943 bis 1945 war er Häftlingsarzt im Quarantänelager in Birkenau. Wolken berichtete laut Naumann wie folgt über die Willkür im Lager: »›Und noch eine zweite Sache scheint mir unerhört wichtig: das ist die Atmosphäre im Lager. Sie änderte sich beinahe von Tag zu Tag. Sie war abhängig vom Lagerführer, vom Rapportführer, vom Blockführer und deren Launen. Sie war abhängig vom Kriegsgeschehen. Wenn draußen etwas Böses geschah, dann haben das die Häftlinge sofort zu spüren bekommen, und es kam zu unvorstellbaren Grausamkeiten. Es gab Dinge, die waren heute möglich und zwei Tage danach waren sie wieder unmöglich.‹ (Später wird Wolken zur gleichen Sache noch sagen: ›Ein Arbeitskommando, und zwar ein und dasselbe, war einmal ein Todeskommando, ein Schindanger, oder eine ganz gemütliche Angelegenheit.‹)« (zit. n. Naumann, S. 98 f.).

**Ich selbst [...] Vergasung entgangen**: Vgl. Otto Wolkens Aus- 80.30–81.2 sage: »Ich habe dank einer glücklichen Fügung überlebt« (zit. n. Naumann, S. 98). Vom Zufall als Grund für das Überleben berichtet auch die Überlebende Ella Lingens: »Ganz entscheidend war der unerhörte Zufall, dem man ausgeliefert war« (ebd., S. 103).

**Dr. Vetter**: Helmut Vetter (1910–1949), Mitglied der SS, Mit- 81.9 arbeiter des Bayer-Konzerns und Lagerarzt, wurde von einem amerik. Militärgericht hingerichtet.

**Kommandant des Lagers**: Das war die längste Zeit (1940–43, 83.34 nochmals 1944) Rudolf Höß (1900–1947). Seine Nachfolger waren Arthur Liebehenschel (1901–1948) und Richard Baer (1911–1963). Höß wurde 1947 in Warschau zum Tode verurteilt.

**Herr Knittel**: Kurt Knittel (1910–?), Schulungsleiter der SS in 88.30 Auschwitz, zur Zeit des Prozesses Regierungsschulrat in Karlsruhe (vgl. Langbein, S. 147). Das Ermittlungsverfahren gegen

Knittel wurde von der Staatsanwaltschaft Frankfurt am Main eingestellt.

89.7 **Nebenkläger:** Hier: Rechtsanwälte, die zusätzlich zur Staatsanwaltschaft die Interessen der Opfer vertreten. Im Prozess gab es vier Staatsanwälte und drei Nebenkläger: der Frankfurter Rechtsanwalt Henry Ormond und sein Kollege Christian Raabe sowie den Ostberliner Rechtsanwalt Friedrich Kaul, der in der DDR lebende Opfer oder Nachkommen von Opfern vertrat. Besonders gegen den Ostberliner Anwalt gab es vonseiten der Verteidigung Vorbehalte.

Im Stück verwendet die Figur des »Anklägers« Aussagen von Staatsanwälten und von Nebenklägern.

89.18–25 **Gegen diese erstaunlichen [...] diesen Prozeß gegangen:** Von den 21 Verteidigern der Angeklagten hatte Hans Laternser (1908–1969) die meisten, fünf, Mandanten übernommen. Laternser fiel besonders dadurch auf, dass er die Glaubwürdigkeit der Zeugen wiederholt in Frage stellte, den Ostberliner Anwalt Kaul, aber auch das Gericht angriff. »Dem Schema Laternsers folgend, durften die Aussagen der Zeugen nicht allgemein und ungenau ausfallen, andererseits durften sie aber auch keine exakten Details enthalten, da man sich an solche Exaktheiten nach mehr als zwanzig Jahren einfach nicht mehr erinnern könne. Wenn Zeugen übereinstimmende Aussagen machten, sah Laternser es als bewiesen an, dass sie sich untereinander abgesprochen hätten; voneinander abweichende Aussagen seien gleichermaßen Beweis für die Unglaubwürdigkeit der Zeugen. Vorvernehmungen von deutschen Behörden waren für ihn unbedenklich, hingegen solche von ausländischen oder gar polnischen Stellen von vornhinein verdächtig. Wenn die Zeugen aus Ländern des Ostblocks kamen, waren ihre Aussagen kommunistisch infiltriert. Waren die Zeugen Juden, unterstellte Laternser ihnen pauschal Rachegefühle und bezweifelte ihre Objektivität. Das Gericht könne, so lautete seine Einschätzung, auf die Zeugenaussagen im Verfahren ›so gut wie nichts‹ geben« (vgl. Dirks, S. 172).

Die Verteidigungsstrategie Laternsers zielte durchweg auf Befehlsnotstand ab, wobei er als Befehlsgeber und damit Verantwortlichen Hitler ansah: »Die Vernichtung der Juden in Auschwitz«, erklärte Laternser in seinem Plädoyer für Capesius, »war doch ausschließlich die Tat Hiters« (ebd., S. 173 f.).

**Sonderkommandos**: Bestand meistens aus jüdischen Häftlingen, die die Opfer bis zu den Krematorien begleiteten und nach der Ermordung die Leichen beseitigen mussten. Das Sonderkommando wurde in regelmäßigen Abständen getötet und durch neue Häftlinge ersetzt. 92.6

**Ich möchte folgendes [...] die draußen waren**: Für diese Aussage gibt es keine Vorlage in den Zeugenaussagen des Prozesses. Weiss hat in einem Interview auf die Schriften Hannah Arendts hingewiesen (*Spiegel*-Interview, 1965, Nr. 43). Tatsächlich decken sich einige zentrale Thesen des Zeugen mit den Überlegungen Arendts. So findet man in Arendts Buch zum Eichmann-Prozess die These, dass es den Nazis gelungen sei, ihre Opfer zu Agenten zu machen (vgl. Arendt 1964, S. 224). Und in ihrem Essay »Die vollendete Sinnlosigkeit« heißt es: »Außerdem wurde die Lagerverwaltung so gehandhabt, daß ohne jeden Zweifel die Häftlinge die gleichen ›Pflichten‹ innerhalb dieses Systems erfüllen konnten wie ihre Bewacher« (in: Arendt 1989, S. 23). In diesem Essay betont Arendt auch die Isolation des Lagers von der Außenwelt und die Annäherung aller Internen, »so als wären die Lager und ihre Insassen nicht mehr Teil dieser Welt« (ebd.). 93.6–30

**Wir kannten alle [...] liefern mußte**: Manche Interpreten erkennen in dieser Aussage die so genannte »Dimitroff-These«, die kommunistische Definition des Faschismus, wieder, wie sie 1933 bei einem Treffen der Kommunistischen Internationale festgehalten wurde: Der »Faschismus an der Macht« sei die »offene terroristische Diktatur der am meisten reaktionären, chauvinistischen und imperialistischen Elemente des Finanzkapitals« (zit. n. Wippermann, S. 21; vgl. auch: Komm. S. 269). Weiss selbst hat auf das Gutachten des Historikers Broszat hingewiesen. Martin Broszat war als Gutachter in Frankfurt vorgeladen. Er nannte in seinem Gutachten die Zwangsarbeit einen wesentlichen Zweck der Konzentrationslager, ein anderer sei die Vernichtung der europ. Juden gewesen. V. a. zwischen 1942 und 1944 sei das Geschehen im Lager von einem Neben- und Gegeneinander der beiden Zwecke geprägt gewesen. Am Ende seines Gutachtens geht er auf die Problematik des Maßstabs ein, wo- 94.24–35 nach in Nürnberg Werksdirektoren oder Vorstandsmitglieder als schuldig oder unschuldig galten: Ausschlaggebend war das eigene Bemühen, Häftlinge als Arbeitskräfte überstellt zu bekommen: »So problematisch dieser Maßstab sein mag, die Beteiligung einer großen Anzahl von Industrie-Unternehmen an dem System der Häftlingszwangsarbeit wie überhaupt von ausländischen Arbeitern, zu der es in den letzten Kriegsjahren kam, bleibt ein besonders deprimierendes Kapitel in der Geschichte weltberühmter deutscher Industriefirmen« (Broszat, S. 144). Die Systemkritik des Zeugen 3 findet sich allerdings nicht bei Broszat.

Peter Weiss hätte sich auf weitere Quellen für die Authentizität der Aussage berufen können. Im Konzentrationslager eine extreme Form des Kapitalismus zu sehen, war eine Deutung, die man bei politischen Häftlingen, die in der Regel Kommunisten oder Sozialdemokraten waren, durchaus finden konnte. So schreibt Jorge Semprún (*1923) in seiner poetischen Autobiographie *Was für ein schöner Sonntag!* über seine Häftlingszeit in Buchenwald, er sei lange Zeit der Auffassung gewesen, dass die »KZ-Gesellschaft der Nazis« »der konzentrierte und dadurch zwangsläufig deformierte Ausdruck der sozialen Verhältnisse im Kapitalismus« sei (Semprún, S. 381).

95.5–11 **Die meisten […] sie nichts verstanden**: Auch diese Passage geht nicht auf eine Prozess-Aussage zurück. Der Zusammenhang von Erklären und Überleben ist allerdings durch die Darstellungen ehemaliger Häftlinge überliefert. Jean Améry (1912–1978), der selbst weder gläubig noch Anhänger einer politischen Partei war, beschreibt die Überlegenheit, die religiöse oder politische Überzeugungen im Lager verschafften. Sowohl die religiösen als auch die politischen Gruppen zeichneten sich für Améry durch Realitätsferne aus. Aber im Lager sei es gerade diese Realitätsferne gewesen, die ein Vorstellungsvermögen für das Unvorstellbare verliehen habe: »Sie überstanden besser oder starben würdiger als ihre vielfach unendlich gebildeteren und im exakten Denken geübteren nichtgläubigen beziehungsweise unpolitischen intellektuellen Kameraden. […] Die religiös und politisch gebundenen Kameraden waren nicht oder nur wenig erstaunt, daß im Lager das Unvorstellbare Ereignis wurde. […] Hier geschah nichts Unerhörtes, nur das, was sie, die ideologisch geschulten oder gottgläubigen Männer, immer schon erwartet oder zumindest für möglich gehalten hatten« (Améry, S. 28).

**Es war unsere [...] konnten zerbrochen werden**: Für die politischen Häftlinge besteht ein kausaler Zusammenhang zwischen ihrem Leben vor der Inhaftierung und ihrem Leben im Lager. Jorge Semprún, selbst Mitglied des Widerstands gegen die Nazis, schreibt: »Wir wußten, warum wir in Buchenwald waren. Irgendwie war es normal, daß wir dort waren. Irgendwie war es normal, daß wir, nachdem wir mit Waffengewalt gegen den Nazismus gekämpft haben, nach unserer Festnahme mit der Deportation zu rechnen hatten« (Semprún, S. 217). 95.34–96.7

**Frauenblock Nummer Zehn**: Der Block 10 des Lagers wurde auch »Frauenblock« genannt, weil hier medizinische Experimente v. a. an Frauen durchgeführt wurden. Robert Jay Lifton spricht von »quintessential Auschwitz« (in der dt. Übersetzung: »der Inbegriff für Auschwitz schlechthin«), weil dieser Block ein Lager im Lager war, das man von den übrigen Häftlingsbaracken versuchte abzuschotten (Lifton, S. 308). Man kann Liftons Bezeichnung auch noch in einem weiteren Sinne verstehen: In diesem Block wurden zur Vernichtung bestimmte Menschen als Versuchspersonen benutzt, um Vernichtungsstrategien für weitere Bevölkerungsgruppen zu entwickeln. Denn ein Hauptziel der Experimente bestand darin, Sterilisationsmethoden zu finden, mit denen man in kürzester Zeit möglichst unbemerkt und billig eine große Anzahl Menschen unfruchtbar machen könnte. Die massenhafte Sterilisation war als Teil einer Ausrottungspolitik geplant, der die slaw. Völker im von Deutschland besetzten Europa zum Opfer fallen sollten (Hilberg, S. 82). 97.8

**ZEUGIN 4 *schweigt***: Dies ist die einzige Regieanweisung für die Zeugen. Sie wird in diesem Gesang noch dreimal wiederholt. Das Schweigen der Zeugen wird damit ähnlich herausgestellt wie das Lachen der Angeklagten. 97.12

**Professor Clauberg**: Der Block 10 war für den Gynäkologieprofessor Carl Clauberg (1898–1957) eingerichtet worden, um hier Experimente fortzusetzen, die er in Auschwitz-Birkenau begonnen und als Chefarzt im oberschles. Königshütte entwickelt hatte. 97.22

Clauberg kam nach dem Ende des Krieges in russ. Gefangenschaft und wurde als Kriegsverbrecher zu 25 Jahren Haft verurteilt. Bereits 1955 kam er frei, da er zu den Russlandheimkehrern gehörte, die aufgrund diplomatischer Bemühungen aus russ. Gefangenschaft entlassen wurden. In Deutschland berichtete Clauberg mit Stolz von seinen Experimenten in Auschwitz und erwog die Brauchbarkeit der Ergebnisse für die Gegenwart. Auf Druck von Gruppen von Überlebenden und gegen den anfänglichen Widerstand der Ärztekammer wurde ihm seine ärztliche Zulassung entzogen, und 1957 wurde er erneut inhaftiert. Er starb 1957 unter nicht ganz geklärten Umständen in seiner Zelle (vgl. Lifton, S. 317–318).

97.29–98.19 **Ich bin seit [...] Von Hohn**: Der Aussage liegt ein Bericht der Überlebenden Elisabeth Guttenberger zugrunde, der schließt: »Man kann Auschwitz mit nichts vergleichen. Wenn man sagt: Die Hölle von Auschwitz – dann ist das keine Übertreibung. Ich glaube, es reicht nicht, wenn ich sage, daß ich nachher tausendmal von Auschwitz geträumt habe, von dieser schrecklichen Zeit, wo nur Hunger und Tod geherrscht haben. Ich war ein gesundes Mädchen, als man mich nach Auschwitz verschleppte. Ich bin krank aus dem Lager gekommen und bin heute noch krank. Die Häftlingsnummer, die man mir auf den linken Unterarm tätowiert hat, möchte ich entfernen lassen. Wenn ich im Sommer Kleider ohne Ärmel trage, habe ich die Nummer immer verklebt. Denn ich habe bemerkt, wie die Leute auf die Nummer starren, manche so boshaft und spöttisch, daß ich immer wieder an diese höllische Lagerzeit erinnert werde« (*Auschwitz. Zeugnisse und Berichte*, S. 134).

Weiss zitiert diesen Bericht nicht immer wörtlich, aber inhaltsgetreu. Er komprimiert Aussagen, manchmal auch interpretierend. So findet die Passage, in denen Guttenberger von ihren Alpträumen berichtet, einen Widerhall in dem Satz der Zeugin: »Ich möchte vergessen / aber ich sehe es immer wieder vor mir.«
Die Schilderung der konkreten Krankheitssymptome stammt nicht aus Guttenbergers Bericht. Weiss hat sie hinzugefügt und verleiht damit dem anhaltenden Leiden größere Anschaulichkeit.

98.25–100.19 **Da waren Mädchen [...] Aufnahme gemacht wurde**: Vorlage

für die weitere Befragung der Zeugin ist ein Brief, den der Überlebende Eduard de Wind in seinem Bericht zitiert: »Von den Versuchen Schumanns weißt Du, nicht wahr? Er wählte siebzehn-
jährige griechische Jüdinnen. Diese Kinder wurden zu einem
Röntgenapparat gebracht, mit einer Platte am Bauch und einer
am Gesäß; so wurden die Eierstöcke verbrannt. Die Mädchen
erlitten abscheuliche Wunden und hatten sehr arge Schmerzen.
Wenn sie sich von dieser Behandlung noch erholten, dann wurden sie operiert, um festzustellen, wie weit der Bauch und besonders die Eierstöcke verbrannt waren. Slawka hat mir erklärt,
daß diese Methode Wahnsinn ist. Sie wollen eine einfache Art
der Sterilisation finden, damit sie verschiedene Völker wie Polen, Russen und, wenn es ihnen paßt, auch Holländer sterilisie-
ren können. Aber auf diese Weise werden die Frauen nicht nur
steril, sie werden auch Kastraten. [...] Nachdem Schumanns
Versuche gescheitert waren, kam Professor Clauberg. Er soll ein
bekannter Gynäkologe aus Königshütte sein. Den Frauen wird
eine weiße, zementartige Flüssigkeit in die Gebärmutter gespritzt und gleichzeitig werden sie mit dem Röntgenapparat
photographiert« (de Wind, in: *Auschwitz. Zeugnisse und Berichte*, S. 178).
Weiss hat den persönlichen Briefstil für den Text der Zeugin 4 in
einen sachlicheren Prozessstil umgewandelt. Auch erkennt man
sein Bemühen um Präzisierung und Anschaulichkeit, wenn man
die Formulierungen vergleicht. Dazu gehört es auch, klinische
Einzelheiten zu ergänzen, wie man sie in den Berichten anderer
Frauen nachlesen kann (vgl. Bericht von Margita Neumann bei
Lifton, S. 311 f.).

**künstliche Befruchtungen**: Ob mit künstlichen Befruchtungen   101.10
in den Lagern tatsächlich experimentiert wurde, gilt unter His-
torikern als nicht bewiesen. Allerdings waren entsprechende
Pläne Claubergs bekannt (vgl. Lifton, S. 311).

**Lili**: Der Name »Lili« ist eine Ableitung vom alttestamentari-   102.1
schen Namen »Lilit«. Lilit war die erste Frau Adams. Sie ge-
horchte Adam nicht und verließ ihn. Darauf schuf Gott die ge-
horsamere Eva. In den Kanon der Bibel wurde diese Geschichte
nicht übernommen. Lilit wird nur bei Jesaja noch kurz erwähnt
(vgl. Patai/Ranke-Graves, S. 80–86).

Der Name »Lili Tofler« fiel häufig während des Prozesses, da viele Zeugen sich an sie und an ihre Erschießung erinnerten (vgl. Naumann, S. 119 u. S. 125).

Die Entscheidung, Lili Toflers Geschichte an zentraler Stelle im Stück zu platzieren sowie die Nennung ihres jüdischen Namens im Titel des Gesangs ist auch ein indirekter Hinweis auf das Judentum vieler Opfer. Dass es sich bei der alttestamentarischen Lilit um eine widerständige Person handelt, fügt sich darüber hinaus zu ihrer Darstellung im Gesang.

Außerdem stellt der gesamte Gesang eine Analogie zum Auftreten Beatrices in Dantes *Divina Commedia* dar. Im 30. Gesang des Purgatorio trifft der Wanderer Dante auf Beatrice, die ihm sein verfehltes Leben der vergangenen Jahre vor Augen führt. Erst als sich Dante im 31. Gesang unter Tränen reumütig zeigt und ein Schuldbekenntnis ablegt, kann Beatrice ihn ins Paradiso führen: »Als nun ein bittrer Seufzer mir entflohen, versagte mir die Stimme fast zur Antwort, und mühsam formten diese nur die Lippen. Und weinend sagte ich: ›Die irdschen Dinge mit ihrer falschen Lust verführten mich, sobald sich euer Antlitz mir verbarg.‹ Darauf antwortet Beatrice: ›Wenn du verschwiegest oder leugnetest, was du gestehst, nicht wen'ger offenbar wär deine Schuld – so hoher Richter kennt sie! Wenn aber auch dem eignen Mund hervorbricht der Schuld Bekenntnis, wendet sich das Rad – an unserem Hof – gegen des Schwertes Schneide‹« (31. Gesang, 34–42).

Wie Beatrice durch ihre Göttlichkeit vor anderen ausgezeichnet ist, so ragt Lili durch ihre ungebrochene Menschlichkeit heraus.

Über den Gesang vom Ende der Lili Tofler öffnet sich auch ein autobiographischer Anspielungshorizont (vgl. auch: Komm. S. 272). Weiss erkannte in der Biographie Dantes verschiedene Möglichkeiten der Identifikation, zur wichtigsten wird die Beziehung zu Beatrice: »Dann drang ich allmählich in das Gewebe ein. Wer ist Beatrice für mich? Eine Jugendliebe, an die ich mich nie heranwagte. Dann kam der politische Terror. Der Krieg. Ich wurde vertrieben, geriet ins Exil. Beatrice blieb drüben. Ich hörte nichts mehr von ihr. Hätte ich Mut gehabt, dann hätte ich sie auf die Flucht mitgenommen. Was geschah mit Beatrice? Hätte ich je

mit ihr leben wollen? Beatrice kam um. Vielleicht wurde sie erschlagen. Vielleicht vergast. Sie war längst zu Asche geworden,
da beschrieb ich mir noch ihre Schönheit. So ähnlich wäre es
vielleicht heute für Dante« (Gespräch über Dante, in: *Rapporte*,
S. 153 f.).

Als Weiss den Frankfurter Prozess beobachtet, schreibt er eines
Tages in sein Notizbuch: »Bea (Lili) hatte einen, der noch versuchte, sie rauszukriegen. Herrgott, eine einzige – was sollte das –
wem wäre damit geholfen – (wie ich 1940 versuchte, Lucie aus
Theresienstadt herauszubekommen, mit dem Angebot, sie zu
heiraten)« (*Notizbücher*, S. 305 f.).

Hier wird nicht nur die Parallele Beatrice/Lili angezeigt, sondern
auch auf eine Person aus dem Leben von Peter Weiss hingewiesen. Lucie Weisgerber, eine Freundin der Prager Zeit, die wie der
Freund Peter Kien zunächst nach Theresienstadt und dann nach
Auschwitz deportiert wurde. Peter Weiss machte ihr von Schweden aus einen Heiratsantrag, als ihre Deportation nach Auschwitz bevorstand (vgl. *Briefe an Hermann Levin Goldschmidt
und Robert Jungk 1938–1980*, S. 163 ff.).

**Bunkerjakob**: So nannte man im Lager einen Funktionshäftling     103.28
mit Namen Jakob, der im Bunkerblock arbeitete. An diesen
Häftling erinnern sich viele Zeugen (vgl. Naumann, S. 119,
S. 128). Das Geburtsdatum von Jakob Kozelczuk ist unbekannt;
er ist – nach vielen Angaben – Anfang der 1950er-Jahre in Israel
verstorben.

**Lili Tofler fragte [...] hier gesehen hatten**: Der Freund, den Lili     103.35–104.3
Tofler nicht verraten hatte, Josef Gabis (1910–?) aus Krakau,
sagt in Frankfurt als Zeuge aus. Im Bericht über seine Befragung
erwähnt Naumann auch den Inhalt des Briefes: »Eine Zeugin
hatte ausgesagt, Lili Tofler habe ihrer Erinnerung nach sterben
müssen, weil sie in diesem Brief bezweifelt hatte, ob sie (Lili
Tofler und Gabis) jemals wieder glücklich zusammen leben
könnten, falls sie die Hölle von Auschwitz überleben sollten«
(Naumann 1965, S. 337).

Weiss verändert »zusammen leben« in das existentiellere »weiter leben« und streicht sowohl »glücklich« als auch den escha-
tologischen Begriff »Hölle« (vgl. Salloch, S. 114 f.).

**Kautschukpflanzen**: Die Kautschukpflanze liefert einen Roh-     106.9

stoff für die Gummi-Herstellung; kriegswichtig z. B. für die Reifen von Fahrzeugen.

107.10 **Buna**: Buna ist ein synthetischer Kautschuk, der erstmals ab 1937 in größerem Umfang produziert wurde, da das NS-Regime vom Import des Naturkautschuks unabhängig werden wollte. Der Name setzt sich aus den Anfangsbuchstaben der Chemikalien, die zur Synthese benötigt werden, zusammen: *Bu*tadien und *Na*trium. Seinerzeit wurde von der IG Farben in Schkopau nördl. von Merseburg eine Produktionsstätte errichtet und 1941 ein weiteres riesiges Bunawerk in Auschwitz.

107.18–31 **Zahlten die Industrien [...] zu sorgen**: Als Quelle für diese Zahlenangaben könnte die Zeittafel aus *Auschwitz. Zeugnisse und Berichte* gedient haben, die mit Hilfe des Kalendariums von Danuta Czech zusammengestellt worden war. Zum 27. März 1941 heißt es dort: »Bei einer Konferenz des Kommandanten mit den IG-Farben-Ingenieuren Faust, Flöter, Murr und Dr. Dürrfeld wird vereinbart, daß ihrem Werk 1000 Häftlinge zur Verfügung gestellt werden. Die Anzahl soll im nächsten Jahr auf 3000, bei Bedarf noch mehr steigen. Die Arbeitszeit beträgt im Sommer 10 bis 11, im Winter 9 Stunden. Die IG-Farben zahlen der Kommandantur pro Tag 4 RM für jeden als Facharbeiter, 3 RM für jeden als Hilfsarbeiter verwendeten Häftling« (S. 267).

109.22 **Ministerialrat**: Die Zuschreibung von beruflichen Positionen ist manchmal ungenau. Weiss »verschiebt« Positionen unter den Zeugen. Unter den Zeugen, auf deren Aussage Weiss sich hier stützt, war kein Ministerialrat. Allerdings gab es in einer anderen Befragung einen Zeugen, der ehemals SS-Hauptsturmführer und SS-Richter und zur Zeit des Prozesses tatsächlich Ministerialrat war (vgl. Krause, S. 428). Krause kritisiert, dass Weiss belegbare Hinweise auf gesellschaftliche Kontinuitäten ungenutzt lässt (wie etwa bei den Managern der IG-Farben), dann aber bei Zeugen aus der Lagerverwaltung oder der SS den Status erhöht oder erfindet (vgl. Krause, S. 427 und S. 649).

109.34–110.5 **Das Gericht hat [...] an gebrochenem Rückgrat**: »Herren aus der Leitung des ehemaligen IG-Farben-Konzerns sind geladen, um auszusagen über die Verstrickungen zwischen SS und diesem Unternehmen, insbesondere auch über Zustände und Zuständigkeiten im Auschwitzer Buna-Werk des Konzerns in Monowitz. Vorstandsmitglied Dr. Heinrich Bütefisch hatte entschieden, der Verhandlung ohne Angabe von Gründen fernzubleiben; Dr. Dürrfeld, einst Werksleiter in Monowitz, verwies unter Beilegung eines Attestes auf ein gebrochenes Rückgrat, auf einen Wirbelsäulenbruch« (Naumann, S. 229).

Wie man zunächst kaum vermutet, ist die entsprechende Aussage im Text also durch die Dokumente belegt. Weiss erfindet allerdings für seinen Text ein zweites Attest und verstärkt damit die Möglichkeit, die Erkrankungen im übertragenen Sinne, nämlich als charakterliche Mängel, zu lesen.

**Mir geht es immer gut:** Dieser Satz stammt nicht aus dem Prozess und nicht von Lili Tofler. Weiss montiert hier am Ende des Gesangs die überlieferte Aussage eines anderen weiblichen Häftlings. Die Überlebende Raya Kagan hat diese Worte von Mala Zimetbaum überliefert. Mala Zimetbaum wurde hingerichtet, nachdem sie zusammen mit einem befreundeten Häftling einen Fluchtversuch unternommen hatte. Im Lager vermutete man, dass Mala Totenlisten mitgenommen habe, um die Welt über Auschwitz zu informieren. Raya Kagan berichtet über zwei Begegnungen kurz vor der Hinrichtung: »Obwohl es sehr gefährlich war, dort mit vorgeführten Häftlingen zu sprechen, da sie bewacht wurden, fiel aus unseren Reihen die Frage: ›Wie geht es dir, Mala?‹ Sie antwortete ruhig, mit einem Anflug von Ironie: ›Mir geht es immer gut.‹ Fast klangen diese Worte wie eine Herausforderung. [...] Malas Hinrichtung sollte ein abschreckendes Beispiel für alle werden, so befahl die Lagerführerin Mandel. Diese Hinrichtung prägte sich tief in die Herzen aller Häftlinge ein, allerdings in einem anderen Sinn, als es die Mandel gewünscht hatte. Das ganze Frauenlager Birkenau war zum Generalappell angetreten. Die Oberaufseherin forderte alle Häftlinge auf, genau hinzusehen, wie die Jüdin, die es gewagt hatte, aus dem Lager zu fliehen, nun für ihre Frechheit bestraft wird. Malas Hände waren auf den Rücken gebunden. So wurde sie vom Arbeitsdienstführer Ritter bis zur Mitte des Appellplatzes geführt. Plötzlich befreite sie die Hände von den Banden und öffnete sich mit einer Rasierklinge die Pulsader einer Hand. Der SSler wollte ihr die Rasierklinge entreißen. Sie schlug ihm aber die blutende Hand ins Gesicht. Außer Atem vor Erregung und erlöst durch

Malas Mut schauten alle Häftlinge dieser Szene zu« (*Auschwitz. Zeugnisse und Berichte*, S. 212).

Gemeinsam ist Lili Tofler und Mala Zimetbaum, dass das Lagerleben sie nicht brechen konnte. Beide besitzen außerdem für die anderen Häftlinge eine Art Märtyrerinnen-Status. Gleichzeitig belegt aber Malas Fall, dass auch Frauen den Willen zum Weiterleben und zum aktiven Widerstand aufbrachten, anders als die Frauen-Darstellung im Stück es nahe legt.

116.16 **Humanismus bei Goethe**: Der Neuhumanismus zur Zeit Johann Wolfgang Goethes (1749–1832) war geprägt durch die Beschäftigung mit antiker Bildung und dem Streben nach Humanität als Mittelpunkt und Ideal der Menschenbildung. Der Diskurs des Unterscharführers Stark steht damit im krassen Gegensatz zu seinem Verhalten im Lager.

124.20 **Sarah**: Name, den alle weiblichen Juden ab Januar 1939 in ihren Personalausweis eintragen lassen mussten. Man kann den Namen hier stellvertretend für »Jüdin« und damit als Hinweis auf die jüdischen Opfer verstehen.

125.34–35 **sowjetischer Kriegsgefangener**: In diesem wie in einigen anderen Fällen verzichtet Weiss nicht auf die Nennung der Nationalität, so dass man ihm Inkonsequenz gegenüber dem Gestaltungsprinzip der Universalisierung vorwerfen kann. Offenbar glaubte der Autor, einer besonderen Gefahr des Vergessens entgegenwirken zu müssen. Und tatsächlich dürfte auch heute wenig bekannt sein, dass sowjet. Kriegsgefangene die ersten Opfer der Gaskammern waren.

Der Historiker Reinhard Kosselleck (*1923) stellte noch 1998 die Opfergruppe der sowjet. Kriegsgefangenen als eine heraus, die nicht nur im Zusammenhang mit Auschwitz häufig vergessen wird: »Und vollends der Erinnerung entzogen blieben jene dreieinhalb Millionen Russen, die sich eingedenk der guten Behandlung im Ersten Weltkrieg den Deutschen ergeben hatten. Die Wehrmacht ließ sie verhungern« (*Die Zeit*, 19. 3. 1998).

Bei der Benennung dürfte nicht zuletzt eine Rolle gespielt haben, dass Weiss in der westdt. Gegenwart einen »Kreuzzug gegen den Kommunismus« fortwirken sah (vgl. »Antwort auf eine Kritik zur Stickholmer Aufführung der ›Ermittlung‹«, Anhang, S 238).

**erlegte ich die Reifeprüfung**: Auf die Frage, ob es sich hierbei 127.21
um einen schlichten Druckfehler handelt (»erlegte« statt »er-
langte«) oder um Autorintention oder um eine reale sprachliche
Fehlleistung des Angeklagten, fällt eine eindeutige Antwort
schwer. Bernd Naumann gibt die Aussage in seinem Bericht mit
eigenen Worten wieder. Naumann schreibt dort korrekt: »um
die Reifeprüfung ablegen zu können« (S. 21). Er kommentiert an
anderer Stelle die »gespenstische Szene«, unmittelbar nacheinander »Finger am Abzug eines Mordinstruments und Finger am
Federhalter« (S. 54) zu haben. Es ist denkbar, dass Weiss dem
Angeklagten eine sprachliche Fehlleistung in den Mund legt, die
auf eben dieses Paradox hinweist.

**Herr Vorsitzender [...] andere für uns**: Die Zeugenaussagen 131.10–31
und auch Starks eigene Aussagen lassen keinen Zweifel daran,
dass Stark schuldig ist. Aber anders als die anderen Angeklagten
macht er den Versuch einer Erklärung. Tatsächlich war der Angeklagte Stark der Einzige, der während des Prozesses Scham-
gefühle äußerte: »In diesen ersten Tagen gibt es nur einen einzigen unter ihnen, der an sich zweifelt: Hans Stark. [...] Er sagt:
Ich schäme mich heute« (Werle/Wandres, S. 57). Dass sein Erklärungsversuch nicht als Entschuldigung akzeptabel ist, macht
allein schon das »zustimmende Lachen« deutlich, in das die Angeklagten nach Starks Aussage ausbrechen. Mit dieser Erklärung, die letztlich die Verantwortung an höhere Instanzen wei-
terreicht, ist er immer noch einer von ihnen.

**Partisanen**: Von der SS wurde ebenso wie von der Wehrmacht 136.29
der Ausdruck »Partisanen« häufig als verschleiernder Begriff
benutzt. So wurden antijüdische Wehrmachtsaktivitäten mit der
Bekämpfung von Partisanenaktivitäten gerechtfertigt (vgl. Hilberg, S. 318).

**Musikkapelle**: Wie in einigen anderen Konzentrationslagern 137.18
gab es auch in Auschwitz ein Orchester, das sich aus Häftlingen
zusammensetzte.

**Ich bleibe bei [...] einem einzigen Fall**: Der Angeklagte Boger 142.16–144.6
macht hier plötzlich ein Geständnis, nachdem er bisher mehr-
fach behauptet hatte, nie jmd. erschossen zu haben. Im Prozess
lagen Leugnung und Geständnis zeitlich ein Jahr auseinander.
Die Aussage »heute und in tausend Jahren. Ich habe in Ausch-

witz niemals einen Schuß abgegeben. Ich hätte davor nicht einmal Angst gehabt, denn das wäre nur Erfüllung eines dienstlichen Befehls gewesen« machte Boger laut Naumann im März 1964 (Naumann 1965, S. 135), das überraschende Geständnis »in einem einzigen Fall zweimal« Häftlinge erschossen zu haben, legt Boger ein Jahr später, im März 1965, am 145. Prozesstag, ab (Naumann 1965, S. 461; Naumann 1968, S. 240).

Dies ist ein Beispiel für die Komprimierungstechnik von Weiss, die in diesem Fall die Unglaubwürdigkeit des Angeklagten hervorhebt.

153.16 **Dr. Entress**: Friedrich Entress (1914–1947), Mitglied der SS, Standortarzt, wurde 1946 von einem amerik. Militärgericht zum Tode verurteilt und 1947 hingerichtet.

158.21 **Musikzug**: Vgl. Erl. 137,18.

161.9 **Treueeid**: Gemeint ist der Eid auf den Führer und dessen Befehle, die – anders als die Gehorsamspflicht eines Soldaten – v. a. weltanschaulicher Natur waren und auch ungesetzlich sein konnten (vgl. Buchheim, S. 228 f.).

169.33–170.5 **Wie hießen [...] ins Herz**: Einer der befragten ehemaligen Funktionshäftlinge hieß Weiß (vgl. den Bericht über die Befragung von Jean Weiß – eigtl. Ján Weis (1916–?) – bei Naumann, S. 195–197). Man kann in der Entscheidung des Autors für die Nennung dieses Namens einen Verweis auf die Parallelen zwischen Jean Weiß und Peter Weiss sehen (vgl. Heidelberger-Leonard, S. 51 f.). Beide überlebten den Nazi-Terror. Zudem besaß Peter Weiss eine kritische Selbsteinschätzung, was die Möglichkeit betraf, dass er auch auf der Täterseite hätte stehen können. In der autobiographischen Erzählung *Abschied von den Eltern* hat Weiss seine autoritäre Erziehung beschrieben, deren Mittel Dressur, Strafandrohung, Triebunterdrückung und Abhängigkeit waren. Dem Erzähler ist bewusst, dass diese Erziehung anfällig für die nationalsozialistischen Machtphantasien machte, und er bekennt, dass ihn vielleicht sein Judesein davor bewahrt hat, zu den Tätern zu gehören, was für ihn den wahren »Untergang« bedeutet hätte: »Damals dachte ich nur an meine Dichtung, an meine Malerei, an meine Musik. Wäre ich nicht plötzlich vor eine einschneidende Veränderung gestellt worden, so wäre ich von der Flucht der Kolonnen mitgerissen worden in meinen Untergang« (*Abschied von den Eltern*, S. 72 f.).

Es handelt sich jedoch nicht um die Darstellung einer Austauschbarkeit von Täter und Opfer, wie manchmal behauptet wird. Ein Vergleich mit den Quellen belegt das. Im Prozess unternahmen die Angeklagten mehrfach den Versuch, sich selbst in der Rolle von Opfern erscheinen zu lassen, und verglichen sich besonders gern mit den Funktionshäftlingen. So zitiert Weiss etwa wörtlich die Aussage des Angeklagten Klehr: »Wir waren doch genau solche Nummern wie die Häftlinge« (Naumann, S. 85, und Weiss, S. 157,23 f.). Im Unterschied zu den Angeklagten handelten die Häftlinge aber tatsächlich unter Todesdrohung, was Weiss z. B. auf S. 160 herausstellte.

Dass Schwarz und Weiß selbstständig die tödlichen Spritzen setzten, gehört zu den wenig glaubhaften Aussagen eines Angeklagten im Prozess: »Dort befanden sich, wie Scherpe bekundet, bereits zwei kriminelle Häftlinge, ›Schwarz‹ und ›Weiß‹ genannt, denen Klehr das Phenol übergab. ›Schwarz‹ füllte damit eine Injektionsspritze, und ›Weiß‹ holte aus dem Nebenraum ein Opfer nach dem anderen. Die Kranken wurden mit entblößtem Oberkörper auf einen Stuhl gesetzt, und ›Schwarz‹ stach ihnen die Spritzen ins Herz« (Naumann, S. 92). In der Aussage des Zeugen 6 wird dies gerade als Unterstellung zurechtgerückt (vgl. dazu auch die Aussage des ehemaligen Häftlings Jean Weiß bei Naumann, S. 195). Die Austauschbarkeit von Täter und Opfer wird also an dieser Stelle vom Autor als eine Entlastungsstrategie der Täter und ihrer Verteidigung herausgearbeitet.

**Gelobt sei [...] in der Mauer:** Für diese Aussage gibt es keine Vorlage in den Prozessberichten. Es ist anzunehmen, dass es sich um eine vom Autor verdichtete Textstelle handelt, die auf die alttestamentarischen Erzählungen des biblischen Jakob anspielt, in denen Steine eine zentrale Rolle spielen. Nachdem ihm Gott im Traum erschienen ist, richtet Jakob an dem Ort, wo er geträumt hat, ein Steinmal auf. Später will er dort ein Gotteshaus bauen (1. Mose 28,18 ff.). Ein anderes Mal lässt er einen Steinhügel anlegen, der Zeuge für einen Vertrag sein soll (1. Mose 31,46 ff.). Und schließlich errichtet er ein Steinmal als Gedenkstätte dort, wo Gott ihm das Land Abrahams und Isaaks versprochen hat (1. Mose 35,14). Im Alten Testament ist Jakob einer der Stammväter des Volkes Israel. Von Gott wird Jakob so 182.28–36 gar der Name »Israel« gegeben (1. Mose 35,10). In der *Ermittlung* werden mit der verdichteten Textstelle die alttestamentarischen und damit die jüdischen Konnotationen des Namens »Jakob« betont. Dies ist ein (verdeckter) Hinweis auf die besondere Rolle der jüdischen Opfer.

190.31–32 **Hilfsorganisationen ehemaliger Wachmannschaften**: Die bekannteste Organisation dieser Art war die HIAG (Hilfsgemeinschaft auf Gegenseitigkeit), der ehemalige Mitglieder der Waffen-SS angehörten.

199.13–17 **Wenn die Deckel [...] der Erde befänden**: Den größten Teil der Aussagen für den Zeugen 2 in diesem Gesang hat Peter Weiss der Befragung eines Mitglieds der Fahrbereitschaft entnommen, über die Bernd Naumann (*Frankfurter Allgemeine Zeitung*, 4.7.1964) berichtete. Für seine Dokumentation hat Naumann diesen Artikel nicht übernommen, weder 1965 noch 1968. Die Aussage über die Laute aus den Gaskammern stammen aus der Befragung eines anderen Zeugen, des ehemaligen Häftlings Alexander Princz, der in Auschwitz einen Pferdewagen kutschieren musste, mit dem er auch einmal Zyklon B zu den Gaskammern transportierte. Naumann zitiert den Zeugen in seiner Dokumentation von 1965: »Die Kartons wurden abgeladen, und Boger nahm die wie Konservendosen aussehenden Blechbehälter heraus. Er öffnete sie und reichte sie weiter. Andere SS-Männer warfen sie in die geöffneten Fenster, aus denen man ein Dröhnen hörte, als ob sich viele Menschen unter der Erde befänden« (Naumann 1965, S. 377).
Vgl. hierzu auch das Gedicht »Ein Dröhnen« von Paul Celan, das auf den 6. Mai 1965 datiert ist und erstmals im Band *Atemwende* 1967 veröffentlicht wurde. Das Gedicht geht wahrscheinlich von derselben überlieferten Aussage aus wie der Dramentext von Weiss. (Zur Interpretation des Celan-Gedichts als Gedicht nach dem Auschwitz-Prozess und zum Vergleich der beiden literarischen Verarbeitungen vgl. Meyer, S. 141–166.)

208.18 **Topf und Söhne**: Erfurter Ofenbauer-Firma, die in den 1940er-Jahren mit der SS zusammenarbeitete und Entlüftungsanlagen für die Gaskammern und Krematorien für Auschwitz und andere Vernichtungslager baute. 1951 wurde die Firma in Wiesbaden von einem der ehemaligen Besitzer neu gegründet, bis sie

1963 Bankrott ging. In Erfurt wurde sie seit 1948 als Volksei-
gener Betrieb (VEB) weitergeführt. 1994 meldete sie Konkurs
an. Seit 1996 bemüht sich eine Bürgerinitiative, das ehemalige
Firmengelände als »Ort des Mitmachens« öffentlich zugänglich
zu machen (vgl. www.topf-holocaust.de).

**Von den 9 Millionen […] besetzten Ländern umkamen:** Bezüglich der Zahl der Opfer des Konzentrationslagers Auschwitz
herrschte in den 1960er-Jahren Unsicherheit. Naumann etwa
schrieb 1965: »Die Schätzungen der Historiker schwanken zwischen einer Million und vier Millionen« (S. 11). Heute geht man
von mindestens 1,2 Millionen ermordeten Menschen aus,
wovon eine Million jüdischer Herkunft war (vgl. *Auschwitz-
Prozeß 4 Ks 2/63*, S. 178 ff.). Die übrigen genannten Zahlen
stimmen auch heute noch mit den Annäherungen der meisten
Historiker überein. Zur Gesamtzahl der ermordeten Juden
schwanken die Angaben zwischen fünf und sechs Millionen.
Letzte Genauigkeit ist hier nicht möglich, was am Ausmaß des
Verbrechens nichts ändert (vgl. Hilberg, S. 1281).

215.17–216.4

Die Zahl 9,6 Millionen konnte Weiss bei Gerald Reitlinger nachlesen, der aus der Anklageschrift der Nürnberger Prozesse zitier-
te: »Von den 9 600 000 Juden, die in Gebieten Europas unter
Nazi-Herrschaft lebten, sind nach vorsichtiger Schätzung
5 700 000 verschwunden, von denen die meisten von den Nazi-
Verschwörern vorsätzlich ums Leben gebracht worden sind«
(Reitlinger, S. 558).

**verjährt:** Seit 1960 waren bereits alle Totschlagsdelikte der Na-
zi-Zeit verjährt, d. h., man konnte wegen eines solchen Verbrechens nicht mehr angeklagt werden. 1965 wäre auch für Mord
die Verjährung eingetreten. Nach Debatten in der Öffentlichkeit
und im Bundestag (März 1965) wurde dies vom Gesetzgeber
verhindert. Die Verjährung für Mord wurde zunächst bis 1969,
dann bis 1979 verlängert und schließlich aufgehoben.

219.17

Laut Meinungsumfragen waren 1963 noch 54 % der Deutschen
für einen »Schlussstrich« und damit für die Verjährung, 1964
waren es »nur« noch 39 % (Wojak, S. 67). Bei diesem Stim-
mungswandel spielte offensichtlich der Frankfurter Prozess eine
Rolle.

NF 320/1/5.01

**Hermann Hesse**
**Demian**
Kommentar: Heribert Kuhn
SBB 16. 220 Seiten

»Heribert Kuhns Kommentar erweist sich als gehaltvolle,
fordernde und inspirierende Anleitung zum Verständnis
des Romans. Als *die* Leseausgabe für Studierende kann
dieser Band daher unbedingt empfohlen werden.«
*Literatur in Wissenschaft und Unterricht*

**Hermann Hesse**
**Der Steppenwolf**
Kommentar: Heribert Kuhn
SBB 12. 306 Seiten

»... Der 50 Seiten umfassende Kommentar allein lohnt
die Anschaffung dieses Textes. Er ist auch ideal für eine
Klassenlektüre.« *lesenswert*

**Rainer Maria Rilke**
**Die Aufzeichnungen des Malte Laurids Brigge**
Kommentar: Hansgeorg Schmidt-Bergmann
SBB 17. 300 Seiten

»Den größten Teil des Kommentars machen jedoch
Wort- und Sacherklärungen aus; da sie nicht stichwortar-
tig im Telegrammstil gehalten sind, erklären sie vorzüg-
lich auch komplexe Zusammenhänge.«
*Neue Zürcher Zeitung*